Elias Haller

Der Kryptologe

Das Buch

Erdrosselt, in einem Galakleid, mit rätselhaften Zahlenkombinationen in die blassen Hände und Füße geschnitten: So wird die Frau eines Sensationsreporters in der Kanalisation unter der Semperoper gefunden. Von ihrer kleinen Tochter Liliana fehlt jede Spur.

Arne Stiller von der Dresdner Mordkommission ermittelt. Steht das Verbrechen mit einer Skandalinszenierung an der Oper in Zusammenhang oder handelt es sich um das kranke Schauspiel eines Psychopathen? Für den streitbaren Kryptologen ist es der erste Fall nach einjähriger Suspendierung. Von nun an zählt jede Sekunde: Stiller muss die Botschaft des Zahlenmörders entschlüsseln und das vermisste Kind finden, bevor es zu spät ist.

Der Autor

Elias Haller, Jahrgang 1977, lebt in einer sächsischen Großstadt. Den Zündstoff für seine packenden Thriller bezieht er aus seiner beruflichen Erfahrung mit Rechtsbrechern und deren Opfern. Seine Leidenschaft fürs Schreiben ermöglicht es ihm, kaltblütige Mörder und tragische Helden aufeinander loszulassen, ohne dabei ein schlechtes Gewissen zu haben.

ELIAS HALLER

DER KRYPTOLOGE

EIN ARNE-STILLER-THRILLER

Deutsche Erstveröffentlichung bei
Edition M, Amazon Media EU S.à r.l.
38, avenue John F. Kennedy, L-1855 Luxembourg
April 2021

Umschlaggestaltung: zero-media.net, München
Umschlagmotiv: © Ana Babii / Shutterstock; © mexrix/ Shutterstock;
© Nick Hoyle / ArcAngel;
Lektorat und Korrektorat: VLG Verlag & Agentur, Haar bei München,
www.vlg.de
Gedruckt durch:
Amazon Distribution GmbH, Amazonstraße 1, 04347 Leipzig /
Canon Deutschland Business Services GmbH, Ferdinand-Jühlke-Straße 7,
99095 Erfurt /
CPI books GmbH, Birkstraße 10, 25917 Leck

ISBN 978-2-49670-723-6

www.edition-m-verlag.de

Für Armakuni,
selbstverständlich.

ERSTER TEIL

Kapitel 1

Sonntag, 12.45 Uhr

Annalena Winzer drängte ihre Tochter Liliana im Bus nach hinten, wo sie die beiden letzten freien Sitzplätze ergatterten. Im Stehen ließen sich Handynachrichten nicht so bequem beantworten, weil es durch das Stop-and-go in der Innenstadt ständig ruckelte.

»Mach deine Jacke auf«, wies sie Liliana an. »Hier drin ist es nicht so kalt.«

»Ja, Mama«, sagte Liliana, zog am Reißverschluss und nahm außerdem ihre Mütze vom Kopf.

Zufrieden strich Annalena der Kleinen das schwarze Haar glatt, das sich so samtig weich anfühlte. Anschließend holte sie ihr Smartphone aus der Handtasche und beobachtete dabei die übrigen Fahrgäste. Ganz Dresden schien an diesem verkaufsoffenen Sonntag auf den Beinen zu sein. In aller Regel beanspruchten ältere Menschen die vorderen Plätze im Bus. Hier im hinteren Abteil standen die Chancen gut, dass sie die gesamte Fahrt über sitzen bleiben konnten.

»Bekomme ich nachher ein Spielzeug?«, drängte Liliana.

»Nein, Lili, du hattest gerade Geburtstag. Morgen ist erst mal deine Großmutter dran, deshalb kaufen wir für sie eine große Schachtel Pralinen.« Statt in das enttäuschte Gesicht ihrer Tochter zu blicken, schaute Annalena auf ihr Handydisplay. »Du weißt, wie sehr deine Großmutter Pralinen mag.«

»Darf ich mir wenigstens etwas Süßes aussuchen?«

Acht neue Nachrichten im Messenger. Von ihren Freundinnen, ihrer Büroassistentin und ihrer Schwiegermutter, aber keine von Holger. Das war positiv. Keine Nachricht von ihm bedeutete, dass er es wenigstens einmal rechtzeitig schaffen würde.

»Mama?«, drängelte Liliana.

»Süßigkeiten sind schlecht für die Zähne.«

»Und was ist mit Omas Zähnen?«

»Hast du dir ihr Gebiss mal richtig angesehen?«

Annalena mochte es nicht, wenn ihr Kind bettelte, deshalb schaute sie demonstrativ durch die Fensterscheibe auf die Wolken. Seit Tagen hingen sie wie eine graue Glocke über Dresden. Besonders in den Morgenstunden, wenn die meisten Leute zur Arbeit aufbrachen, lagen dichte Nebelschleier über den Ufern der Elbe. Andere fanden das herbstliche Wetter vielleicht wunderschön, Annalena dagegen brauchte Sonne und sehnte die Herbstferien und den Flug nach Teneriffa herbei.

Minuten später hielt der Bus am Postplatz. Sie nahm ihre Tochter an die Hand und stieg mit ihr gemeinsam aus. Kaum hatte sich der Bus wieder in Bewegung gesetzt, meldete sich ihr Handy. Holgers Nummer.

»Bitte erzähl mir nicht, dass ausgerechnet an diesem Abend etwas dazwischenkommt«, entgegnete sie sofort, als er anklingen ließ, noch arbeiten zu müssen.

»Es wird nur geringfügig später, Schatz«, beschwichtigte ihr Mann. »Vor dem Rudolf-Harbig-Stadion gibt es Tumult unter den Fußballfans. Ich soll mir das unbedingt ansehen. Eine Redaktion braucht dringend Material für eine Story über Dynamo Dresden. Du weißt schon, wegen der ständigen

Ausschreitungen. Sie bezahlen gut, erst recht, wenn ich die Polizei mit aufs Bild bekomme.«

»Und das heißt, du musst bis zum Abpfiff dort auf der Lauer liegen?«

»Ich werde rechtzeitig da sein, versprochen.«

An derartige Versprechungen glaubte Annalena schon lange nicht mehr. Obwohl ihre Tochter weiß Gott nichts für das miese Timing ihres Vaters konnte, zerrte sie Liliana durch die Menschenmengen. Die Touristen ließen sich selbst bei einem Wolkenbruch nicht von einer Besichtigung der Kulturstadt abbringen.

»Du weißt, wie nervös ich werde, wenn du unpünktlich bist.«

»Deshalb werde ich rechtzeitig vor dem Italienischen Dörfchen auf dich warten. Vergiss die Karten nicht.«

»Aber was ist mit deinem schicken Anzug …?«, fragte sie besorgt, doch er hatte die Verbindung bereits gekappt.

Eine Weile starrte Annalena auf ihr stummes Handy. Erst als das Display erlosch, bemerkte sie das Fehlen von Liliana. Aufgrund der unzähligen Passanten vor der Altmarkt-Galerie konnte sie ihre Tochter nirgends sehen.

»Lili«, rief sie und erspähte Liliana sogleich vor dem Spielwarengeschäft. »Lili, seit wann rennst du einfach so weg?«

Mit ihren kleinen Fingern zeigte das Mädchen auf ein außerirdisches Kuscheltier in der Schaufensterauslage, das laut Beschreibung sieben ganze Sätze sprechen konnte. »Maja hat so eins in Rot. Bitte, bitte, bekomme ich auch eins?«

»Ich wette, als Nächstes erzählst du mir, dass alle anderen Klassenkameraden auch eins haben.« Annalena beugte sich zu ihr hinunter und zog ihre traurig hängenden Mundwinkel zu einem Lächeln nach oben. »Wenn es dir so wichtig ist, kannst du es ja auf deinen Wunschzettel an den Weihnachtsmann schreiben.«

Als bei Liliana beinahe die Tränchen kamen, begann es zu nieseln.

»Schätzchen, wir müssen noch ein paar Sachen für heute Abend kaufen.«

»Darf ich mir wenigstens die Spielsachen ansehen?«

Gemeinsam schauten sie durch die Schaufensterscheibe in den Laden, der sich so bunt und verlockend präsentierte, dass selbst Annalena Kindheitsgefühle bekam. Irgendwann seufzte sie. Nicht zum ersten Mal durfte sich die Kleine in dem Geschäft austoben.

»Von mir aus, aber du wartest hier auf mich. Ich hole dich in ein paar Minuten wieder ab.«

Schnell gab Liliana ihr einen Kuss, dann verschwand sie im Spielzeugladen. Ohne ihre Tochter konnte Annalena sich zumindest in Ruhe nach einer Halskette und einer passenden Handtasche für die Abendveranstaltung umsehen.

Letztlich dauerten die Einkäufe länger als nur »ein paar Minuten«, obwohl sie sich beeilte. Nach dem Shopping in der Altmarkt-Galerie kehrte sie mit einer vollen Einkaufstasche zurück zum Spielzeugladen, doch von Liliana fehlte jede Spur. Selbst die Verkäuferinnen konnten sich nicht erinnern, seit wann das Mädchen nicht mehr da war. In Panik schaute Annalena sich vor dem Geschäft um und erblickte einen Security-Mitarbeiter, der in sein Funkgerät redete.

»Entschuldigen Sie«, sprach sie den Mann an, der ein messingfarbenes Namensschild auf der Brust trug und dem zufolge Tännert hieß. »Haben Sie zufällig meine Tochter gesehen? Sie ist acht, trägt eine rote Mütze und eine rosafarbene Jacke. Sie hat schwarze Haare …«

»Heißt sie zufällig Liliana Winzer?«, fragte der Mann.

Im ersten Moment war Annalena verblüfft, weil er den Namen ihrer Tochter kannte. »Ja, das ist sie.«

»Gut, da sind Sie ja endlich, Lili wurde beim Ladendiebstahl erwischt.«

»Aber die Verkäuferin dort drin wusste nichts von einem Diebstahl.«

»Nicht hier, sondern im Süßwarengeschäft. Ihre Kleine erzählte uns, dass Sie sie hier abholen wollten.« Seine eben noch kompromisslose Mimik wurde gefällig. »Machen Sie sich keine allzu großen Sorgen. Mit acht ist Ihre Tochter strafunmündig. Sorgen sollten Sie sich erst machen, wenn es öfter vorkommt. Aber ich denke, das hier wird ihr eine Lehre sein, sie hat natürlich ein bisschen geweint. Wenn Sie mir bitte folgen würden, damit wir die notwendigen Formalitäten regeln können, danach können Sie sie gleich wieder mitnehmen.«

»Sagen Sie, kennen wir uns?«, fragte Annalena, noch verwirrt von der Situation.

»Bestimmt nicht, aber meine Kollegen meinen, ich hätte ein Allerweltsgesicht.«

Sie bogen in einen Durchgang ein, der wie eine Hofeinfahrt für die Anlieferung von Waren aussah. Wenn Annalena sich richtig orientierte, ging es hier auch zur Tiefgarage unter dem Kaufhaus.

»Wohin gehen wir?«, fragte sie.

»Zu meiner Kollegin natürlich, sie passt derzeit auf Lili auf.«

»Müssten wir nicht den Haupteingang benutzen?«

»Kommen Sie, wir nehmen eine Abkürzung.«

Kapitel 2

Sonntag, 14.00 Uhr

Ein Jahr, zwei Monate und vierzehn Tage. Für Kriminaloberkommissar Arne Stiller hatte sich in dieser Zeit alles verändert. Davor hatte er dieses alte Gebäude in der Schießgasse geliebt, jetzt fürchtete er sich regelrecht davor, die Polizeidirektion zu betreten. Dabei lag es keineswegs an der Architektur, dem Stilmix aus Renaissance und Barock, sondern an dem Personal, das ihn da drin erwartete. Wie reagierten seine Kollegen im Kommissariat auf seine Degradierung? Würde sein Strafverfahren noch Gesprächsthema sein? Wie ging die Abteilung zukünftig mit ihm um, insbesondere sein Chef? Immerhin war Stiller vor dem ganzen Mist sein Stellvertreter im K11 gewesen.

Den Kopf voller Fragen, stieg er die Eingangsstufen hinauf. Immerhin erinnerte sich der Diensthabende am Einlass noch an sein Gesicht – trotz des Bartes. Arne hatte schon befürchtet, seinen Personalausweis vorzeigen zu müssen, weil ihn niemand mehr erkannte. Stattdessen tippte man sich zum Gruß an die Stirn und ließ ihn ohne Kontrolle eintreten. Der Name Stiller schien innerhalb der Polizeidirektion Dresden doch noch einen gewissen Stellenwert zu genießen. Allerdings konnte der

Eindruck auch täuschen. Für einen Polizisten hatte er verdammt viel verbrannte Erde hinterlassen.

Am Sonntag arbeiteten in der Direktion nur wenige Leute. Dadurch begegnete er kaum Kollegen, was überflüssige Kommentare verhinderte. Abgesehen vom Schichtdienst, befanden sich nur ein paar Kriminalbeamte der Operativen Fahndungsgruppe und vom Staatsschutz im Dienst. Wegen des Ligaspiels von Dynamo.

Mit Scheuklappen durchquerte Stiller die Etagen. Trotz seiner derzeitigen Gewichtsprobleme nahm er zügig die Treppen, bis er endlich die Räume seiner Abteilung erreichte: das Kommissariat für Leben und Gesundheit, dem auch die Mordkommission angehörte. Es fühlte sich eigenartig fremd an, vor der abgeschlossenen Tür seines Büros zu stehen, dessen Schlüssel er sich erst wieder aushändigen lassen musste.

Arne schniefte verbittert und schaute zur einzigen offen stehenden Tür auf dem Flur. Das Zimmer des Kommissariatsleiters. Dort klopfte er an.

»Hallo, Bernhard«, grüßte er seinen Vorgesetzten. »Wie du siehst, bin ich wieder da.«

»Arne, wie schön!«, kam es übertrieben freudig von Bernhard Hoheneck, seines Zeichens Erster Kriminalhauptkommissar. Er sprang von seinem Stuhl auf, beugte sich über den Schreibtisch und riss Arne beim Handschlag beinahe den Arm aus. »Ich habe glatt vergessen, dass wir uns heute treffen wollten.«

Dieser Lügner! Bernhard hatte sich doch persönlich mit der Personalabteilung darauf geeinigt, Arnes Dienstantritt am Wochenende über die Bühne zu bringen. Vermutlich weil er da ausreichend Nerven mitbrachte für die Konfrontation mit dem Sturkopf der Abteilung.

»Und ich hatte erwartet, du wärst auf mein Erscheinen vorbereitet«, sagte Arne.

»Setz dich und erzähl, wie es dir geht.«

»Es ging mir schon schlechter.«

»Du siehst wirklich blendend aus.«

Bisher hatte Arne seinen Chef als Prinzipienreiter gekannt, der Stolperfallen im Behördenalltag wie kein anderer umkurvte, indem er sich Entscheidungen immer erst von oben absegnen ließ, bevor er sie fällte. Dass er gleich zweimal hintereinander log, nahm Arne ihm echt übel. Er wusste selbst, dass er sich im zurückliegenden Jahr zwanzig Kilo Frust angefuttert hatte und ihm deshalb etliche Hosen im Schrank nicht mehr passten. Außerdem rauchte er zu viel, was der Haut erkennbar unbekömmlich war. Von gut aussehen konnte bei ihm also wahrlich nicht die Rede sein. Zum Friseur musste er auch dringend, meinte jedenfalls seine alleinstehende Nachbarin, die sich ihm nach seiner Scheidung aufdrängte und ihm mehrfach unverbindlichen Sex angeboten hatte. Aber was hieß bei Frauen schon unverbindlich?

»Du hast deine kakifarbene Jacke, mit der du immer herumgelaufen bist, gegen einen eleganten schwarzen Herrenmantel getauscht, echt schick«, setzte Bernhard ein Lob oben drauf. Diesmal klang es nicht nach Flunkerei, aber wie er sich dabei selbstzufrieden zurücklehnte, stieß Arne dennoch auf.

Für Arnes Kleiderwahl war ebenfalls seine Nachbarin verantwortlich, doch darüber würde er erst recht mit niemandem sprechen. Mit der flachen Hand bügelte er stattdessen über die Schreibtischplatte aus warmrotem Holz.

»Man hat dein Büro neu möbliert und die Wände gestrichen«, stellte er fest. »Dein Zimmer wirkt jetzt irgendwie … gemütlich.«

»Das liegt am Kirschbaum, Naturholz pur«, sagte Bernhard und klopfte stolz auf die Tischplatte. »Nach den spektakulären Aufklärungsergebnissen der letzten Zeit läuft es für das Kommissariat 11 finanziell und personell hervorragend. Man hat uns hochmoderne Computertechnik und zusätzliche Leute gegeben. Das wäre rundum erfreulich, gäbe es da nicht das Platzproblem.«

»Dann bin ich mächtig gespannt, wie gemütlich es in meinem Büro ist. Gibst du mir bitte den Schlüssel?«

Bernhard machte keine Anstalten, sich zum Schlüsselkasten an der Wand zu bewegen. Stattdessen blieb er bequem sitzen und breitete entschuldigend die Arme aus. »Tut mir leid, dein altes Zimmer ist inzwischen neu belegt worden.«

»Von wem?«

»Anja und Steve arbeiten jetzt dort.«

»Wer ist Steve?«

»Ein Absolvent aus Rothenburg. Er ist letzten Oktober zu uns gekommen. Macht gute Arbeit.«

»Ein Frischling von der Fachhochschule hat mein Büro?«

»Dein Büro? Dies hier alles, einschließlich des Stuhls, auf dem du gerade sitzt, gehört dem Freistaat. Und du solltest dankbar sein, dass auch du noch zum Freistaat gehörst. Es gibt genügend Leute, die ziemlich angefressen sind, weil man dich nicht entlassen hat.«

So, das stieß also einigen Kollegen auf! Aber Arne war bekannt dafür, dass er es seinen Mitmenschen nicht so einfach machte. Außerdem war er der einzige Kryptologe in der sächsischen Polizei. Damit einhergehend zehrte er von dem Ruhm, den ihm die Verhinderung einer Explosion in der Frauenkirche eingebracht hatte. Vor Jahren hatte er den sogenannten Millennium-Code eines Verrückten entschlüsselt und dadurch Hunderte Menschenleben gerettet. Aber das zählte anscheinend für seinen Vorgesetzten nicht mehr.

Kapitel 3

Sonntag, 14.15 Uhr

»Wo ist Mama?«, fragte Liliana. Sie lag zusammengekrümmt in einem Kinderbett und wischte sich mit dem Ärmel die Tränen ab.

»Deine Mama schläft«, sagte der Mann.

Liliana schluchzte. Sie verstand das alles nicht. Klar, in der Schule hatten sie darüber geredet, was die Kinder machen sollten, sobald ein Fremder sie ansprach, aber er war eigentlich kein Fremder gewesen. Er hieß Herr Tännert, so stand es schließlich auf seinem Namensschild. Er hatte freundlich mit ihr geredet, sogar von einem niedlichen Kätzchen gesprochen, das bei ihm zu Hause auf ihn wartete, bis er grob geworden war und sie in das Auto gezerrt hatte.

»Ich will zu meiner Mama«, flehte sie, denn sie wollte weg aus der fremden Wohnung, aus dem Zimmer voller Zahlen. Vor allem wollte sie aus dem Bett mit den Gitterstäben, in das man sonst Babys reinlegte.

»Deine Mama schläft, habe ich doch eben gesagt.«

»Kann ich zu ihr?«

Er wanderte vor dem Bettchen hin und her und schüttelte den Kopf. Dabei schaute er sie immer wieder streng an. Er kaute auch auf seiner Lippe. Bestimmt ärgerte er sich, weil Liliana ihn mit ihren Fragen nervte.

»Ich muss auf die Toilette«, sagte sie.

»Später.«

Er hatte ihr zu trinken gegeben, jetzt drückte ihre Blase. Wenn sie auf die Matratze pullerte, würde er garantiert schimpfen.

»Ich will aber zu meiner Mama!«

Er klatschte in die Hände. »Schluss damit!«

Jetzt musste Liliana bitter weinen. Sie ließ den Kopf hängen und schloss die Augen. Warum musste sie auch unbedingt allein in den Spielzeugladen gehen? Sie hätte bei ihrer Mutter bleiben sollen, auch wenn das langweilig gewesen wäre.

Auf einmal spürte sie, wie seine Hand sich um ihren Oberarm schloss. Erschrocken riss sie die Augen auf. Er beugte sich über das Gitter und funkelte sie zornig an. Dabei zuckte sein rechtes Augenlid.

»Hör zu, ich werde jetzt nach deiner Mutter schauen. Wenn sie wach ist und tut, was ich sage, darfst du zu ihr.« Er hob den Zeigefinger. »Aber nur, wenn sie macht, was ich sage! Verstehst du, deine Mutter ist nämlich nicht brav gewesen.«

»Was muss Mama denn machen?«

»Oh, sie soll ein Kleid für mich tragen.« Er löste den Griff an Lilianas Arm und ein böses Lächeln legte sich in sein Gesicht. »Und du musst auch etwas für mich tun.«

Darauf wusste Liliana nichts zu sagen, stattdessen schaute sie gebannt zu, wie er einen schwarzen Stift aus seiner Hosentasche zog und die Kappe abnahm.

»Los, steh auf und zieh dein Hemdchen hoch!«

Liliana verstand nicht.

»Hast du nicht gehört?«, wurde er laut. »Du sollst deinen Bauch frei machen, wie beim Arzt.«

Widerwillig erhob sie sich und zupfte am Stoff. Als er ihre Haut mit der kalten Stiftspitze berührte, schloss sie wieder die Augen und sah in der Dunkelheit lauter Monster.

Kapitel 4

Sonntag, 14.30 Uhr

»Schon kapiert«, sagte Arne gekränkt zu Bernhard. »Weil ich den Dienstgrad eines Hauptkommissars verloren habe und somit nicht mehr dein zweiter Mann bin, stellst du mich kalt.«

»Unterlass bitte solche Anschuldigungen, Arne. Ich muss dich wohl nicht daran erinnern, dass du über ein Jahr suspendiert warst, nachdem du den Innenminister bei einer Rede angegriffen hattest.«

»Pah! Ich war volltrunken, nicht Herr meiner Sinne, ich konnte ihn gar nicht angreifen. Ich habe dem Mann lediglich die Meinung gesagt.«

»Du bist vor den versammelten Gästen zum Rednerpult gestürzt und hast dich nach einer verbalen Entgleisung auf sein Jackett übergeben. Zu allem Überfluss hast du mit deinem Ellenbogen einem der Personenschützer das Nasenbein gebrochen. Herrje, deine Verurteilung und die Geldstrafe sind für uns alle hochpeinlich.«

»Das mit der Nase war ein Versehen, es tut mir leid und ich habe mich entschuldigt. Abgesehen davon hättest du mal miterleben sollen, wie die feinen Herren vom Personenschutz mich danach durch den Fleischwolf gedreht haben.«

»Hör auf, Arne!«, explodierte Bernhard und der neue Schreibtisch bekam seine Faust zu spüren. »Man muss sich das mal vorstellen, ein gestandener Kriminalbeamter verliert beim Empfang der Bürgermeisterin völlig die Nerven. Die Gäste waren schockiert, und deine Ex-Frau hat sogar geweint, als sie dich aus dem Saal schleifen mussten. Du kannst froh sein, dass du nicht im Dienst warst! Hätte mir jemand eine Wette angeboten, ich hätte darauf gesetzt, dass du nie wieder in den Polizeidienst zurückkehren darfst.«

Das hätte ihm so gepasst! Natürlich bereute Arne seine Fehler, gleichzeitig fühlte er sich noch immer im Recht, denn Innenminister Karl von Seiffen hätte ihm einfach nicht die Frau ausspannen dürfen.

»Die Auszeit hat aus mir einen besseren Menschen gemacht«, lenkte er ein, statt vehement auf seinen Standpunkt zu pochen. »Ich wandle jetzt auf dem Pfad des JALTA SINN.«

»JALTA SINN? Noch nie gehört. Was soll denn das sein?«

»Eine Konfession aus dem alten Japan. Dabei strebt man mehr oder weniger nach dem Eintritt in den Palast der Mysterien – den Misuterī kyūden.«

»Unfug, das nehme ich dir nicht ab.«

»So? Wäre es für dich akzeptabel, ich würde sonntäglich mit dem Gebetbuch unterm Arm in die Frauenkirche rennen? Oder soll ich vor dir im weinerlichen Singsang das Vaterunser vortragen?«

Bernhard wirkte plötzlich nachdenklich. Bestimmt würde er sich nachher hinter Google klemmen und über diese ihm unbekannte Religion recherchieren. Sollte er ruhig, der kleine General.

»Wie bist du denn überhaupt auf dieses JALTA SINN gekommen?«, hielt Bernhard den Small Talk überraschend am Laufen, weil das wohl von etwaigen Diskussionen über Arnes Vergangenheit ablenkte.

»Durch Bücher.«

»Bücher?«

»Ja, das sind die Dinger mit den vielen Seiten. Seit Neustem habe ich sogar einen Bibliotheksausweis. Der hilft mir zwar, meinen geistigen Horizont zu erweitern, aber leider öffnet er mir nicht so viele Türen wie ein Dienstausweis.« Er atmete einmal tief durch, weil ihn die Bittstellerrolle gehörig nervte. »Also bekomme ich meine Marke wieder?«

Bernhard zögerte lange, dann griff er in eine Schublade und pfefferte ihm die Kripomarke hin. »Lass uns eine Sache klarstellen: Ich weiß nicht, wer dafür verantwortlich ist, dass du wieder beim K11 arbeiten darfst, aber ich werde dafür sorgen, dass du meinen Leuten nicht in die Quere kommst. Deshalb befindet sich dein neues Büro auch etwas … abseits gelegen …« Er reichte ihm den Schlüssel eines antiquierten Buntbartschlosses.

Arne dachte nicht daran, ihm den Schlüssel abzunehmen, sondern verschränkte demonstrativ die Arme. In Gruselfilmen führten solche uralten Dinger immer zu Türen, die man besser niemals öffnete. »Du willst mich also nicht im Team haben.«

»Im Team schon, aber an der Seitenlinie.«

»Damit kommst du nicht durch.«

»Beschwer dich meinetwegen bei deinem obersten Gläubigen, aber der wird am Beschluss der Polizeipräsidentin nichts ändern können. Sie hat auch entschieden, dass du dich jedes Mal, wenn du mein Büro betrittst, einem freiwilligen Atemalkoholtest unterziehen wirst. Wir wollen damit bloß sicherstellen, dass du nicht rückfällig wirst.« Damit griff Bernhard noch einmal in die Schublade, holte ein bereitgehaltenes Testgerät samt Röhrchen hervor und legte beides in die Tischmitte neben den Schlüssel. »Du hast keine Wahl, wenn du dabeibleiben willst.«

Statt nach dem Atemalkoholgerät zu greifen, schnappte Arne sich den Schlüssel und sagte: »Steck dir das Röhrchen sonst wohin.«

Damit ließ er Bernhard sitzen und ging sein neues Arbeitszimmer suchen. Als er die richtige Tür fand, wusste er, warum sein Vorgesetzter bei der rüden Verabschiedung nicht drauflosgeschimpft, sondern selbstzufrieden abgewunken hatte. Die wollten Arne doch tatsächlich in einer Dachkammer einquartieren.

Kapitel 5

Sonntag, 16.35 Uhr

»Notruf der Polizei Dresden. Wie kann ich Ihnen helfen?«

»Ja, hier ist Winzer«, drang es aus dem Hörer.

»Winzer, sagten Sie?«

Der Beamte in der Notrufzentrale richtete sein Headset, um den Mann besser verstehen zu können, denn das Gespräch wurde von erheblichen Windgeräuschen begleitet. Selbst an den Fenstern der Polizeidirektion klapperten die Außenjalousien heftiger als sonst.

»Holger Winzer«, bestätigte der Anrufer. »Sie kennen mich, ich bin freier Reporter.«

Tatsächlich schrillten bei dem Beamten sofort sämtliche Alarmglocken. Der Name Holger Winzer wurde regional sowohl gefürchtet als auch bewundert. Neben einem sechsten Sinn für Skandale innerhalb der Polizei kannte dieser Mann sich bestens in der Dresdner High Society aus. Wegen ein paar schlüpfriger Fotos hatte schon einmal ein Landespolizeipräsident seinen Posten räumen müssen. Und vor über einem Jahr hatte Winzer über den Angriff auf den Innenminister berichtet, als einer von der Mordkommission ausgetickt war. Winzer hatte nicht nur die spektakulärsten Bilder geschossen, sondern noch am selben

Tag ein Exklusivinterview mit der Frau des Ministers bekommen – die Frau, die gleichzeitig die Ex-Gattin des aggressiven Polizeibeamten war. Bis heute rätselte man, wie dem Journalisten das gelingen konnte.

»Herr Winzer, was haben Sie für einen Notfall?«

»Meine Frau und mein Kind sind verschwunden.«

Er klang ernsthaft besorgt, aber weil derartige Anrufe beinahe täglich über die 110 eingingen und sich die Sorge in aller Regel als unbegründet herausstellte, blieb der Beamte vorerst gelassen. Vielleicht war das auch nur ein Test des Reporters.

»Okay, sagen Sie mir, wo Sie sich jetzt befinden, und dann erzählen Sie mir kurz, was vorgefallen ist.«

»Ich stehe hier vor dem Restaurant Italienisches Dörfchen und warte seit über einer halben Stunde auf meine Frau. Ich weiß, das ist nicht besonders lange, aber sie verspätet sich nie. Hören Sie? Niemals. Wir wollten vor der Opernpremiere an der Elbe spazieren gehen und anschließend hier zu Abend essen. Wir haben einen Tisch reserviert. Sie hat sich bisher bei niemandem gemeldet. Meine Mutter sollte heute unsere Tochter beaufsichtigen …«

»Das Italienische Dörfchen am Theaterplatz?«, unterbrach der Beamte den Redeschwall und spähte nach der Uhrzeit. »Das habe ich mir notiert. Wie heißen Ihre Frau und Ihre Tochter?«

»Annalena und Liliana. Liliana ist letzten Monat acht geworden.«

»Acht Jahre … Ist es möglich, dass Ihre Familie von Bekannten aufgehalten wurde oder Ihre Frau im Stadtverkehr festhängt?«

»Hören Sie mir eigentlich zu? Ich sagte, meine Frau hat sich noch nie verspätet. Und falls es so wäre, würde sie mich umgehend anrufen. Aber verdammt, ich erreiche sie nicht mehr auf dem Handy. Sie müssen nach den beiden suchen!«

Jetzt drückte er auf die Tränendrüse, aber gegen solche Empfindungen musste der Beamte am Telefon immun bleiben. Er ließ sich nicht von den Gefühlen der Anrufer verleiten, sondern arbeitete sämtliche Notrufe professionell ab. Das wirkte auf Außenstehende vielleicht mitleidlos, aber keinem Bürger half es, wenn der Beamte am Ende der Leitung ebenfalls zu weinen anfing.

»Ich verstehe Ihre Sorge, aber wir müssen das hier zuerst Schritt für Schritt durchgehen, dann werden wir Ihnen helfen. Habe ich das richtig verstanden, Sie wollten sich mit Ihrer Frau am Theaterplatz treffen und später gemeinsam die Oper besuchen.«

»Ja, um neunzehn Uhr dreißig wird ›Der feurige Engel‹ aufgeführt.«

Damit konnte der Beamte etwas anfangen, denn die Werbeplakate für die Vorstellung zierten überall die Stadt.

»Okay, wann haben Sie Ihre Frau und Ihre Tochter zuletzt gesehen?«

»Gesehen … heute nach dem Frühstück, ich hatte danach Termine und bin gegen halb zehn aus dem Haus. Annalena wollte mit unserer Tochter in die Altmarkt-Galerie. Es ist verkaufsoffener Sonntag. Auf dem Weg dorthin habe ich noch mit meiner Frau telefoniert.«

»Wann war das?«

»Gegen Mittag, die genaue Uhrzeit kann ich Ihnen raussuchen. Dafür muss ich bloß in der Anrufliste meines Telefons nachsehen.«

»Gegen Mittag. Ich muss das jetzt fragen: Was glauben Sie denn, was mit den beiden passiert ist?«

Kapitel 6

Sonntag, 17.25 Uhr

Die alte Waffenkammer unter dem Dach. Hier saß Arne nun, umgeben von gekalkten Wänden, schwarz gestrichenen Fensterscheiben, einem Stuhl, an dessen Polster sich die Naht an einer Ecke löste, und einem Tisch, der irgendwann mal in einer Abteilungsküche gestanden haben musste. Mit genügend Fantasie konnte man auf der Oberfläche eine Landkarte aus eingetrockneten Kaffeeflecken ausmachen. Auf dem Tisch stand sogar ein Laptop, doch etliche Buchstaben der Tastatur waren kaum noch erkennbar und die Enter-Taste hing schief. Daneben stapelten sich drei Briefablagen. Diese sollte Arne wohl ab Montag füllen, indem er hochwichtige Dokumente einordnete.

»Für die Grundausstattung haben die sich ja richtig Mühe gegeben«, murmelte Arne, während er nach seinen Zigaretten griff. »Bin gespannt, wie es hier aussieht, wenn die erst richtig loslegen.«

Als erste Amtshandlung hatte er sich vorhin einen Aschenbecher organisiert. Hier oben würde ihm garantiert niemand das Rauchen verbieten. Irgendwie musste er ja schließlich den strengen Geruch des alten Waffenöls bekämpfen, der selbst nach Jahren des Leerstands noch im Raum schwebte.

Mit einer Zigarette zwischen den Lippen startete Arne den Computer. Er hatte es nicht eilig, nach Hause zu kommen. Dort wartete sowieso nur der Fernseher auf ihn – und vielleicht seine Nachbarin, deren Ohren gespitzt waren, sobald er den Schlüssel im Schloss herumdrehte. Nein, lieber blieb er hier. Für seinen ersten Arbeitstag nach der Zwangspause hatte er sich vorsorglich einen kleinen Vorrat belegte Brote in die Aktentasche gepackt. Damit konnte er zur Not auch die ganze Nacht überstehen. Es tat unendlich gut, wieder im Dienst zu sein. Auch wenn er seinen Arbeitsplatz anders in Erinnerung hatte.

Immerhin tat sich etwas auf dem Bildschirm. Er bezweifelte zwar, dass auf der Kiste die Programme liefen, die er als Kryptologe benötigte, aber seinen Aufenthalt in dieser Kammer sah er ohnehin nur als Übergangslösung. Der Winter stand quasi schon vor der Tür und man konnte ihn unmöglich in diesem kalten Quartier erfrieren lassen.

»Doch, genau das beabsichtigen die.« Dabei wusste er nicht einmal richtig, wen er mit *die* eigentlich meinte. »Aber wartet nur …«

Schon sehr bald würde er wieder in einem anständigen Büro, mit anständiger Computertechnik und vor allem einer anständigen Heizung sitzen. Wie er das anstellen sollte, wusste er aktuell nicht, aber mangels zu bearbeitender Fälle würde ihm jede Menge Zeit bleiben, um eine Lösung für sein Stellenproblem zu finden.

»Jammern bringt nichts«, sprach er sich deshalb Mut zu. Irgendwann würde Bernhard schon auf ihn zurückgreifen und dann …

Prompt klopfte es und sein Vorgesetzter trat ins Zimmer.

Das ging ja schneller als erwartet, dachte Arne und beugte sich über den Laptop, um beschäftigt auszusehen.

»Ah, du steckst schon mitten in der Arbeit, so kenne ich dich«, heuchelte Bernhard noch zu allem Übel.

Arne lehnte sich zurück und faltete wie ein Buddha die Hände vor seinem Bauch. »Armakuni sagt: ›Jeder Schritt ist vergebens ohne eine Aufgabe.‹«

»Wer ist denn Armakuni?«

»Das ist der Schutzpatron im JALTA SINN. Armakuni ist so eine Art Ninja. Verhüllt und schwer zu greifen, du verstehst?«

»Hör endlich auf mit diesem Unsinn …«

»Sein Gegenspieler ist übrigens Kunitoki«, tat Arne ihm nicht den Gefallen. »Ein ziemlich übler Zeitgenosse, wenn du mich fragst. Aber solche gibt es ja überall.«

»Ich wollte mich im Internet schlaumachen, konnte deine Religion allerdings nirgends finden.«

»Logisch! Wir sind nämlich eine so kleine Glaubensgemeinschaft, dass selbst Google uns nicht aufführt.«

»Schwachsinn, was Google nicht findet, existiert auch nicht.«

»Aha, du willst also ernsthaft meine Religion beleidigen? Jetzt weiß ich, wie sich die lateinamerikanischen Anhänger der Santa Muerte früher ständig gefühlt haben müssen, weil man sie wegen ihres Glaubens an den heiligen Tod belächelt hat.«

Bernhard kratzte sich am Kopf und atmete gedehnt aus. »Hast du heute zu wenig gegessen?«

»Armakuni sagt: ›Du sollst keinen Keks essen, wenn du zufrieden bist.‹«

»Was soll denn das nun wieder bedeuten?«

»Darüber denke ich auch schon die ganze Zeit nach, kann sein, dass die Übersetzung nicht ganz richtig ist. Ich meine, statt Keks müsste es im Japanischen eher Reiswaffel heißen, oder findest du nicht?«

Sichtlich verwirrt schüttelte Bernhard den Kopf, um dann blitzschnell zu seinem eigentlichen Anliegen zu kommen, wofür er einen Einsatzbericht und ein Diktafon auf den Tisch legte. Dann räusperte er sich.

»Du willst doch hier wieder mitmachen.«

»Mal sehen, welcher Tag ist heute?« Arne schaute demonstrativ zur rechten Wand. »Ach, du meine Güte! Der Kalender hängt ja schon seit vierzehn Jahren da.«

Als Bernhard daraufhin seinen Blick im Raum schweifen ließ, schien auch er die ganze Erbärmlichkeit der Einrichtung zu bemerken. »Das bringen wir in Ordnung. Momentan haben wir ein dringenderes Problem. Eine Mutter und ihr achtjähriges Kind sind verschwunden, und der Polizeiführer im Lagezentrum will kein Risiko eingehen. Vielleicht ist es auch nur falscher Alarm. Wir vom K11 sollen uns jedenfalls sofort einschalten.«

»Zwei Vermisste? Das kann alles Mögliche bedeuten, aber solange es keine Leiche gibt …«

»Hör dir den Notruf an, dann verstehst du, warum ich hier bin.« Bernhard schaltete das Diktafon an, und noch bevor der Anrufer seinen Namen nannte, erkannte Arne die Stimme des Journalisten Holger Winzer.

Arne klappte kurz der Mund auf, dann lauschte er verbissen der Aufnahme.

»*… da muss ein Verbrechen geschehen sein, also machen Sie endlich Ihren Job, oder wollen Sie, dass ich die Untätigkeit der Dresdner Polizei an die große Glocke hänge?*«, schloss Winzer irgendwann, und der Notrufbeamte stellte noch ein paar obligatorische Fragen, bevor das Gespräch erstarb.

»Ich soll die Sache mit Winzer übernehmen, weil dieser unbequeme Reporter die Polizeidirektion sonst in die Knie zwingt? Läuft es darauf hinaus?«

Bernhard nickte. Er sah dabei nicht glücklich aus. Wohl eher deshalb, weil er gern einen anderen Beamten vor sich sitzen gehabt hätte. »Ich will ungern auf die Rufbereitschaft zurückgreifen, denn der Kollege hatte diese Woche schon enorm viele Einsätze. Der braucht dringend eine Pause.«

»Ein achtjähriges Kind … Du weißt, ich hasse Kinder.«

»Arne, du hasst keine Kinder, du bist nur frustriert, weil deine Ehe kinderlos geblieben ist.«

Zielsicher wie nie zuvor traf Bernhard den Nagel auf den Kopf. Arne war deprimiert, weil ihm und Natalia der Kinderwunsch immer verwehrt geblieben war. Trotzdem wollte er im Moment seinem Chef am liebsten eine derbe Weisheit der JALTA SINN an den Kopf werfen, aber dann wog er ab, wie weit er an seinem ersten Tag gehen durfte. Wenn er jetzt vollends auf Konfrontationskurs ging, würde er die restlichen zwölf Jahre bis zur Pension in diesem Loch sitzen. Was hatte er dagegen schon zu verlieren, wenn er die Aufgabe annahm? Solche Vermisstenfälle klärten sich in aller Regel von selbst, also konnte er Punkte sammeln.

»Abgemacht, ich übernehme das, aber es kostet dich was.«

Kapitel 7

Sonntag, 18.10 Uhr

Als Arne bei den Einsatzkräften vor dem Italienischen Dörfchen eintraf, war es bereits dunkel über Dresden. Altertümliche Laternen erhellten den Theaterplatz, in dessen Zentrum die Bronzestatue von König Johann aufragte. Ein Reiter hoch zu Ross. Schon seit Tagen versammelten sich vor der Semperoper zahlreiche Menschen mit Plakaten und Spruchbändern, um gegen die heutige Premiere zu demonstrieren. Die Neuinszenierung von »Der feurige Engel« sei angeblich zu freizügig, zu modern. Sie würde den Geist der Semperoper zerstören. Was auch immer das für ein Geist sein sollte. Arne fand auch nicht immer alles gut, was die Opernleitung fabrizierte, aber nein, diesen Protest verstand er nicht. Und die zahlungswilligen Operngäste anscheinend auch nicht, denn die Aufführungen waren bereits bis Oktober ausverkauft.

Arne stieg aus seinem Wagen. Die Probleme der Opernleitung gehörten zum Glück nicht zu seinen Sorgen. Sobald sich die Gemüter wieder beruhigt hatten, würde er sich vielleicht um ein Ticket kümmern und sich selbst ein Bild von der Aufführung machen. Ein bisschen Kultur konnte nie schaden. Aber ohne Begleitung war ein Opernbesuch auch irgendwie Mist …

»Gibt es Neuigkeiten?«, erkundigte er sich beim Einsatzleiter, der ihm auf dem Gehweg die Hand entgegenstreckte.

Nach der Begrüßung schüttelte der Kollege den Kopf. »Bisher gibt es keine Hinweise zu den beiden Vermissten. Wir befragen aktuell die Wachschutzmitarbeiter und die Geschäftsleitung der Altmarkt-Galerie. Dort sind die beiden definitiv einkaufen gewesen.«

Arne nickte und schlug sich den Mantelkragen hoch. Er fröstelte bei dem Gedanken, dass der Frau und dem Kind tatsächlich etwas zugestoßen sein könnte. Besonders dem Kind.

»Wie sieht es mit den Dresdner Verkehrsbetrieben aus?«, forschte Arne nach. »Meiner Kenntnis nach sind die beiden mit dem Bus zum Einkaufen gefahren.«

»Richtig. Deshalb haben wir unverzüglich den DVB-Dispatcher an der Funkfahndung beteiligt. Zum Glück kommen nicht so viele Linien infrage, die Frau Winzer mit ihrer Tochter von der Wohnadresse genommen haben könnte. Derzeit kontaktieren wir die entsprechenden Fahrer. Darüber hinaus befragen wir Verwandte und Bekannte. Insgesamt koordiniere ich fünf Streifenbesatzungen.«

Für Arnes Empfinden dauerte das alles zu lange. Vermisstenfälle klärten sich in der Regel in den ersten Stunden oder zogen sich über Tage hin. Aus seiner beruflichen Erfahrung wusste er, dass Suchmaßnahmen in der Theorie nie zeitaufwendig klangen, die Sache sich in der Praxis aber weitaus komplizierter darstellte. »Beeilt euch mit den Busfahrern. Und erkundigt euch bei der Rettungsleitstelle und den umliegenden Krankenhäusern, ob die beiden dort zur Behandlung sind. Man weiß ja nie, was es für Zufälle gibt.«

»Das haben wir längst.«

»Dann macht es noch einmal«, fuhr Arne ihn an. »Und wenn du schon dabei bist, kümmere dich darum, dass wir Zusatzkräfte vom Fußballeinsatz bekommen. Dynamo in allen Ehren, aber mir liegt eine Mutter mit ihrem Kind deutlich näher am Herzen.«

Sichtlich unzufrieden verzog der Kollege das Gesicht. »Das habe ich auch schon versucht, die Einsatzleitung hat gemauert, weil es zwischen den Fanlagern gleich an mehreren Orten zu gewalttätigen Auseinandersetzungen gekommen ist. Aber schön, ich frage erneut an, falls dich das beruhigt.«

Wahrscheinlich ahnte er, wie Arne darüber dachte. Natürlich wusste Arne um die Randale nach dem Dynamo-Spiel, das mit 0:3 verloren gegangen war. Von daher war ihm bewusst, wie schwierig es für die dortige Einsatzleitung wäre, auch nur eine Halbgruppe der Bereitschaftspolizei für die Vermisstensuche abzugeben. Aber was waren ein paar gewaltbereite Hooligans, die sich gegenseitig die Köpfe einschlagen wollten, gegen die Sorge eines Familienvaters? Selbst wenn sich am Ende herausstellte, dass es sich nur um falschen Alarm handelte.

»Wo ist Holger Winzer jetzt?«, fragte er.

»Sitzt in meinem Funkwagen um die Ecke.« Der Kollege deutete mit dem Daumen hinter sich. »Bei dem Trubel, der vor der Semperoper herrscht, wollte ich ihn eigentlich schon nach Hause schicken, bis man mir mitteilte, dass du übernimmst.«

Arne atmete einmal tief durch, denn auf die Begegnung mit dem Journalisten hätte er gern verzichtet. Kaum eine Minute später beugte er sich dennoch zu Winzer ins Fahrzeug.

»Kommen Sie, wir gehen ein Stück«, forderte Arne ihn auf, denn unter keinen Umständen würde er sich zu dem Mann auf die Rückbank setzen.

»Haben Sie etwas von meiner Familie gehört?«, fragte Winzer, der Arne zur nahen Freitreppe am Terrassenufer hinterherhechelte.

Bevor Arne antwortete, zündete er sich erst eine Zigarette an. Seit er nicht mehr trank, rauchte er wieder. »Ich wünschte, ich könnte Ihnen erzählen, dass Ihre beiden Liebsten längst zu Hause auf Sie warten. Leider ist die Wahrheit, dass wir keine Spur von ihnen haben. Deshalb ist es wichtig, dass Sie ehrlich zu mir sind.«

Holger Winzer war fünfundvierzig, vier Jahre jünger als Arne, aber der Stress, den der Beruf eines Spitzenreporters mit sich brachte, hatte dunkle Augenringe hinterlassen. Einige Falten auf der Stirn bewirkte gegenwärtig die Sorge um seine Familie, weitere kamen hinzu, als er die Stirn runzelte.

»Tut mir leid, dass ich in der Vergangenheit so unangenehm über Sie berichtet habe. Ich gebe zu, ein paar Dinge waren unter der Gürtellinie.«

»Ach was.« Arne winkte ab und nahm einen langen Zug von der Zigarette, um seinen Frust hinunterzuschlucken. »Schon vergessen.«

»Ehrlich? Das nehme ich Ihnen nicht ab, Herr Stiller, dafür kenne ich Sie zu gut.«

Arne schniefte und fuhr so heftig herum, dass er mit seinem Bauch Winzer ein Stück wegstieß. »Stellen wir einfach eines klar: Sie kennen mich nicht und Sie sollten sich zukünftig besser darüber im Klaren sein, dass Ihre Mitmenschen auch Gefühle haben. Gefühle, die Sie, wann immer Sie können, mit den Füßen treten.«

Winzer kratzte sich die Stirn und nahm noch einen halben Schritt Abstand. »Sie haben vielleicht recht. Was passiert jetzt?«

»Hatten Sie und Ihre Frau kürzlich Streitigkeiten?«

»Was? Nein!«

»Probleme im Bett? Gehen Sie fremd? Schlagen Sie Ihre Tochter?«

»Was soll denn das?«, kam es verunsichert von Winzer, der gewöhnlich selbst solche Fragen auf seine Interviewpartner abfeuerte. »Annalena und ich …«

»… führen eine harmonische Ehe«, spann Arne den Satz zu Ende. »Ja, ja, verschonen Sie mich mit diesen Floskeln, das dachte ich früher auch. Wie sehr ich danebenlag, wissen *Sie* ja am besten. Immerhin haben Sie meine Ex ausgehorcht. Die hat Ihnen erzählt, was für ein fetter Versager aus mir geworden ist.«

»Nein, hören Sie, Herr Stiller, Natalia …«

»Lassen Sie Natalia aus dem Spiel! Und Sie brauchen sich auch nicht zu entschuldigen, ich pfeife auf Ihre Beteuerungen. Ich bin hier wegen Annalena und Liliana. Ich tue alles, um die beiden wohlbehalten zu finden. Also erzählen Sie mir endlich, was vorgefallen ist.«

Winzer richtete sich das Jackett seines teuren Anzugs und nahm Haltung an. »Glauben Sie, meine Frau würde mit mir essen gehen, wenn es zwischen uns nicht laufen würde?«

Arne zuckte die Schultern. »Beziehungen sind manchmal eigenartig. Wissen Sie, nach meiner Erfahrung verschwinden Angehörige nie grundlos.«

»Dann sollten Sie neue Erfahrungen sammeln.«

»Gut, nehmen wir an, Sie führen eine Bilderbuchehe, dann bleibt nur Ihre Arbeit, die für das Verschwinden verantwortlich ist. Also, an was für einer Story arbeiten Sie aktuell?«

»Sie meinen, über wen ich demnächst berichte?« Winzer schaute Richtung Semperoper. »Ein Informant hat mir gesteckt, der Dirigent habe ein Drogenproblem. Die Sache ist zwar nicht mehr ganz neu, aber ich bin noch nicht fertig mit meinen Recherchen. Deshalb schaue ich mir heute die Premiere an. Und natürlich auch, weil der Intendant gerade dabei ist, das Image der Oper gegen die Wand zu fahren.«

»Sie meinen, wegen der heutigen Aufführung?«

Winzers Arm deutete zur versammelten Meute auf dem Theaterplatz. »Sie hören ja die Rufe. ›Der feurige Engel‹ ist für Dresdner Verhältnisse eine Spur zu extravagant geraten. Vielleicht haben Sie den Einspieler im Internet gesehen. Aber um das Ganze objektiv beurteilen zu können, haben wir zwei Sitzplätze für heute ergattert. Tja, und nun …« Er griff sich an die Stirn, als hätte er plötzlich Kopfschmerzen, danach packte er Arne am Mantel. »Helfen Sie mir!«

Auch wenn Arne den Journalisten nicht mochte, tat Winzer ihm irgendwie leid. Ein Versprechen konnte und wollte er jedoch nicht abgeben.

»Ich werde …«, fing er an, als der Einsatzleiter zu ihnen trat, Arne ein Stück wegzog und ihm etwas ins Ohr flüsterte.

Er verstand drei Worte: Leiche, Verbrechen und Abwasserbecken.

Irritiert von der Neuigkeit, ging sein Blick zur Semperoper. Er kam nicht dazu, weitere Einzelheiten zu erfragen, denn Winzer schöpfte sofort Verdacht.

»Was ist mit meiner Frau und meinem Kind?«

»Zum jetzigen Zeitpunkt wissen wir nicht mehr. Ich will, dass Sie nach Hause fahren und auf meinen Anruf warten.«

»Nein, ich will wissen, was los ist!«

Arne legte ihm eine Hand auf die Schulter und sah ihn ernst an. »Ich melde mich bei Ihnen.«

Kapitel 8

Sonntag, 18.30 Uhr

An der Einfahrt zur Tiefgarage hinter der Semperoper wurde Arne bereits von mehreren Streifenbeamten erwartet. Ein Polizeihauptmeister vom Revier Mitte führte ihn die wenigen Meter zu einem quaderförmigen Gebäude, dem Arne beim Vorbeifahren gelegentlich Beachtung geschenkt, das er jedoch nie zuvor betreten hatte.

»Wozu dient dieses Gebäude eigentlich?«, wunderte er sich über das Häuschen mit dem verwitterten Kupferdach, während er die Umgebung gedanklich in die Tatrekonstruktion einbezog und einen letzten Blick zum Sächsischen Landtag auf der gegenüberliegenden Straßenseite warf.

»Es handelt sich um ein Regenüberlaufbauwerk der Stadtentwässerung Dresden GmbH«, gab der Kollege Auskunft wie ein sprechender Wikipedia-Eintrag. »Laut dem Mitarbeiter der Firma ist der Stollen knapp fünfzehn Meter lang.«

»Fünfzehn Meter! Das artet ja in eine regelrechte Höhlenwanderung aus.«

Bevor er weitere Fragen an den Beamten richten konnte, stand er bereits dem Angestellten der SEDD gegenüber. Tilo

Walther trug eine neonfarbene Weste mit dem Logo seiner Firma, zu seinen Füßen stand eine riesige Werkzeugkiste.

»Sie haben die Tote in der Kanalisation gefunden?«, fragte Arne ihn.

»Ja, sie lag da auf dem Steinboden, ich hätte fast einen Herzinfarkt bekommen, als ich sie sah.«

Das bezweifelte Arne, denn laut Personalausweis war Walther erst einundvierzig. Soweit man den Körperbau unter der neonfarbenen Weste beurteilen konnte, schien er außerdem regelmäßig ein Fitnessstudio zu besuchen.

»Was machen Sie hier an einem Sonntagabend?«

»Ich habe Bereitschaft, und im System wurde eine Fehlermeldung angezeigt, ausgelöst durch ein Absperrventil an einer der Schleusen. Das sollte ich mir ansehen.«

»Wann genau haben Sie den Auftrag erhalten?«

»Meine Leitstelle hat mich um 16.55 Uhr verständigt.«

»Das ist fast zwei Stunden her …«

»Ein undichtes Absperrventil ist keine brandeilige Sache, vorher hatte ich in der Kläranlage Dresden-Kaditz zu tun.«

»Wer hat alles Zugang zum Gebäude?«

»Nur Leute von der Firma, schätze ich. Zum Stadtfest veranstalten wir für die Öffentlichkeit Führungen, aber sonst kommt hier niemand ohne Schlüsselberechtigung runter.«

Anscheinend doch, denn sonst wäre das hier kein Tatort geworden. Und dass es sich um ein Verbrechen handelte, wusste Arne bereits, obwohl er die Tote noch gar nicht gesehen hatte.

»Wie viele Schlüssel gibt es?«

»In der Firma? Bestimmt mehrere, da müssen Sie meine Chefs fragen.«

Das würde Arne zeitnah tun. Vorher musste er sich selbst ein Bild von den Katakomben machen. Einigermaßen beklommen fühlte er sich bei der Vorstellung, mit seinem Gewicht über eine Wendeltreppe in die Unterwelt hinabzusteigen. Wie auch immer die Leiche hierhergekommen war, niemand hatte sie die schlüpfrigen Stufen hinabgetragen.

»Dann werde ich mir Dresden mal von unten ansehen.«

Er wagte den knapp sechs Meter tiefen Abstieg und sog bei jeder Stufe mehr den kalten, feuchten Mief ein, bis er glaubte, die Nässe durch Mantel und Hemd zu spüren. Egal, wohin er blickte, überall war Beton. Das graue Material schien die Stadt zu stützen. Und dann gab es natürlich Rohre und Wasser. Vor allem Wasser, das dunkel und still im Becken ruhte. Es war die besonders passende Kulisse für einen traurigen Abschied von dieser Welt. Ein Tod, den die Frau in dem schwarz-roten Kleid wahrlich nicht verdient hatte, auch wenn Arne Annalena Winzer nicht gekannt hatte.

Man hatte ihn von ihrem Tod und den Umständen unterrichtet. An der Identität hatte es inoffiziell keine Zweifel gegeben. Zu der traurigen Nachricht kam hinzu, dass von dem Kind weiterhin jede Spur fehlte. Sekundenlang blickte er auf die Wasseroberfläche, auf der sich das Licht der Lampen spiegelte. Er überlegte, ob man Liliana vielleicht ertränkt hatte. Mit einem Stein oder einem anderen schweren Gegenstand, um den kleinen Körper unter Wasser zu halten.

»Wie tief ist es hier?«, fragte er Walther, der in einigem Abstand hinter ihm bei den Streifenkollegen stand.

»In der Mitte ein halber Meter, die Kanäle sind halbrund.«

Gut zu wissen, denn das bedeutete unter Umständen, dass sich in der Brühe doch irgendwo ein Kinderkörper befand. Arne war froh, dass er keine Gummistiefel mitführte, sonst hätte er wohl oder übel in die Rinne steigen müssen. So konnte er andere mit der undankbaren Aufgabe beauftragen.

Mit der Leiche hatte er auch so schon genügend Arbeit buchstäblich vor sich liegen.

»Funktioniert das Ventil wieder?«

»Was?«, fragte Walther.

»Ich dachte, Sie sollten ein Absperrventil reparieren.«

»Ach so, das meinen Sie, nein, es ist noch defekt. Sie können sich vorstellen, dass ich nach dieser Entdeckung andere Sorgen hatte.«

Arne fuhr herum und schaute Walther ernst an. »Was heißt, es ist defekt?«

»Jemand hat den Absperrhahn abgeschlagen.«

Garantiert der Täter, weil er unbedingt wollte, dass die Leiche heute entdeckt wurde. Er wollte, dass man sein Werk sah. Nicht zufällig lag die Tote wie das schlafende Schneewittchen da. Natürlich nicht in einem gläsernen Sarg, sondern auf dem kalten, schmutzigen Boden, aber die gestreckte Körperhaltung, die gefalteten Hände, die geschlossenen Augen strahlten etwas Friedliches aus.

Arne rieb sich das Kinn, während alle anderen schweigend auf seine Anweisungen warteten. Er ließ sich Zeit, um keine übereilte Entscheidung zu treffen.

Schon jetzt wirkte die Leiche wächsern, was wohl an der hohen Luftfeuchtigkeit lag, die sich über Stirn, Nase und Wangen legte. Beim flüchtigen Blick konnte er keine Verletzungen sehen. Erst als er sich hinunterbeugte und den Hals von Annalena Winzer näher betrachtete, fielen ihm die horizontal verlaufenden Drosselmale auf.

»Wurden Kleidungsstücke oder sonstige persönliche Sachen des Opfers gefunden?«, wandte er sich an die Streifenkollegen.

»Negativ«, drückte es ein junger Kollege im Polizeijargon aus.

»Das, was sie trägt, stimmt kein bisschen mit der Beschreibung zur Vermisstenfahndung überein.«

»Ist uns auch aufgefallen.«

Na, wenigstens etwas.

Annalena Winzer hatte sich komplett neu eingekleidet. Vermutlich unter Zwang. Statt Blazer, Rock und Schal trug sie ein opulentes Kleid aus schwarzen und roten Stoffen und mit Rüschen, knallrote Absatzschuhe und schwarze Abendhandschuhe, wie Damen sie bei Opernanlässen bevorzugen. Bevor er sich weitere Gedanken über die Kleidung machen konnte, vernahm er den Klang von Schuhabsätzen auf den metallischen Stufen der Wendeltreppe. Dr. Martina Schweitzer, die Rechtsmedizinerin, bei der Arne in der Vergangenheit das eine oder andere Mal angeeckt war und die er im zurückliegenden Jahr trotzdem vermisst hatte, stieg doch tatsächlich in High Heels in das Kellergewölbe herab. Gleich würde sie sich die reizenden langen Beine brechen.

»Wollen Sie heute noch ausgehen?«, begrüßte er sie, und er kam nicht umhin, wie früher auf das süße Muttermal unter ihrem linken Auge zu starren.

»Hätte ich mir eigentlich denken können, dass Sie dahinterstecken«, erwiderte sie vorwurfsvoll und verzog das Gesicht beim Betrachten der Umgebung.

»Sie können mir unmöglich einen Mord in die … äh, Schuhe schieben.«

»*Ihnen* traue ich auch das zu.«

Eine klare Ansage! Er liebte diese Konversation aus Ressentiment und Kaltschnäuzigkeit. Darüber hinaus hasste er eigentlich alles an dieser Dame – mal von dem Leberfleck abgesehen.

Ohne sich zuvor mit ihm abzustimmen, legte sie prompt ihre Arbeitsmittel für die Leichenschau bereit.

»Fangen Sie schon mal ohne mich an«, sagte er, weil er sich überflüssig vorkam. Gleichzeitig rekonstruierte er still für sich die letzten Stunden des Opfers.

Warum hatte der Mörder ausgerechnet diesen Ort gewählt? Einen Ort, der mitten im Zentrum lag und der ein hohes Risiko barg, aufzufallen. Womöglich war für den Täter nicht der Ort der entscheidende Faktor, sondern der Zeitpunkt …

»Holt mir jemanden von der Opernleitung her!«, rief er kurz darauf.

Kapitel 9

Sonntag, 18.50 Uhr

Während ein Kollege vom Kriminaldauerdienst zusammen mit Dr. Schweitzer die Leiche begutachtete, Fotos machte und Details dokumentierte, wartete Arne an der Wendeltreppe darauf, dass endlich ein Verantwortlicher der Semperoper auftauchte. Die Wartezeit nutzte er, um sich abwechselnd mit den Streifenbeamten über die nächsten Schritte zur Suche nach der kleinen Liliana abzustimmen und vom Mitarbeiter der SEDD mehr über die Stadtentwässerung und seine persönlichen Hintergründe zu erfahren. Arne musste nicht einmal das polizeiliche Auskunftssystem bemühen, denn Tilo Walther erzählte bereitwillig aus seinem Lebenslauf. Dabei beichtete er sogar, kürzlich eine Haftstrafe wegen schwerer Körperverletzung verbüßt zu haben. Auch wenn er hoch und heilig versicherte, geläutert zu sein, würde Arne im Zuge der Ermittlungen garantiert noch mehr an brisanten Details über den Techniker herausfinden.

»Wie nennt sich eigentlich Ihr Beruf?«, lenkte Arne ab.

»Fachkraft für Abwassertechnik. Bekomme ich bitte meinen Ausweis zurück?«

Zu dumm, er hatte sein Dokument nicht vergessen! Zögerlich griff Arne in die Manteltasche und händigte es ihm aus. Bei Zeugen, denen er bei passender Gelegenheit gern erneut auf den Zahn fühlen wollte, vergaß er manchmal, rein zufällig, den Personalausweis zurückzugeben. Dann meldeten sich die Besitzer später in aller Regel von selbst bei ihm. Häufig funktionierte dieser Gendarmentrick.

»Hier ist ein Herr Leo von der Oper«, benachrichtigte ihn ein Kollege von oben an der Treppe her. »Er sollte sich hier melden.«

»Soll runterkommen!«, rief Arne hinauf.

Wenig später reichte er dem Neuankömmling die Hand.

»Hans Leo mein Name«, stellte sich der Mann vor. »Ich arbeite als Assistent der Intendanz. Herr Intendant Mario Dellucci schickt mich. Also bin ich hergekommen. Sie können sich vorstellen, welche Aufregung vor der Premiere herrscht. Daher bitte ich um die nötige Eile.«

Leo war ein stattlicher Mann in stattlicher Garderobe. Er hatte ein hartes Kinn, aber einen weichen Handschlag. Er achtete penibel darauf, wohin er mit seinen blitzenden Lackschuhen trat. Es war ihm deutlich anzusehen, wie ungern er hier unten verweilte.

»Stiller«, stellte Arne sich endlich vor. »Das ist mein Name.«

»Stiller, wie passend. Stille wäre auch in Anbetracht der heutigen Premiere wünschenswert.«

»Stört es Sie gar nicht, dass wir in unmittelbarer Nähe der Semperoper eine Leiche gefunden haben?«

»Aber ja, das ist furchtbar.« Leo reckte den Hals und spähte in den hinteren Teil des Gewölbes, wo Dr. Schweitzer sich über die Tote beugte. »Liegt sie dort?«

»Wer?«, stellte Arne sich unwissend.

»Die ermordete Frau.«

»Wir haben gerade erst angefangen. Also, woher wissen Sie, dass es sich um einen Mord an einer Frau handelt?«

Leo schüttelte verwirrt den Kopf und deutete mit dem Daumen hinter sich. »Ihre Leute haben mir ...«

»Okay, kapiert«, knurrte Arne, weil er es hasste, wenn der Streifendienst allzu gesprächig war. Aber als Frischling von der Hochschule hatte er sich vor über zwanzig Jahren auch den einen oder anderen Lapsus erlaubt – und hatte sich damit jedes Mal gehörigen Ärger mit den erfahrenen Kripoleuten eingefangen. »Kennen Sie diesen Ort?«

»Ich arbeite seit nunmehr zwölf Jahren an der Dresdner Oper. Dieser Bereich ist mir wohlbekannt.«

»Sie kennen sich hier unten also aus. Besitzen Sie einen Zugangsschlüssel?«

»Wozu? Ich arbeite in, nicht unter der Oper.«

»Dann frage ich anders: Hat jemand von der Opernleitung oder einer Ihrer technischen Mitarbeiter Zugang?«

»Nicht, dass ich wüsste.«

Man sagte Arne nach, dass er ein schwieriger Gesprächspartner sei, aber Hans Leo toppte das lässig.

»Haben Sie eine Visitenkarte?«

»Wozu?«

Langsam wurde es Arne zu blöd. »Keine Ahnung, ich sammle Visitenkarten. Man weiß ja nie, wen man mal anrufen muss.«

Endlich griff Leo in seinen Frack und zückte ein Kärtchen. »Wenn Sie Fragen haben, wenden Sie sich an mich.«

Na also, dachte Arne und holte zum Rundumschlag aus. »Angesichts des vorliegenden Verbrechens möchte ich, dass Sie die Premiere absagen.«

»Wie bitte?« Leo schien nicht der lustigste Mensch zu sein, aber jetzt stieß er einen Lacher aus. Dann schaute er auf seine

Uhr. »Das ist völlig ausgeschlossen, die Vorstellung beginnt in wenigen Minuten.«

»Eben, deshalb sollten Sie sich beeilen. Wir wissen nicht, was heute Abend noch alles passiert. Möchten Sie für schlechte Presse oder gar für eine Katastrophe bei der Aufführung verantwortlich sein?«

»Ich bin sicher, im Opernsaal kann den Besuchern nichts geschehen. Angesichts der besonderen Umstände werde ich unsere Einweiser und das Sicherheitspersonal selbstverständlich sensibilisieren.«

»Aber für die Sicherheit so vieler Menschen können Sie nicht garantieren.«

Leo reckte das Kinn. »Weshalb sind Sie davon überzeugt, dass es weitere Verbrechen geben könnte?«

»Das Opfer wollte die Oper besuchen. Es hatte sogar VIP-Tickets für den heutigen Abend.«

»VIP-Tickets? Dürfte ich den Namen erfahren?«

»Tut mir leid, zum derzeitigen Zeitpunkt gebe ich dazu keine Auskunft«, entschied Arne, obwohl die Namen des Ehepaars ohnehin bald in aller Munde sein würden, denn kurz zuvor hatte er die Öffentlichkeitsfahndung nach dem Mädchen angestoßen.

»Verstehe, aber ich glaube nicht, dass Herr Dellucci bereit ist, die Aufführung abzusagen. Nicht wegen eines Vorfalls, der streng genommen keinen Bezug zur Semperoper hat.«

»Bloß ein Vorfall also … Wenn Sie das nicht selbst entscheiden können, warum sind Sie dann hier?«

»Sie missverstehen, ich spreche für Herrn Dellucci. Falls ich darüber hinaus etwas für Sie tun kann, stehe ich gern zu Ihrer Verfügung.«

»Und wenn ich meine Leute einfach anweise, ein paar Lautsprecherdurchsagen im Gebäude zu machen?«

»Herr Dellucci kennt die Polizeipräsidentin persönlich.«

»Na so ein Zufall, ich auch.« Wobei Arne mit gemischten Gefühlen an den Termin zurückdachte, als die Chefin der Polizeidirektion ihm die Degradierung verkündet hatte.

»Und Herr Dellucci ist ein sehr guter Freund des Landespolizeipräsidenten.«

»Ich kenne ihn leider nur vom Bild aus dem Intranet. Damit steht es 2:1 für Herrn Dellucci. Trotzdem bin ich mir sicher, der LPP würde meine Bedenken teilen und die Veranstaltung absagen.«

»Herr Stiller, in Ihrem Interesse, lassen ...«

Hastig deutete Arne auf Leos Schulter. »Sie haben da eine Spinne.«

»Igitt!«, fuhr Leo auf und gab seiner Anzugjacke einen Rückhandschlag. Als er das Tier nirgendwo entdecken konnte, bemerkte er, dass Arne ihn lediglich aus dem Konzept bringen wollte.

»Auf mich wartet dahinten Arbeit«, sagte Arne ein klein wenig stolz. Früher hätte er, ohne mit der Wimper zu zucken, den Saal räumen lassen, aber nach seiner Auszeit wollte er es besonnener angehen. »Sie und Herr Dellucci müssen natürlich selbst wissen, was für das Ansehen der Semperoper am besten ist.«

Bevor einer von beiden noch etwas sagen konnte, zitierte Dr. Schweitzer Arne zu sich.

»Denken Sie gut über meine Worte nach«, mahnte Arne den Mann mit dem schicken Anzug samt Fliege und hob dabei den Zeigefinger in seine Richtung. »Ich habe da ein ganz mieses Gefühl.«

Damit ließ er ihn stehen.

»Sie haben sich kein bisschen geändert«, warf die Medizinerin ihm vor.

»Und Sie lauschen immer noch fremden Gesprächen, merke ich gerade.«

»Ich würde jetzt gern den Körper entkleiden.« Dr. Schweitzer nickte zum Kriminaltechniker, der mit der Kamera neben ihr stand. »An ihrem rechten Bein befindet sich ein Streifen Blut.«

»Die Tote trägt keine Strumpfhose, ist mir vorhin schon aufgefallen. Vielleicht hat sie sich an der Metalltreppe geschnitten.«

»Keine Verletzung, es ist nur ein Blutspritzer.«

Über dessen Herkunft dachte Arne kurz nach. »Okay, fangen wir bei den Schuhen an.«

Das tat Dr. Schweitzer. Sie streifte der Toten nacheinander beide Absatzschuhe ab und gab einen Laut des Erstaunens von sich.

»Was soll das bedeuten?«, fragte sie und hielt Arne und dem Kriminaltechniker die Fußsohlen hin.

Arne legte den Kopf schief, um die Zahlen, die jemand der Leiche mit einem scharfen oder spitzen Gegenstand in die Haut eingeritzt hatte, lesen zu können.

»507«, verkündete er laut, was auf dem rechten Fuß stand, und danach die Zahl auf dem linken: »343.«

»Ich habe zwar keine Ahnung, was das soll, aber ihr Geburtsdatum ist es ganz sicher nicht«, meldete sich der Kriminaltechniker zu Wort und machte Fotos von den blutigen Zahlen. »Haben Sie eine Vermutung, worum es sich bei der Botschaft handelt?«

Statt zu antworten, rieb Arne sich das Kinn und veränderte mehrfach seine Position. Dann ging sein Blick zu Armen und Händen. »Ziehen Sie ihr die Netzhandschuhe aus.«

»Sie meinen …?« Dr. Schweitzer beendete den Satz nicht, sondern entfernte vorsichtig die Handschuhe, dann drehte sie die Handflächen des Opfers ins Licht. »57 und 54.«

Der Täter hatte vier Zahlen hinterlassen. Zweifellos handelte es sich um eine Botschaft. Eine Botschaft als Kryptogramm.

Kapitel 10

Sonntag, 19.05 Uhr

Nachdem Opernintendant Mario Dellucci sämtliche Ehrengäste begrüßt hatte, eilte er in sein Büro und goss sich einen herben Scotch ein, um seine Nerven zu beruhigen. Bis zum ersten Akkord des Orchesters blieben fünfundzwanzig Minuten. Diese Zeit nutzte er regelmäßig, um sich vor dem großen Moment zu schonen. Nachher, bei der Premiere, würde er bis zum letzten Ton unter Anspannung stehen. Wie immer hatte es Unstimmigkeiten unter den Akteuren gegeben, aber wenigstens hatte der Dirigent, anders als sonst, keine Einsprüche erhoben, was Delluccis Ideen anbelangte. Demnach stellte es sich mittlerweile als Glücksfall heraus, dass Dellucci seinen wichtigsten Mann vor den Anschuldigungen des Schmutzreporters Holger Winzer in Schutz genommen hatte. Kein leichtes Unterfangen, wo Dellucci doch selbst permanent im Fokus der Presse stand.

Mit geschlossenen Augen setzte er das Whiskyglas an den Lippen an. Das Getränk rann wie ein heißer Strom in seinen Magen. Was für ein feuriger Genuss! Hoffentlich würde nachher der Engel seine Flamme unter den Zuschauern entfachen.

Er leckte einen Tropfen vom Glasrand und spähte am Vorhang vorbei auf den Theaterplatz. Er hatte Verständnis für die Krawallmacher da unten. Trillerpfeifen und Spruchtafeln waren eben das Handwerkszeug für die Bühne des Pöbels. Das gehörte zur Kunst dazu. Aber der Auflauf und das Polizeiaufgebot störten Dellucci trotzdem. Und dann gab es ja noch die Drohung! Das Schriftstück eines Unbekannten, das in seiner Schreibtischschublade lag und das er der Polizei bisher vorenthalten hatte. Weshalb sollte er damit auch auf die nächstbeste Dienststelle rennen? Der Brief war das Werk eines Schwachsinnigen, auch wenn Dellucci sehr erschrocken war, als er den Umschlag geöffnet hatte.

Er drehte sich vom Fenster weg und nahm einen weiteren Schluck vom edlen Scotch.

»All'inferno!«

Zur Hölle mit ihnen da draußen. Nicht einmal in Ravenna hatte er solche Empörung erlebt und die Italiener waren in Sachen Veränderung noch weniger geduldig als die Deutschen. Hatte Dellucci jedenfalls bisher gedacht. Aber er hätte die Entscheidung, die Semperoper in ein moderneres Gewand zu kleiden, jederzeit wieder getroffen. Das hatte er bei seinem Antritt vor Jahren bereits angekündigt. Seine Inszenierungen sollten den Originalen in der Tiefe treu bleiben, jedoch an der Oberfläche im neuen Glanz erstrahlen. Dazu gehörte es, dass der »feurige Engel« eben fortan mit einer Ritterrüstung aus blinkenden Leuchtdioden und Renata zum Teil mit Kostümen aus Lack und Leder auftrumpften.

»Aber die Musik!«, redete Dellucci in die Stille des Raumes hinein. »Die Musik muss die klassischen Töne verbreiten.«

Wie zur Bestätigung setzte auf seinem Mobiltelefon eine Melodie von Giuseppe Verdi ein.

La Traviata.

Er liebte diese Musik, auch wenn sie durch häufige Verwendung in der Fernsehwerbung von einigen Abnutzungserscheinungen geprägt war.

»Ich höre«, redete Dellucci ins Handy.

In kurzen Stakkatosätzen klärte ihn sein Assistent Hans Leo über den Fund der Leiche im Abwasserkanal auf.

»Auch das noch«, sagte Dellucci und schluckte. »Wissen wir schon, wer die arme Frau ist?«

»Nein, dazu gibt die Kriminalpolizei keine Auskunft. Ein tragischer Vorfall, gewiss. Der Kommissar möchte die Vorstellung ausfallen lassen. Das kommt gar nicht infrage, habe ich ihm mitgeteilt. Mit seinem Vorgesetzten habe ich bereits telefoniert. Er hat keine Sicherheitsbedenken. Die Premiere findet wie geplant statt.«

»Sehr gut, ich kann mich wie immer auf dich verlassen, Hans.«

»Natürlich.«

Nur geringfügig erleichtert ließ Dellucci sich nach dem Telefonat in seinen Bürostuhl fallen. Sein Blick ging zur aufgeschlagenen Zeitung auf dem Tisch. Im Kulturteil prangte ein altes Foto von ihm, da war er Mitte dreißig gewesen.

Dresdens begehrtester Junggeselle, so die Überschrift. Mit dem jungen Mario Adorf verglich man ihn wiederholt. Wie einfältig! Bis auf den Vornamen hatte Dellucci so gar keine Ähnlichkeit mit dem Schauspieler. Aber was sollte er sich aufregen? Deutsche Medienvertreter wussten sich eben nicht besser zu helfen und griffen bei ihren Vergleichen auf ein eingeschränktes Repertoire an Pendants zurück. Vielleicht kam daher auch die Abneigung der Einwohner gegen den »Feurigen Engel«.

Es klopfte.

»Herein!«

Es war Lennard Johannson, der mit knabenhaften Gesichtszügen ausgestattete Darsteller, der den Ritter Ruprecht sang. Doch nicht wie ein Ritter, sondern wie ein Dieb stahl sich Lennard ins Zimmer, schloss leise die Tür und zwinkerte Dellucci von dort aufreizend zu.

»Warum bist du nicht bei den anderen?«, entrüstete Dellucci sich. Dann fielen ihm die Turnschuhe auf. »Du hast noch nicht einmal dein vollständiges Kostüm an.«

Grinsend steuerte Lennard auf den Schreibtisch zu, umrundete ihn geschmeidig wie eine Katze und beugte sich zu Dellucci. Er war bereits in der Maske gewesen, seine Haut war gepudert, die Lippen rot geschminkt. »Ich muss mir vor dem Auftritt unbedingt noch einen Kuss von dir abholen.«

»Bist du närrisch?« Demonstrativ drehte Dellucci sich mit dem Stuhl weg. »Wenn dich jemand gesehen hätte.«

»Die sind alle beschäftigt.« Lennard streichelte ihm zart übers Haar. »Warum bist du in letzter Zeit so abweisend?«

»Ich bin einfach nervös«, log Dellucci, denn er konnte seinem Bariton nicht so kurz vor dem Aufführungsbeginn das Ende ihrer Beziehung erklären. Zumal er wusste, wie enttäuscht der jüngere Mann reagieren würde.

»Liegt es an mir?«

»Nein, ich sagte doch, ich bin zu aufgeregt.«

»Dann gib mir einen Kuss, das wird dich beruhigen.«

»Dein Lippenstift …«

»Ist mir egal.« Lennard packte Dellucci an den Schultern und zwang ihm einen Kuss auf. Dabei berührten sich ihre Zungen. Danach ging Lennard auf Distanz. Vielleicht weil er etwas ahnte. »Knickst du vor den anderen ein?«

»Quatsch, ich …«

Zum Glück unterbrach das Handyklingeln die Unterhaltung. Hans Leo rief wieder an.

Kapitel 11

Sonntag, 19.20 Uhr

Nach einer halben Stunde hatten Arne und die Rechtsmedizinerin die Leiche vollständig entkleidet und auf äußere Verletzungen und Besonderheiten untersucht. Die meiste Zeit schwiegen sie sich dabei an. Den Kriminaltechniker hatte Arne zum Rauchen geschickt und ihn gebeten, ihm die Fotos noch heute per Mail zu übersenden.

Hin und wieder diktierte Dr. Schweitzer Befunde wie zum Beispiel einen abgerissenen Fingernagel am Daumen der rechten Hand und natürlich die Furche am Hals, die zirkulär verlief. Ein hinreichendes Zeichen für Tod durch Erdrosseln.

»Können Sie Angaben zum möglichen Tatmittel machen?«, wollte Arne wissen und hielt seinen Notizblock bereit, auf dem schon die vier Zahlen standen.

»Schwer zu sagen.« Sie leuchtete mit einer Taschenlampe die Hautstellen am Hals ab und benutzte dazu eine Lupe. Eine Sekunde später nahm sie eine Pinzette zur Hand. »Ich tippe aber auf ein Seil aus Kunststoff. Zumindest erkenne ich synthetische Faserrückstände, die augenscheinlich nicht vom Kleid stammen.«

Es handelte sich um ein schwarz-rotes Kleid. Die ganze Zeit rätselte Arne, warum sie es trug. Es passte der Toten, als wäre es extra für sie angefertigt worden.

»Wurden ihr die Zahlen post mortem in die Haut geritzt?«

»Die Wundränder geben keine eindeutigen Hinweise, aber davon gehe ich zum derzeitigen Zeitpunkt aus. Ich kann nirgendwo Abdrücke von Fixierungen feststellen, wie es bei gefesselten Opfern erfahrungsgemäß der Fall ist. Auch im Mundbereich gibt es keine Anzeichen eines Knebels oder von Klebeband. Die Zahlen sind ziemlich sauber geschnitten, der Täter hat sich demzufolge Zeit gelassen. Wenn sie da noch gelebt hätte, hätte sie sich vor Schmerzen gewehrt und geschrien.«

»Wurde sie vor oder nach ihrem Tod vergewaltigt?«

»Ich denke nicht, Genaueres erfahren Sie wie immer nach der Leichenöffnung im Institut.«

»Darf ich Sie besuchen?«

Dr. Schweitzer sprang auf. »Wie bitte?«

»In der Rechtsmedizin, meine ich.«

Sie kniff die Augen ein wenig zusammen. »Seit wann vertragen Sie Obduktionen?«

»Oh, das vergangene Jahr hat mich verändert«, sagte er in der Hoffnung, endlich den üblen Geruch im Institut ertragen zu können. Für einen Mordermittler war er ein ziemliches Weichei, was das Zuschauen bei einer Sektion anging.

»Ich habe mich nicht geändert. Deshalb würde ich es begrüßen, wenn Sie mich bei der Arbeit nicht stören würden. Einverstanden, Herr Stiller?«

Herr Stiller! Arne zwang sich zu einem Lächeln und nickte. Nein, *sie* hatte sich wahrlich nicht geändert.

Während Dr. Schweitzer sich sogleich wieder der Leiche zuwandte, studierte Arne seine Notizen.

Rechte Handfläche 57

Linke Handfläche 54

Rechte Fußsohle 507

Linke Fußsohle 343

Wieder und wieder murmelte er die Zahlen vor sich hin, bis Dr. Schweitzer ihn darauf ansprach.

»Ihr Spezialgebiet«, merkte sie an, da sie um Arnes Fähigkeiten als Kryptologe wusste.

»Sie denken in Wahrheit bestimmt, ich hätte keinen blassen Schimmer, was das alles bedeuten soll.«

»Haben Sie denn schon eine Ahnung?«

Sosehr Arne rätselte, er machte Fortschritte, kam aber zu keinem eindeutigen Ergebnis. »Eine Teillösung.«

»Und?«

»Und ich würde es begrüßen, wenn Sie mich bei der Arbeit nicht stören würden.«

Damit startete er auf seinem Smartphone die Taschenrechner-App.

Kapitel 12

Sonntag, 20.10 Uhr

Sosehr Liliana es versuchte, es wollten einfach keine Tränen mehr kommen. Wie lange sie schon in dem fremden Bettchen zusammengekrümmt lag, konnte sie nicht abschätzen. Sie wusste auch nicht, ob es draußen noch hell war, denn das einzige Fenster im Zimmer war verdunkelt. Sie war froh, dass der Mann das Licht angelassen hatte, ansonsten wäre sie vor Angst gestorben. Natürlich hatte er es angelassen! Sie sollte ja das Rätsel auf ihrem Bauch lösen.

»Die dummen Zahlen!«

Am Anfang hatte sie es versucht, weil sie dachte, der Mann werde gleich zurückkommen, aber jetzt war er schon sehr lange weg. Irgendwann hatte sie ihr T-Shirt losgelassen, damit sie die schwarzen Zahlen nicht mehr sehen musste. Doch die Zahlen spukten wild in ihrem Kopf herum. Eine 9, eine 1, eine 2 … und all die anderen.

»Mama«, krächzte sie, weil sie sich schon zuvor heiser geschrien hatte.

Niemand hörte sie.

»Mama! Papa!«

Noch einmal drehte sie sich auf den Rücken und stemmte die Füße gegen das Eisengitter, das der Mann über das Bettgestell gelegt und mit zwei Vorhängeschlössern befestigt und verriegelt hatte. So fest sie konnte, drückte sie gegen die Stäbe. Bald musste sie erschöpft aufhören. Ihre Kraft reichte nicht aus. Sie saß in einem Käfig. Holzstäbe hätte sie vielleicht zerbrechen können, aber das Bett bestand komplett aus Metall.

Ihr blieb nichts anderes übrig, als das Zahlenrätsel zu lösen. Der Mann hatte ihr keinen Hinweis gegeben, aber Liliana nahm an, dass sie die Zahlen summieren musste. Das hatte sie natürlich getan. Da sie in die dritte Klasse ging, war das kein Problem für sie. Die Summe aller Zahlen war 29. Aber war 29 auch die Lösung des Rätsels?

Liliana hatte Angst, dass sie sich blamierte und der Mann sie schlagen würde. Im Kaufhaus, als er sie in das Auto gesperrt hatte, war er grob geworden und hatte sie sogar an den Haaren gezogen. Er war kein lieber Mann, sondern einer von der Sorte, vor der die Klassenlehrerin immer warnte.

Vielleicht war es besser, wenn sie ihm nicht das Ergebnis nannte, sondern bockig die Arme verschränkte. Kein Erwachsener wollte ein bockiges Kind. So hatten ihre Eltern manchmal gesagt, wenn sie Dummheiten gemacht hatte.

Das konnte helfen. Wenn sie nicht machte, was der Mann wollte, verlor er vielleicht das Interesse an ihr.

Eine Weile blieb sie noch mit angezogenen Beinen liegen und schaute sich im Zimmer um, dessen Wände über und über mit Zahlen beschrieben waren. Teilweise sahen sie so schief aus, als hätten Kinderhände sie geschrieben.

Abermals zog sie ihr T-Shirt hoch, befeuchtete ihren Daumen mit Spucke und fing an, die letzte Zahl von ihrem Bauch wegzurubbeln. Es dauerte geraume Zeit, denn die Farbe ließ sich nicht so einfach wegwischen. Aber irgendwann war die 5 kaum noch lesbar.

Kapitel 13

Sonntag, 20.55 Uhr

Beim Betrachten des gelben Gebäudes an der Waltherstraße stellte Arne fest, dass Holger Winzer für einen erfolgreichen Journalisten ziemlich bescheiden lebte. Irgendwie hatte Arne ein neumodisches Einfamilienhaus inmitten von viel Grün erwartet, zumal Friedrichstadt bei Bauherren aktuell im Trend lag. Auch in einer Mietwohnung lebte es sich in diesem Stadtteil bestimmt verdammt komfortabel. Bei Tageslicht konnte man von hier aus sogar die Dresdener Mühle am Alberthafen sehen, ein heller Bau mit markant weinrotem Dach. Täglich wurden dort mehr als fünfhundertfünfzig Tonnen Mehl hergestellt und europaweit exportiert.

Nach dem gedanklichen Exkurs konzentrierte Arne sich verbissen auf die Umstände seines Erscheinens. Er musste dem Familienvater die Nachricht vom Tod seiner Ehefrau überbringen. Selbst nach Jahren im K11 belastete ihn eine solche Aufgabe. Natürlich konnte er auf eine gewisse Routine zurückgreifen, aber das Unglück anderer ließ ihn trotzdem nicht kalt. Selbst bei einem rücksichtslosen Typen wie dem Journalisten.

»Was ist mit meiner Frau und meinem Kind?«, wollte Winzer auch sofort wissen, als er Arne die Tür öffnete.

Besonnen grüßte Arne zuerst die ältere Frau, allem Anschein nach Winzers Mutter, die hinter ihrem Sohn stand, dann schaute er dem Journalisten tief in die Augen. »Darf ich eintreten?«

Zu dritt gingen sie in die Küche. Unaufgefordert stellte die Mutter jedem ein Glas hin und goss Wasser ein.

»Reden Sie endlich, Herr Stiller«, kam es ungeduldig von ihrem Sohn, woraufhin Arne nickte, sich jedoch noch ein paar Sekunden sammelte.

Die freundlichen Farben der Inneneinrichtung standen im Kontrast zu der düsteren Nachricht, die er gleich aussprechen musste. Anders als in seiner beruflichen Tätigkeit, bei der er zuweilen keine Skrupel kannte, wirkte Winzer gerade wie der bemitleidenswerteste Mensch auf Erden. Er saß in einem blassen Jogginganzug da und das Dunkelste an dem Mann waren die Schatten unter seinen Augen.

»Es tut mir leid, aber Ihre Frau ist tot.«

Während die Mutter einen spitzen Laut von sich gab, wirkte Holger Winzer auf einmal starr wie eine Schaufensterpuppe. Mit auf dem Schoß gefalteten Händen stierte er Arne an, wohl in der Hoffnung, sich die Worte des Oberkommissars nur eingebildet zu haben.

»Was … was ist passiert?«, stammelte er, als seine Mutter ihre Arme um seine Schultern schloss.

»Wir haben die Leiche Ihrer Frau in einem Kanalschacht gefunden.« Wann immer es ging, verzichtete Arne darauf, den Namen des Opfers zu nennen, weil der Name die Sache umso grausamer machte. »Wir gehen von einem Gewaltverbrechen aus.«

»Annalena wurde umgebracht?«

Arne nickte. »Darauf deutet alles hin, aber natürlich stehen wir erst ganz am Anfang der Ermittlungen. Sehen Sie es mir nach, wenn ich zum jetzigen Zeitpunkt nicht näher auf die Umstände eingehen will.«

»Und Liliana? Was ist mit ihr?«

Arne schüttelte den Kopf. »Wir haben sie bisher nicht gefunden.«

Jetzt brach Winzer in Tränen aus. Diesen Moment der Trauer begleitete Arne schweigend. Er hatte Winzers Vernehmung zur Vermisstenanzeige gelesen. Daher wusste er, dass sich die Familie auf den morgigen Geburtstag der Mutter gefreut hatte. Stattdessen stimmte diese nun in das Schluchzen ihres Sohnes ein.

»Wer war das?«, schoss es aus Winzer heraus.

»Das wissen wir nicht.«

»Warum meine Frau? Warum mein Kind?«

»Ich weiß es nicht, aber wir finden es gemeinsam heraus. Es geht jetzt um Liliana. Deshalb will ich, dass Sie scharf nachdenken, auch wenn es momentan schwerfällt. Ich muss wissen, wer so viel Wut auf Sie oder Ihre Frau haben könnte, dass er zu einem Verbrechen fähig ist.«

»Was wollen Sie denn hören?«, wurde Winzer laut.

»Holger, er will uns helfen«, ermahnte ihn seine Mutter.

»Ach ja, und was hat er bis jetzt erreicht?«

»Konzentrieren Sie sich bitte, Herr Winzer. Ich tue alles, um diesen Fall aufzuklären und Ihre Tochter zu finden, aber ohne Ihre Unterstützung geht es nicht. Das mit Ihrer Frau … das sieht nach einer vorbereiteten Tat aus.«

»Was meinen Sie damit?«

»Wir haben ihr Handy in einem Container an der Altmarkt-Galerie gefunden. Eine Verkäuferin hat Liliana zuletzt im Spielzeugladen gesehen. Wir sind uns sicher, dass beide dort entführt wurden. Deshalb arbeiten meine Kollegen derzeit mit Hochdruck daran, die Aufnahmen der Verkehrskameras und der Videoüberwachung in den Bussen der Dresdner

Verkehrsbetriebe zu sichten. Es wäre enorm wichtig, zu wissen, nach wem wir Ausschau halten sollen.«

Angesichts der Situation schien Winzer nicht zu begreifen, dass die Polizei dringend eine Täterbeschreibung brauchte. Selbst der kleinste Hinweis konnte hilfreich bei der Videoauswertung sein. Stattdessen stellte er seinerseits eine Frage. »Sie sagten etwas von Kanalisation ... Wo wurde Sie denn genau gefunden?«

»In einem Schacht in der Nähe der Semperoper. Hat das irgendeinen Bezug zu Ihnen oder Ihrer Frau?«

Winzer überlegte, schüttelte jedoch den Kopf.

Arne beugte sich nach vorn und legte die Arme auf den Tisch. »Wie Sie wissen, bin ich selbst geschieden. Deshalb frage ich Sie, gab es einen anderen Mann?«

Ein Zischlaut der Mutter verriet ihre Entrüstung. »Wie kommen Sie denn darauf?«

»Ich sagte ja eben, ich habe bereits eine Scheidung durch. Manchmal blendet man unschöne Dinge in einer Beziehung aus und fühlt sich erst im Nachhinein verletzt. Also?«

Frau Winzer verstummte und sah ihren Sohn an, der erneut den Kopf schüttelte.

»Nein, nein, nein, ausgeschlossen. Es stimmte alles bei uns.«

»Gab es zuletzt Drohungen gegen Sie oder Ihre Familie?«

»Zuletzt nicht, aber in der Vergangenheit, das bringt mein Job nun mal mit sich.«

Das konnte Arne sehr gut nachvollziehen. Es hatte eine Zeit gegeben, da hätte er seinem Gegenüber am liebsten den Pistolenlauf an die Stirn gepresst und abgedrückt. Jetzt wollte er ihm bloß noch die Hand halten und eine Beileidsbekundung aussprechen. Stattdessen griff er in seinen Mantel und legte Winzer vier Zettel hin, auf denen die Zahlen exakt so separiert standen, wie er sie von Annalenas Gliedmaßen abgeschrieben hatte.

»Können Sie damit etwas anfangen?«

Mutter und Sohn betrachteten das Geschriebene, bis beide den Kopf schüttelten.

»Was soll das sein?«, fragte Winzer.

»Über die Bedeutung dieser Zahlen denke ich schon die ganze Zeit nach. Zu einem eindeutigen Ergebnis bin ich bisher nicht gekommen. Aber passen Sie auf!« Er zog die Zettel mit den Zahlen 57 und 54 weg und drehte die anderen beiden, wodurch die Zahlen 507 und 343 für den Journalisten auf den Kopf standen. »Erkennen Sie es nun?«

Wieder schaute Winzer hin, wieder schien er nicht zu begreifen. Dafür bemerkte es seine Mutter.

»Da steht ehelos.«

EHELOS

Arne nickte. »Es handelt sich um das Beghilos-Alphabet. Taschenrechnerworte, wie man sie aus der Schulzeit kennt.«

»Taschenrechnerworte?«, kam es von Winzer rein rhetorisch, denn inzwischen hatte er das mit den kopfstehenden Zahlen verstanden. »Was hat das mit dem Tod von Annalena zu tun?«

»Ich hatte gehofft, das könnten Sie mir erklären.« Arne tippte auf die anderen beiden Zettel und schob sie dann zusammen. »Leider kennen wir die Wörter oder das eine Wort, das die Ziffern darauf darstellen sollen, noch nicht. Ich weiß nur eins, wir haben die Zahlen unmittelbar bei Ihrer Frau gefunden, demzufolge haben sie auch eine Bedeutung.«

Winzer saß mit offenem Mund da, dann fuhr er sich durch die Haare. »Finden Sie Liliana! Bitte, finden Sie sie.«

Arne schluckte unauffällig. Finden würde er das Mädchen garantiert. Er fragte sich nur, ob tot oder lebendig.

Kapitel 14

Sonntag, 22.10 Uhr

Sekunden nachdem die Instrumente verklungen waren und der Dirigent seinen Taktstock senkte, erscholl tosender Applaus. Mit verbitterter Miene saß Christian Huss in einem der Ränge. Das durfte alles nicht wahr sein! Den frenetischen Beifall des Publikums verstand er kein bisschen. Aus Anstand machte er mit, indem er ein paarmal müde in die Hände klatschte. Anschließend sank er zurück in seinen Sessel und schüttelte den Kopf.

Dellucci hatte aus dem »Feurigen Engel« eine Farce gemacht, ein mittelalterliches Gemetzel in die Gegenwart versetzt. Den Inquisitor zu einem skrupellosen Arzt in einer Psychiatrie, von dem schlussendlich Ruprecht eine Giftspritze erhielt im Vertrauen darauf, es handele sich um ein Beruhigungsmittel für Renata.

»Was für ein Klischee«, redete Huss laut mit sich selbst, womit er sich einen ungläubigen Seitenblick seines Sitznachbarn einfing.

Nein, Huss fand kaum ein gutes Haar an der Aufführung. Selbst Julia Constanze Eulitz, die er als eine der besten Dramaturginnen Deutschlands und stellvertretende Intendantin der Semperoper persönlich kannte, schien unter der autoritären Leitung viel von ihren Fähigkeiten verloren zu haben. Letztlich ging die Inszenierung auf die Kappe des Regisseurs. Statt den Fokus auf den Zwist zwischen Glauben und wissenschaftlicher Rationalität zu legen, das Kernstück der Oper, setzte dieser auf die billige Actiontour. Zu düster, zu grobschlächtig, zu sexistisch. Die Kinder blutbeschmiert! Huss grauste es, als er die einzelnen Szenen der vergangenen zweieinhalb Stunden vor seinem geistigen Auge Revue passieren ließ. Über manche Gewaltorgien hätte er vielleicht noch hinwegsehen können, wenn der Rest gestimmt hätte.

Allein der namengebende feurige Engel Madiel glich einer farblosen Gestalt, trotz der Effekthascherei durch den brennenden Mantel. Und dann diese völlige Fehlbesetzung des Ritters Ruprecht. Der siebenunddreißigjährige Lennard Johannson hatte gar nicht die Stimme, um der Rolle gerecht zu werden. Nicht umsonst zählt »Der feurige Engel« zu den schwierigsten Stücken, die man Opernsängern abverlangen kann. Deshalb hatte sich Mario Dellucci ja auch so lange geziert, diese Oper ins Programm zu nehmen. Als Huss noch Chefdirigent an der Semperoper gewesen war, hatte er der Leitung vergeblich in den Ohren gelegen, dieses Werk des russischen Komponisten Sergej Prokofjew ins Programm zu nehmen. Später hatte Dellucci die Aufführung vor der Presse als seine eigene Idee verkauft.

»Dieser Betrüger«, murmelte Huss, wobei er sich mehr über sich selbst ärgerte, weil er den Dirigentenposten damals freiwillig geräumt hatte. Jetzt war er vierundfünfzig, ruhmlos und ein unbedeutender Auftragsschreiber für andere Musiker. »Aber meine Kompositionen der Vergangenheit wird mir niemand mehr nehmen können.«

Während sich auf der Bühne die Darsteller artig verbeugten, spendeten die Zuschauer unablässig Applaus. Da wünschte Huss sich die eben gehörten expressionistischen Orchesterklänge zurück, auch wenn Tontreue und Harmonie oftmals gefehlt hatten. Unter seiner Leitung hätte es ein solches Massaker der Instrumente jedenfalls nicht gegeben. Aber was sollte man schon von einem zweitklassigen Dirigenten wie diesem Vincent Ludwig erwarten?

Huss spähte über die Brüstung, als der Opernintendant persönlich auf die Bühne trat und seine wichtigste Stimme an die Hand nahm und der Menge präsentierte: Renata, gespielt und gesungen von der erst dreißigjährigen Andrea Kriwitzki.

»Ein Ausnahmetalent, diese Dame«, wurde Huss vom Nachbarplatz angesprochen. »Unverkennbar ihre polnischen Wurzeln, finden Sie nicht?«

Kriwitzki war erst nach seiner Zeit an die Dresdner Oper gekommen.

»Ja, aus ihr wird bestimmt einmal eine große Sängerin«, bestätigte Huss.

»Sagen Sie, kenne ich Sie nicht?«, fragte jetzt der Mann, der Huss zuerst skeptisch angeblickt, dann um seine Meinung gebeten hatte und jetzt offenbar mit Small Talk anfangen wollte.

»Nein, ich bin nur ein unbedeutender Gast.« So fühlte er sich jedenfalls, denn anders als einige Ausgewählte erhielt er schon lange keine persönliche Eintrittskarte der Opernleitung mehr. Er musste sich seine Tickets zum ermäßigten Preis über Beziehungen besorgen. »Aber sehen Sie dort drüben in der Loge.« Huss streckte den Arm aus und zeigte auf eine alte Diva mit Perücke, die wie immer mit grantigem Gesichtsausdruck auf einem der besten Plätze hockte. »Dort drüben sitzt Katharina Sorokin, das ist eine Stimme! Das kann ich Ihnen sagen. Sie ist früher am Bolschoi-Theater Moskau und an der Volksoper Wien aufgetreten und hat dort die Renata verkörpert.«

»Katharina Sorokin kenne ich, aber ihre Zeit ist wohl längst vorbei.«

»Sie sagen es«, stimmte Huss zu und summte eine trübsinnige Melodie.

Kapitel 15

Sonntag, 22.30 Uhr

Eines musste Arne seinem Kommissariatsleiter zugutehalten, er räumte auf seinem Schreibtisch nicht sofort zusammen, sobald die Uhr Feierabend schlug. Und so wurde Arne selbst zu so später Stunde von Bernhard ungeduldig in dessen Büro erwartet.

»Wie hat er es aufgenommen?«, erkundigte er sich bei Arne nach Winzers Reaktion auf den Tod seiner Frau.

Aus einem Reflex heraus zuckte Arne mit den Schultern, weil er nicht wirklich wusste, wie ein anderer sich fühlte, wenn er die Frau verlor. »Seine Hoffnung liegt jetzt darin, dass wir seine Tochter finden.«

»Das ist eine ziemliche Scheiße. Sämtliche Nachrichtenstationen verbreiten seit anderthalb Stunden die Vermisstenmeldung der kleinen Liliana. Unsere Pressestelle hat mit Erlaubnis des Vaters ein aktuelles Bild herausgegeben. Beim Kriminaldauerdienst wird derzeit die Spielwarenverkäuferin noch einmal eindringlich vernommen. Nach derzeitigem Kenntnisstand hat sie das Mädchen als Letzte gesehen.«

»Haben die Fährtenhunde an der Altmarkt-Galerie eine Spur aufnehmen können?«

Bernhard schüttelte den Kopf. »Wer weiß, wie viele Leute zwischenzeitlich bereits an den Abfallbehälter getreten sind, in dem wir das Handy des Opfers gefunden haben. Dafür stellt uns die Geschäftsleitung des Einkaufszentrums die Videoaufnahmen der Überwachungskameras zur Verfügung. Ich habe den KDD angewiesen, die Filme schleunigst zu sichten und alle Kennzeichen zu erfassen. Natürlich konzentrieren wir uns auf verdächtige Fahrzeuge beim Verlassen der Tiefgarage.«

Ohne es selbst bemerkt zu haben, hatte Arne am Schreibtisch seines Chefs Platz genommen. Eigentlich wollte er nur kurz Meldung machen und dann in seiner Kammer verschwinden. »Gut, wie soll das jetzt weiterlaufen?«

Bernhard rieb sich die Hände. Am liebsten hätte er Arne vermutlich vom Fall abgezogen, aber dann sprach er eine entscheidende Besonderheit an, die Arne für die weiteren Ermittlungen quasi prädestinierte. »Was hat es mit den Zahlen auf sich, die du in der Haut der Toten entdeckt hast?«

»Es sind eine oder mehrere Chiffren.« Arne blieb geheimnisvoll. Er überlegte, ob er Bernhard das mit dem Beghilos-Alphabet erklären sollte, aber dann hätte er womöglich hier und jetzt seinen Trumpf verspielt. Natürlich konnte er sich von ihm das Versprechen geben lassen, dass er Leiter der Ermittlungsgruppe bliebe, aber Bernhard war ein Vorgesetzter, auf dessen Wort man ebenso gut pfeifen konnte. »Ich möchte nichts Falsches sagen, aber ich glaube, ich kann sie entschlüsseln. Gib mir die nötige Technik und ein wenig Zeit.«

Das mit der Technik war vielleicht nicht unbedingt notwendig, aber wenn sich schon einmal die Gelegenheit ergab, das nächste Level in Sachen Büroausstattung zu erreichen, durfte er ruhig ein bisschen übertreiben.

Natürlich roch sein Chef den Braten. »Komm schon, du weißt etwas, stimmt's?«

»Armakuni sagt: ›Die Kuh gebärt, wenn das Kalb lebensfähig oder tot ist.‹«

»Verschone mich mit deinem JALTA SINN! Ich werde morgen früh dafür sorgen, dass dir die IuK-Abteilung einen modernen Computer installiert. Zufrieden?«

Arne beobachtete, wie Bernhard die Lehnen seines komfortablen Bürostuhls knetete und seinen Rücken am Lederpolster massierte. »Außerdem könnte ein bequemerer Stuhl nicht schaden.«

»Auch da lässt sich sicher was machen.«

»So einer wie der da.«

Bernhard betrachtete ungläubig seinen Sessel. »So einen? Nee, den bekommen nur Führungskräfte. Ich denke, für den Anfang tut es auch ein preiswerteres Modell.«

»Und selbstverständlich brauche ich Unterstützung. Eine kleine Ermittlungsgruppe sollte für den Anfang reichen. Leute, die keine blöden Fragen stellen, Pausen nicht überziehen und vor allem nicht geschwätzig sind, stattdessen wie die Bienen ausschwärmen und Material heranschaffen. Wenn ich es mir aussuchen könnte, bräuchte ich jemanden, der so ist wie ich.«

»Sonst geht es dir gut?«

»Ich weiß, das ist unmöglich, aber ich schätze, irgendwo in der PD verstecken sich richtig gute Leute.«

»Ich sehe zu, ob ich ein, zwei Kollegen abstellen kann. Aber du musst mir dafür versprechen, schleunigst Ergebnisse zu liefern.«

»Du kennst mich; wenn ich mich in einen Fall verbissen habe, arbeite ich Tag und Nacht. Außerdem passt es mir gerade, da ich zu Hause weder einen Wecker habe noch jemanden, der mit dem Essen auf mich wartet.«

Bernhard kratzte über seine Halbglatze und tat abwesend, weil er bei Beziehungsproblemen anderer regelmäßig auf Durchzug schaltete. Im Gegenzug betonte er ständig, wie harmonisch seine Ehe verlief. »Ist das wahr, wolltest du wirklich die Opernpremiere ausfallen lassen?«

»Ist also schon bis zu dir durchgedrungen. In der Tat hielt ich das zu dem Zeitpunkt für vernünftig.«

»Ich will, dass du solche Aktionen vorher mit mir absprichst. Wie du siehst, ist nichts geschehen.«

»Leider hatte ich kein Orakel einstecken, als ich es abwägen musste.«

»Die Semperoper ist kein Lokal, das man mal eben dicht macht, so etwas nimmt schnell politische Dimensionen an und sorgt zwangsläufig für überregional schlechte Presse. Verstehst du, worum es mir geht?«

Solche Absprachen hätte der Zauderer gern gehabt, aber Arne dachte nicht daran, denn ehe Bernhard eine Entscheidung traf, hieß es, gute Nacht, Dresden.

»Habe ich vergessen«, entschuldigte Arne sich brav.

»Kann vorkommen, aber du hast hoffentlich eingesehen, dass die Sache im Kanal nichts mit der Semperoper zu tun hat. Du weißt, zuletzt musste die Opernleitung deutschlandweite Kritik einstecken. Nach der Premiere muss endlich Ruhe einkehren. Allein schon wegen der vielen Polizeieinsätze auf dem Theaterplatz und überhaupt der zahlreichen Demonstrationen. Das Innenministerium drängt auf Zurückhaltung. Deshalb forciert man ab sofort knallhart den Abbau der Überstunden. Die Entscheidungsträger in der Politik wollen die Polizei komplett aus der Schusslinie nehmen, sonst behauptet man wieder, wir hätten unsere Stadt nicht mehr im Griff. Die wollen quasi Sicherheit ohne Präsenz. Das Letzte, was wir gebrauchen können, ist ein totes Kind.«

»Sicher.«

»Was hast du als Nächstes vor?«

»Du meinst, nachdem ich die Chiffren geknackt habe?« Arne streckte im Sitzen den Bauch raus, als wäre er hier der

Chef. »Mal überlegen, ich glaube, ich werde mir den einen oder anderen Menschen der Opernleitung vorknöpfen.«

Bernhard verzog die Mundwinkel, weil er wohl genau das verhindern wollte. Statt sich auf eine Diskussion einzulassen, griff er in seinen Schreibtisch und knallte Arne eine Akte hin.

»Hier, nach deinem Anruf und dem bestätigten Mord an Annalena Winzer habe ich ein wenig im polizeilichen Auskunftssystem recherchiert und bin dabei auf den Todesfall eines achtjährigen Mädchens gestoßen.«

»Ein achtjähriges Mädchen, sagst du?« Interessiert klappte Arne die Akte auf und las den Namen. »Manuela Huss.«

»Wenn du dir das Datum der Anzeige anschaust, wirst du erkennen, dass das Kind exakt am heutigen Tag vor elf Jahren gestorben ist.«

Das klang tatsächlich sonderbar, und noch ein anderer Fakt erstaunte Arne. »Der Fall ist abgeschlossen.«

Bernhard nickte verbissen. »Ich wollte ihn dir trotzdem zeigen.«

Kapitel 16

Sonntag, 23.10 Uhr

Vom pausenlosen Stieren auf den Monitor und die Aufzeichnungen schmerzten Arne die Augen. Hinter seiner Stirn setzte zudem ein Stechen ein. Er war die stundenlange Arbeit nicht mehr gewohnt. Beim Lesen verschwammen allmählich die Buchstaben. Er merkte, wie er mit dem Gesicht immer dichter an die Texte herangehen musste. Aber eine Brille kam für ihn nicht infrage.

»Eine Brille macht dich mal so richtig alt.«

Diese Einstellung rührte ausnahmsweise nicht aus dem reichhaltigen Fundus des JALTA SINN, sondern gründete auf seinem Ego.

Abgesehen von der gelegentlichen Sehschwäche und den müden Beinen, hielt er sich ganz gut, fand er. Bei all dem Chaos am ersten Arbeitstag hatte er sogar die Kaffeezeit vergessen. Seit einem Jahr hatte er pünktlich um 15.30 Uhr eine große Tasse Kaffee getrunken und dazu ein Stück Kuchen verputzt – manchmal auch zwei. Das hatte sich zu einem lieb gewordenen und vor allem bauchfettanhäufenden Ritual entwickelt.

Ersatzweise gönnte er sich jetzt in seiner Kammer eine Zigarette, während er abwechselnd die Akte von Manuela Huss durchblätterte und auf dem Laptop recherchierte. Wenn das mit dem Stress hier so weiterging, hatte er den Speck ratzfatz runter von den Hüften. Vorausgesetzt, er manövrierte sich bei den Ermittlungen nicht in eine Sackgasse, denn das würde, wie in der Vergangenheit, zu Frust führen und wiederum in einem Fresswahn enden. Einer der Gründe, den Natalia für die Trennung angeführt hatte.

»Mal sehen, wie gut genährt der feine Herr Innenminister in einigen Jahren aussieht.«

In Gedanken an die verheerenden Kochkünste seiner Ex klappte er die Akte zu. Noch war er sich unsicher, ob sich der Zeitaufwand lohnte oder der Fall ihn vom eigentlichen Fall ablenkte. Bis auf das Datum des Verschwindens des Mädchens, das Alter und ein paar äußerliche Übereinstimmungen mit Liliana Winzer gab es eigentlich keinerlei Gemeinsamkeiten mit den aktuellen Verbrechen. Vor allem lebten noch beide Elternteile von Manuela Huss, wenn auch geschieden, und es gab keinerlei Hinweise auf irgendwelche Zahlen. Nein, das war nicht ganz richtig, dachte Arne, denn es bestand die Möglichkeit, dass die Kripo sie nur nie entdeckt hatte.

»Oder die Eltern haben etwas verschwiegen«, redete er vor sich hin, denn er hatte die Aussagen von Mutter und Vater gelesen.

Manuela war auf dem Anwesen der Familie in einem Teich ertrunken. Beim Gedanken daran schüttelte es Arne heftig. Sogar die Zigarette schmeckte auf einmal nicht mehr, also drückte er sie im Aschenbecher aus. Mal sehen, vielleicht würde er das geschiedene Ehepaar Huss morgen oder übermorgen befragen. Darüber hinaus würde er alles dafür tun, um Liliana zu finden, selbst wenn sie da nicht mehr leben sollte. So schmerzlich es klang, für den Vater war die Nachricht, die Leiche seiner Tochter sei gefunden worden, am Ende allemal besser als eine nie endende Ungewissheit.

Dessen sicher, stützte Arne sich auf dem wackligen Tisch ab, der unter seinem Gewicht ächzte. Er betrachtete die Fotos der toten Annalena Winzer. Der Kriminaltechniker hatte Wort gehalten und sie per Mail geschickt. Ein Wunder, dass die *Powermaschine*, mit der zu arbeiten Arne gezwungen war, es schaffte, die hochauflösenden Bilder überhaupt darzustellen. So konnte er sich die blutigen Zahlen im Detail ansehen. Irgendwann kam er zu der Einschätzung, dass es dem Täter sekundär darauf ankam, die Zahlen in die Haut zu schneiden. Naturgemäß hätte er sie auch mit einem Permanentmarker auftragen können, aber das wäre natürlich nicht so grausam gewesen. Das Opfer sollte symbolisch bluten.

»Die Wunden spielen keine wirkliche Rolle, es sind die Zahlen, die dir etwas bedeuten, nicht wahr?«, redete er mit dem imaginären Mörder. »57, 54, 343 und 507.«

Die letzten beiden Zahlen ergaben im Beghilos-Alphabet das Wort EHELOS. Natürlich konnte das purer Zufall sein, aber daran glaubte Arne nicht, denn auch wenn bei diesem speziellen Alphabet nur insgesamt neun Buchstaben zur Verfügung standen – wobei die Ziffern Neun und Sechs jeweils das große und das kleine G darstellten –, konnte man damit weit mehr als zweihundert Wörter bilden.

Annalena Winzer war verheiratet gewesen, damit ergab sich in Hinblick auf *ehelos* eine Diskrepanz, für die Arne momentan die Erklärung fehlte. Darüber hinaus brütete er noch immer über den beiden anderen Zahlen. Falls es sich ebenfalls um Ziffern aus dem Beghilos-Alphabet handelte, ergaben 57 die Buchstaben L und S und 54 die Buchstaben H und S. Gut möglich, dass es sich dabei um die Initialen von Menschen handelte. Mangels eines Whiteboards oder wenigstens einer Pinnwand hatte Arne angefangen, weiße A4-Blätter zu beschriften und um sich herum auf dem Boden auszubreiten. Von oben konnte er sie am besten überblicken. Alle Namen, mit denen er heute zu tun gehabt hatte, standen jeweils auf einem Blatt Papier. Zu keiner Person passten die Buchstaben L und S oder H und S.

»Oder bedeuten die Zahlen das Alter von zwei unbekannten Menschen?«

Annalena Winzer war sechsundvierzig gewesen, ein Jahr älter als ihr Gatte. Das kam mit 57 beziehungsweise 54 nicht hin.

»Ach, Mist.«

Er wollte nach der Zigarettenschachtel greifen, als sein Handy ihn davon abhielt. Aus dem Gerät erklang der weltbekannte Gitarrenriff von Led Zeppelin.

Stairway to Heaven

Selbst nach einem Jahrzehnt konnte er sich an dem Klingelton nicht satthören. Wenn er so darüber nachdachte, war das auch so ein Ding, das Natalia während der Ehe nicht verstanden hatte. Sie konnte mit seiner Musik einfach nichts anfangen. Na gut, er mit ihrer auch nichts. So gesehen waren sie beide schuld.

»Schuld woran eigentlich?«

Er nahm sein Handy auf. Die Nachtschicht vom Revier Dresden-Mitte, das im selben Haus an der Schießgasse arbeitete, rief an. Erst da fiel ihm auf, dass man bei der Ausstattung seines schmucken Büros sogar einen Festnetzapparat vergessen hatte. Aber einen Gläubigen des JALTA SINN konnte das nicht beirren, denn für einen solchen gab es quasi eine permanente Leitung zu höchster Ebene.

»Stiller«, meldete er sich.

»Ein Glück, du bist noch im Haus«, antwortete ein Kollege.

Arne spähte nach der Uhrzeit. »Aber nicht mehr lange.«

»Hier ist eine Frau, die ihr Kind als vermisst melden will.«

»Es ist fast Mitternacht und sie will das Fehlen ihres Kindes jetzt erst bemerkt haben?«

»Nicht direkt, am besten hörst du dir das von ihr selbst an. Sie meinte, sie hätte die Nachrichten von der verschwundenen Liliana im Radio gehört.«

»Und weiter?«

»Irgendwie soll das Verschwinden ihrer Tochter mit Liliana zusammenhängen.«

Kapitel 17

Sonntag, 23.25 Uhr

Als Liliana vor Erschöpfung beinahe die Augen zufielen, hörte sie ein leises Klicken. Gleich darauf ging die Zimmertür auf. Der Mann kehrte ohne ihre Mutter zurück, dafür trug er ein Kätzchen auf seinem Arm. Ein Kätzchen mit getigertem Fell, wie sie es kürzlich auf dem Smartphone einer Klassenkameradin gesehen hatte.

»Wo ist Mama?«, fragte sie als Erstes.

»Mama geht es gut.« Er kam zielstrebig auf sie zu, schloss das Gitter auf und reichte ihr eine Plastikflasche mit stillem Mineralwasser.

Zuerst griff sie zögerlich danach, dann schraubte sie die Flasche gierig auf und trank den halben Inhalt. Sie hätte sie bestimmt geleert, aber er riss sie ihr von den Lippen.

»Nicht zu gierig, sonst pullerst du dich ein.«

Liliana hatte nicht vor, länger in dem Bettchen zu bleiben, deshalb bat sie erneut darum, zu ihrer Mutter gehen zu dürfen.

»Hast du die Aufgabe gelöst?«, fragte er.

Sie schüttelte den Kopf.

»Warum nicht?«, wurde er so laut, dass selbst das Kätzchen erschrak. »Bist du zu dumm für ein paar einfache Zahlen?«

»Ich möchte keine Mathe machen, ich will nach Hause.«

»Das hat nichts mit Mathe zu tun, sondern mit Logik.« Er stupste ihr grob den Zeigefinger gegen die Stirn. »Ich dachte, du bist ein kluges Mädchen.«

»Bin ich ja auch, aber mir gefällt es hier nicht.«

»So dankst du es mir, dass ich dir ein Kätzchen mitgebracht habe? Es heißt Kleopatra.«

Als er das Fell kraulte, schnurrte die kleine Katze. Liliana hatte selbst kein Haustier, aber sie vermutete, dass Kleopatra erst ein paar Wochen alt war. Zugleich fragte sie sich, wie ein so böser Mann ein so niedliches Tier besitzen durfte.

Statt etwas zu sagen, weinte sie wieder.

»Hör auf zu heulen, zeig mir lieber deinen Bauch.«

Wieder schüttelte sie den Kopf, diesmal heftiger, denn sie schämte sich.

»Sofort, oder ich werfe Kleopatra gegen die Wand!«

Nein, bloß das nicht, dachte sie. Allein die Vorstellung, wie sich das arme kleine Tier das Genick brach, ließ Lilianas Herz schmerzhaft rasen. Mit zusammengekniffenen Augenlidern, unter denen die Tränen hervorgepresst wurden, zupfte sie an ihrem Shirt, bis er die verschmierten Zahlen sehen konnte.

»Was hast du getan, du nutzloses Ding?« Jetzt sah er richtig wütend aus. »Das hat Konsequenzen.«

Das Wort hatte sie schon einmal gehört, aber im Augenblick fiel ihr die Bedeutung nicht ein. »Neunundzwanzig«, nannte sie hastig die Summe der Zahlen.

»Neunundzwanzig?« Er hielt inne, um dann gemein aufzulachen. »Neunundzwanzig soll die Lösung sein? So einfach machst du es dir? Nein, neunundzwanzig ist absolut falsch. Und weil du dir keine Mühe gegeben hast, musst du bestraft werden.« Er packte das Kätzchen so grob um den Hals, dass es quiekte. »Deinetwegen muss Kleopatra jetzt sterben.«

»Nein!«, schrie Liliana, aber da gab die Katze schon keinen Mucks mehr von sich.

Kapitel 18

Sonntag, 23.30 Uhr

Arne entging nicht der skeptische Blick der nächtlichen Besucherin, als sie ihm gegenüber Platz nahm und sich in der Räumlichkeit umsah.

»Das Büro ist nur eine Übergangslösung«, entschuldigte er sich für den Zustand der Kammer.

»Ist schon okay«, sagte die Frau, die laut ihrem Personalausweis Mandy Luppa hieß, zweiundvierzig Jahre alt war und über die er in der polizeilichen Datenbank Erstaunliches gefunden hatte.

Kurzzeitig hatte es so ausgesehen, als würde das Betriebssystem des Laptops bei der Auflistung der ganzen Litanei zusammenbrechen. Während er am Bildschirm den letzten Eintrag über sie von vor zwei Jahren überflog, summte sie eine Melodie. Ein melancholisches Stück, so klang es. Wenn er sie nicht augenblicklich unterbrach, würden ihm die Füße einschlafen.

»Weshalb sind Sie hier?«

»Es geht um meine Tochter.« Sie griff in ihre Handtasche und legte ein Babyfoto hin, das an den Rändern ausgefranst und augenscheinlich in einem Krankenhaus aufgenommen worden war. »Sie wurde entführt.«

Arne rieb sich vor Müdigkeit das Gesicht. Genau das hatte er heute noch gebraucht. Eine Verrückte, die seit Jahren immer wieder die gleiche unglaubliche Geschichte erzählte. Dabei machte Luppa äußerlich einen unscheinbaren Eindruck. Haare und Gesicht waren gepflegt, ihre Kleidung entsprach dem gängigen modischen Zeitgeist. Lediglich die Fingernägel zeigten einige dunkle und kaputte Stellen, was wohl an ihrer Tätigkeit im Tierheim lag.

Durch den Anruf vom Revier hatte er bereits gewusst, was für eine Person ihn erwartete, aber er hatte Mandy Luppa nicht abweisen wollen. Irgendwie wollte er der Frau helfen.

»Also schön, wie heißt Ihre Tochter?«

»Constanze.«

Obwohl es sinnlos war, notierte Arne sich den Namen auf einem Blatt Papier. »Wie alt ist sie?«

»Acht Jahre.«

Wieder ging sein Blick zum Computer. Beim letzten Mal war Constanze sechs gewesen.

»Frau Luppa, Sie haben in der Vergangenheit schon mehrfach Vermisstenanzeige erstattet. Können Sie sich noch daran erinnern, wie meine Kollegen auf Ihre bisherigen Anzeigen reagiert haben?«

»Ja, die Polizisten haben mir nie geglaubt, sie haben behauptet, ich würde mir das mit meinem Kind alles nur einbilden. Aber seit heute Abend reden sie im Radio dauernd von dem verschwundenen Mädchen aus Dresden.«

»Sie meinen Liliana?«

»Nein, Liliana ist doch der falsche Name, das wissen Sie. Die Polizei ändert bei solchen Meldungen immer den Namen.«

Erst mit Verzögerung verstand Arne, dass sie glaubte, das Mädchen, von dem die Medien berichteten, sei ihre Tochter.

»Bei einer Öffentlichkeitsfahndung, bei der es um das Auffinden von Personen geht, benutzen wir immer den richtigen Namen«, erklärte Arne geduldig. »Sonst würde das Ganze ja keinen Sinn ergeben, finden Sie nicht?«

Es trat Stille ein, die Luppa anscheinend aus Unsicherheit bald mit der Melodie von vorher füllte.

»Was ist das für ein Lied?«, fragte er, ohne wirklich neugierig zu sein.

»Weiß nicht, ich habe es irgendwann einmal aufgeschnappt. Es gefiel mir einfach, weil die Töne etwas Tröstliches beinhalten.«

Dem konnte Arne zwar nicht zustimmen, denn er bekam bei der Melodie eher Gänsehaut, aber er wollte die Frau nicht in ihrer Empfindung korrigieren. Aus den bisherigen Polizeiberichten gingen die persönlichen Hintergründe der Frau hervor. Allerdings zeigten die Vermerke auch erhebliche Lücken, denn die Dienststellen nahmen die offensichtlich geistesgestörte Frau nicht mehr ernst.

»Sie waren mal Tierärztin mit einer eigenen Praxis in Dresden-Hellerau«, sprach er sie interessiert darauf an. »Was ist daraus geworden?«

»Ich habe meine Zulassung verloren.«

»Ja, aber warum?«

»Ich habe Fehler gemacht, tun wir das nicht alle?«

»Sicher.«

»Was ist nun mit meinem Kind?«

»Zuerst würde ich mir gern ein Bild von Ihnen und Ihrer Lebenssituation machen. Was meinen Sie damit genau, mit Fehler machen?«

Sie ließ den Kopf sinken. »Wie das manchmal so ist, man verliebt sich in den falschen Menschen, und ohne, dass man es selbst merkt, hängt man plötzlich an der Flasche, während der Mensch weg ist. Und dann führt eins zum anderen, man macht

Fehler bei der Arbeit und im Privatleben, dann versucht man, diese zu vertuschen, und gerät immer mehr in einen Strudel aus Lügen, Abhängigkeit und Schulden.«

Jetzt verspürte Arne umso mehr das Bedürfnis, der Frau zu helfen. Leider wusste er aus seiner beruflichen Erfahrung, dass eine vollständige Genesung bei Patienten mit solchen schweren psychischen Störungen nahezu unmöglich war. Zumindest konnte er sich an keinen einzigen Fall erinnern, und er hatte im Laufe von fünfundzwanzig Dienstjahren genügend Menschen in ähnlichen Situationen kennengelernt.

»So leid es mir tut, Frau Luppa, meine Kollegen haben Ihre Angaben überprüft. Sie leben seit jeher ohne Mann und Kind.«

»Ja, weil mir der Mann weggelaufen ist und mir mein Kind gestohlen wurde.«

Arne schüttelte den Kopf. »Weiß Ihr Betreuer, dass Sie hier sind?«

»Nein, und das muss er auch nicht. Ich will meine Tochter wiederhaben. Wo ist Constanze?«

»Es gibt keine Constanze Luppa, verstehen Sie das bitte. Sie haben nie ein Kind gehabt.«

Sie tippte vehement auf das Foto. »Und wer ist das dann?«

Arne zuckte mit den Schultern. »Haben Sie noch mehr Fotos? Bilder, auf denen Constanze älter ist?«

Sie schniefte und verneinte. »Das ist die einzige Erinnerung, die ich an sie habe.«

»Sehen Sie, ich kann Ihnen nicht helfen. Das Kind, von dem Sie im Radio hören, wird wirklich vermisst, aber es ist nicht Ihre Tochter.«

»Sie machen einen Fehler! Helfen Sie mir bitte.«

Arne stand auf, um sie zur Tür zu begleiten. Als Mandy Luppa gegangen war, blieb er mit einem komischen Gefühl zurück und mit der traurigen Melodie, die sie gesummt hatte.

Kapitel 19

Rückblick

Im Garten einer Dresdner Villa nahe der Elbe zwitscherten die Vögel. Aus einem der geöffneten Fenster des Hauses drang Klaviermusik. Ein paar wenige ungenaue Töne waren dabei, aber ansonsten machte der Musikschüler seine Sache ganz anständig.

»Aus dir wird einmal ein begnadeter Instrumentalist, Christian«, log der achtundvierzigjährige Hauseigentümer, der selbst ein berühmter Pianist war und sehr genau einschätzen konnte, ob jemand Talent für die Tasten zeigte oder nicht. Er gab die Übungsstunden nur, um den Eltern des Jungen einen Gefallen zu tun, und weil sie natürlich viel Geld dafür zahlten.

»Vielleicht werde ich ja später sogar Dirigent eines großen Orchesters«, antwortete Christian. »Vielleicht komponiere ich eigene Stücke wie Sie.«

»Auch diesen Weg könntest du einschlagen.«

Dieser Satz klang nicht mehr so überzeugend, eher bemüht. Vermutlich dachte der Pianist an sein eigenes Schicksal, denn er litt an einer seltsamen Krankheit.

»Grüß deine Eltern«, verabschiedete er den Achtzehnjährigen, und Christian versprach, es auszurichten.

Dann fiel die schwere Eingangstür ins Schloss, und der Pianist seufzte erleichtert, weil er die helle Welt dort draußen jederzeit aussperren konnte. Nach dem frühen Tod seiner Frau lebte er mehr und mehr zurückgezogen. Meistens ließ er die Fenstervorhänge den ganzen Tag geschlossen. Deshalb wirkte das Innere des Hauses oft düster. Nur selten ging er in die Öffentlichkeit, zumeist dann, wenn er ein Konzert geben musste. Aber selbst da betrat er ohne großes Tamtam die Bühne, präsentierte seine Werke, machte weder eine Pause, noch gab er eine Zugabe und eilte nach einer einzigen Verbeugung davon. Er hasste es, Hände zu schütteln oder sich mit Menschen zu unterhalten.

»Ist alles in Ordnung?«, fragte ihn sein Sohn, der aus seinem Zimmer kam und merkte, wie schlecht es seinem Vater ging.

»Es ist alles gut, mein Junge, nur dieser Christian raubt mir noch den letzten Nerv. Ach, was erzähle ich? Christian ist ein feiner Kerl, aber er ist eben nicht wie ich.«

Niemand war wie er. Nicht einmal sein Sohn, der in Sachen Gesang und Instrumente noch weniger Talent besaß als der Musikschüler eben.

»Können wir heute etwas gemeinsam unternehmen, Papa?«

»Musst du eigentlich nicht in die Schule?«

»Es sind Ferien.«

»Ach ja … Nein, ich muss üben.«

Damit eilte der Pianist in das Musizierzimmer, knallte hinter sich die Schiebetüren zu, und der Junge fühlte sich wie so oft im Stich gelassen. Vom Flur aus hörte er die schiefen Töne des Klaviers, denn die Finger seines Vaters gehorchten diesem mit jedem Tag weniger. Die Nervenkrankheit, für die es keine Medizin, ja nicht einmal eine Erklärung für die Ärzte gab, verwandelte den Vater in einen knochendürren, frustrierten Menschen.

Traurig lehnte der Junge seine Stirn gegen die geschlossene Zimmertür, als plötzlich ein spitzer Schrei, gefolgt von Krawall, aus seinem Zimmer drang.

»Du verdammter Bengel!«

Vor Schreck dachte er, er habe seinen Goldhamster aus dem Käfig gelassen, und Katharina, die Lebensgefährtin seines Vaters, sei wegen des frei laufenden Nagers erschrocken, aber Wursti saß ja in seinem Käfig. Nur Sekunden später eilte Katharina die Treppe herunter, und in ihrem Blick lag eine Wut, die den Dreizehnjährigen bis ins Mark erschütterte.

»Du kleines Dreckschwein!«, fauchte sie ihn an.

Noch bevor der Junge überhaupt begriff, weshalb sie sich diesmal über ihn aufregte, wurde die Schiebetür neben ihm aufgerissen und sein Vater trat mit ernster Miene in den Korridor.

»Was ist denn das hier für ein Lärm?«

»Lärm?«, echote Katharina und hielt ihm zwei Mädchenunterhöschen vor die Nase. »Die habe ich eben in der Bettritze deines Sohnes gefunden. Sie gehören Diana, wir haben sie schon vermisst.«

»Was heißt, sie gehören Diana?«, fragte sein Vater.

»Das ist die Unterwäsche meiner Tochter. Seit Wochen verschwinden diese Kleidungsstücke aus dem Wäschekorb und jetzt weiß ich auch, warum.« Ihr Finger mit dem roten Nagellack schoss wie eine Pfeilspitze nach vorn. »Er hat sie geklaut, um sich daran aufzugeilen, dieser pubertierende Rotzjunge.«

»Bist du wahnsinnig geworden?«, fuhr ihn jetzt sein Vater an.

»Ich …«, stammelte der Junge, doch der Rest blieb ihm im Halse stecken, weil er nicht wusste, wie ihm geschah.

»Ich habe dir schon mehrfach gesagt, dass mit dem Jungen etwas nicht stimmt. Letztens hat er deine Auszeichnung aus Kristall zertrümmert und davor hat er Dianas Essen versalzen.«

»Aber das war ich nicht!«, rechtfertigte sich der Junge vergeblich, denn sein Vater vertraute schon lange dem Wort der vierzehn Jahre jüngeren Katharina.

»Wer weiß, vielleicht vergiftet er mich irgendwann, weil er mich nicht ausstehen kann.«

Es gab tatsächlich Situationen, da hatte der Junge daran gedacht, denn seit sein Vater die neue Frau mit ihrer kleinen Tochter in seinem Haus wohnen ließ, hatte sich alles verändert. Sein Vater hatte Katharina nach ihrem Studium in Berlin bei einem ihrer ersten Auftritte als Solosängerin kennengelernt und sie ein paar Jahre später zufällig wiedergetroffen. Vom ersten Moment an war er von ihrer Stimme wie verzaubert gewesen.

»Papa, ich habe …«

Der Schlag ins Gesicht kam wie aus dem Nichts.

»Verschwinde!«, sagte sein Vater bloß, und er schaute betrübt auf die Unterwäsche, die Katharina als eindeutigen Beweis präsentierte.

Schließlich stieg der Junge heulend die Treppe hinauf. Bevor er sich in sein Zimmer einschloss, bemerkte er Diana, die hinter einer Ecke stand und ihn angrinste.

ZWEITER TEIL

Kapitel 20

Montag, 7.15 Uhr

Entgegen Arnes Erwartungen beglückwünschten ihn sämtliche Kollegen, als er zum Wochenstart in die Abteilung zurückkehrte. Sogar Nathan Schuster, der früher hinter Arne in dritter Reihe gestanden hatte und nun auf den Stellvertreterposten vorgerückt war, stellte sich mit einer dampfenden Kaffeetasse neben ihn und stieß ihn kumpelhaft mit dem Ellenbogen an.

»Hab gehört, was gestern los war«, sagte der Kriminalhauptkommissar. »Tut mir leid, dass du das mit dem Kind übernehmen musstest. Hätte Bernhard mich angerufen, ich wäre auf der Stelle zum Dienst erschienen.«

»Keine Ursache, ich hatte ohnehin nichts anderes vor«, kürzte Arne das Gespräch ab, weil er einerseits im Küchenschrank seine persönliche Kaffeetasse suchte und andererseits Nathan zu denen gehörte, die ihn abgesägt hatten.

»Falls du zu mir willst, ich habe jetzt ein größeres Büro.« Nathan zeigte auf das Zimmer am Ende des Ganges, das Arne noch als kleinen Besprechungsraum kannte. »Nordseite, im Sommer der reinste Traum. Und da meine Kompetenzen erweitert wurden, brauchte ich mehr Platz für die ganze Arbeit.«

»Glückwunsch, anscheinend wurde jeder hier mit einem neuen Büro bedacht.«

»Hab gehört, du bist jetzt unter die Propheten gegangen.«

Der Buschfunk arbeitete innerhalb der Polizei demnach immer noch tadellos. Gut so. Wenn das K11 bereits mit dem JALTA SINN infiziert war, stand der Weltherrschaft von Arnes Religion nichts mehr im Weg.

»Willst du auch einen prophetischen Rat?«, fragte er.

»Klar.« Nathan lachte und trank vom Kaffee. »Leg los!«

»Geh mir einfach aus dem Weg, dann werden wir hier gut miteinander auskommen.«

Damit verließ Arne den Küchenbereich ohne Kaffee, denn wie es schien, war seine Tasse entsorgt worden. Man hatte wohl angenommen, er werde hier nie wieder auftauchen. Aber er konnte hartnäckig sein, wenn es darum ging, auf einem Fleck stehen zu bleiben. In der Schule hatte er auch oft in der Ecke stehen müssen, weil seine Lehrer davon ausgingen, er würde sein Verhalten ändern. Wie sich die Pauker geirrt hatten!

Hartnäckig bohrten am Montagmorgen auch schon regionale und überörtliche Redaktionen nach. Das erfuhr er wenig später im Büro seines Chefs.

»Die rufen pausenlos im Lagezentrum und in der Pressestelle an«, jammerte Bernhard. »Die wissen von einem angeblichen Zahlenrätsel und die Sache mit dem schwarz-roten Kleid ist auch durchgesickert.«

Das klang beunruhigend und würde die Ermittlungen erschweren, aber es war nicht das erste Mal, dass es innerhalb der Polizei eine undichte Stelle gab. Kurz überlegte Arne, ob Bernhard selbst der Informant sein konnte, aber das passte wahrlich nicht zu diesem Prinzipienreiter.

»Was heißt, sie wissen von dem Zahlenrätsel?«

»Mehreren Journalisten ist zu Ohren gekommen, dass wir bei der Toten Ziffern gefunden haben. Ich bin mir nicht sicher, aber ich glaube nicht, dass sie bisher Details kennen, sonst hätte uns wenigstens eine Redaktion mit den exakten Zahlen konfrontiert und um Bestätigung derselben gebeten.«

Damit schied wohl auch Holger Winzer als Quelle aus. Aber dessen Mutter? Nein, die zwei waren nach dem Tod der Ehefrau und Schwiegertochter und dem Verschwinden von Liliana viel zu sehr mit sich selbst beschäftigt.

»Dann ist es ja gut, dass ich bisher meine Erkenntnisse mit niemandem geteilt habe«, konnte Arne sich einen Seitenhieb nicht verkneifen, denn gegenüber Bernhard hatte er sich in Hinblick auf die Zahlen und deren mögliche Bedeutung bedeckt gehalten.

»Heute Nachmittag wird es eine offizielle Pressekonferenz mit der Staatsanwaltschaft geben. Die Polizeipräsidentin erwartet bis dahin aussagekräftige Informationen.«

»Wir tappen doch noch völlig im Dunkeln.«

»Solche Stellungnahmen können wir der Öffentlichkeit aber unmöglich präsentieren, und du bist dafür verantwortlich, dass unsere Polizeiführung vor den Kameras eine gute Figur macht. Deshalb wirst du alles Wichtige zusammentragen und einen Text verfassen, den die Präsidentin mit der Pressestelle und der Rechtsabteilung in Reinschrift bringen kann. Kapiert?«

Arne wollte seine Strategie darlegen, aber als er den Mund öffnete, schoss Bernhards Finger nach vorn.

»Komm mir nicht mit irgendeinem Gefasel deines JALTA SINN, das hilft uns nicht weiter.«

»Ich wollte vorschlagen, dass wir bezüglich der Zahlen falsche Informationen herausgeben, damit wir Täterwissen zurückhalten und mögliche Trittbrettfahrer entlarven können.«

»Egal wie, ich erwarte in vier«, er schaute auf die Uhr, »nein, in drei Stunden deine Zuarbeit. Ich habe vorhin mal im System nach der Anzeige geschaut, da steht ja noch gar nichts drin. Du hast doch mit der Akte schon angefangen, oder?«

»Klar«, log Arne, denn dafür brauchte er eigentlich einen richtigen Rechner.

Als könne er Gedanken lesen, kam Bernhard auf das Thema zu sprechen. »Der Hausmeister und die Mitarbeiter von der Technik melden sich in der nächsten halben Stunde bei dir. Die wollen dein Büro einrichten.«

Es glich Frevel, die Kammer offiziell als Büro zu bezeichnen, aber Arne wollte angesichts der angespannten Situation nicht kleinlich sein. »Ich werde sie mit offenen Armen empfangen.«

Demonstrativ hielt er den alten Buntbartschlüssel hoch, damit sein Chef sich vor Augen führte, wo er ihn hinverfrachtet hatte. Bernhards Blick irrte nur kurz umher, dann hatte er noch eine Überraschung parat.

»Übrigens konnte ich dir kurzfristig eine Assistentin vermitteln.«

»Klingt gut«, bekundete Arne, aber in seinem Bauch breitete sich ein ungutes Gefühl aus. »Wer ist es?«

»Inge Allhammer.«

Verdammt! Arne hatte von vornherein nicht damit gerechnet, dass man ihm die besten Mitarbeiter zur Verfügung stellen würde, aber eine solche desaströse Personalie hätte er nicht einmal Bernhard zugetraut. »Inge Allhammer? Die Frau, die schon in sämtlichen Dienststellen gearbeitet und mit der es bisher keine Abteilung länger als ein Jahr ausgehalten hat?«

»Zuletzt hat sie zwei Jahre lang in der Datenstation Fahndungsnotierungen eingetippt. Dort war man insgesamt mit ihrer Leistung zufrieden, so versicherte man mir. Wäre da nicht die Sache mit dem Alkohol gewesen …«

»Mag sein, dass sie sich in der DASTA eine Weile zusammengerissen hat. Aber sie ist genau das Gegenteil von dem, was ich mir an Unterstützung vorgestellt habe.«

»Wie gesagt, auf die Schnelle ließ sich da nichts anderes machen.«

»Das ist der Hammer.«

»Du sagst es.«

»Wurde bei ihr nicht mehrfach eine Alkoholkrankheit diagnostiziert? Ich wusste gar nicht, dass sie überhaupt noch bei der Polizei arbeitet.«

»Das dachten etliche auch von dir.«

»Wie alt ist die Frau? Hundert?«

»Sei nicht albern, wir denken, dass sie bei dir am besten aufgehoben ist.«

»Wer ist denn wir?« Arne deutete mit dem Daumen zum Flur. »Etwa dein neuer Stellvertreter Nathan?«

Bernhard winkte ab. »Sorg einfach dafür, dass sie nicht wieder anfängt zu trinken, okay?«

»Sehe ich aus wie der Vorsitzende der Anonymen Alkoholiker? Ich weiß gar nicht, was ich mit der Frau anstellen soll.«

»Um ehrlich zu sein, ist mir das scheißegal.« Bernhard griff in seine Schreibtischschublade und wagte es doch tatsächlich, das Atemalkoholgerät von gestern samt einer ganzen Batterie an Röhrchen hinzulegen.

»Hatte ich mich nicht deutlich genug ausgedrückt?«, fragte Arne, um damit erneut klarzustellen, dass er nicht bei Bernhards idiotischen Kontrollen mitmachte.

»Nicht für dich. Das ist Inge Allhammers dritte Therapie. Sollte diese ebenfalls scheitern, wird man die Frau umgehend aus dem Dienst entfernen. Also kümmere dich darum, dass sie sich bei dir wohlfühlt.«

Ohne das Atemtestgerät auch nur anzurühren, erhob Arne sich. Statt schnurstracks seine Kammer aufzusuchen, ging er an die frische Luft, um zu rauchen.

Kapitel 21

Montag, 8.45 Uhr

Nach der Zigarettenpause wartete Arne nicht auf die Techniker, wie er von seinem Chef angewiesen worden war, sondern fuhr kurz entschlossen zum Institut für Rechtsmedizin. Auch den bis dahin zweiten Anruf seines Kommissariatsleiters, der eintraf, als Arne mit seinem Wagen auf die Fiedlerstraße einbog und sich einen Parkplatz auf dem Gelände der Technischen Fakultät Dresden suchte, ignorierte er. Selbstverständlich hatte er sich beim Rauchen auf dem Hof der Polizeidirektion telefonisch mit dem Staatsanwalt abgesprochen. Wenn es eine Instanz gab, die man niemals versetzen durfte, dann die Staatsanwaltschaft.

Dank seines Dienstausweises, den er ein Jahr lang schmerzlich vermisst hatte, konnte er beinahe nach Belieben durch die Rechtsmedizin spazieren. Mehrfach küsste er das laminierte Pappding, eher er es in seine Gesäßtasche schob.

»Der beste Türöffner der Welt«, redete er zufrieden mit sich selbst, denn endlich fühlte er sich wieder wie ein richtiger Polizist.

»Was machen Sie denn hier?«, fragte Dr. Martina Schweitzer, nachdem er ordnungsgemäß am Seziersaal, in dem sie seit sechs Uhr arbeitete, angeklopft hatte. Da sie keinen grünen Kittel mehr trug wie andere Ärzte bei Operationen, war die Leichenschau offenbar schon beendet.

Arne wollte sich von seiner besten Seite zeigen und versuchte es mit einem Kompliment. »Ich finde, der Kittel steht Ihnen ausgesprochen gut, der weiße Stoff betont ihre dunklen Haare und verleiht ihrem Gesicht einen frischen Teint.«

Natürlich war es nicht wirklich ein Kompliment, aber wie erwartet, war Dr. Schweitzer sowieso nicht zur Plauderei aufgelegt. »Sie vertrauen meiner Arbeit nicht, also wollen Sie mich kontrollieren.«

»Falsch. Wenn ich kein Vertrauen zu Ihnen hätte, würde ich mich an einen anderen Arzt wenden. Ich bin hier, weil ich mir von Ihnen neue Erkenntnisse in einem Mordfall erhoffe. Nicht mehr und nicht weniger.«

Schweitzer musterte ihn wie einen Besucher, der sich im Institut verlaufen hat. Weil sie daraufhin nichts sagte, redete er weiter.

»Kommen Sie schon, lassen Sie mich hier drin nicht dumm sterben.«

»Wie originell.« Sie verdrehte die Augen und hielt ihm die Tür ganz auf. »Wenn Sie schon einmal da sind, möchte ich Ihnen etwas Eigenartiges zeigen.«

Zwar konnte Arne nicht behaupten, diesen Saal vermisst zu haben, aber nach über einem Jahr Abwesenheit roch dieser Mix aus steriler Luft und dem Odeur des Todes irgendwie angenehm. Den einsehbaren Unterlagen zufolge befand sich noch der Körper von Annalena Winzer auf dem Seziertisch. Arne war froh, dass die Leiche abgedeckt war und keine inneren Organe mehr herumlagen. Lediglich die blonden Haarspitzen der Toten lugten unter dem Tuch hervor.

»Sie haben weitere Zahlen gefunden?«, kam er auf ihre eben gemachte Andeutung zu sprechen.

»Nein, definitiv keine weiteren Zahlen«, antwortete Schweitzer. »Ich habe sogar in der Nase, der Mundhöhle und im Schambereich nachgesehen.«

Enttäuscht blickte er sie an und wartete auf eine Erklärung. Insgeheim ging er davon aus, dass die Zahlen 57 und 54 nicht vollständig waren, um ein Wort zu bilden. Deshalb hatte er auf mehr gehofft.

Sie ging zu einem Edelstahltisch und hielt ihm ein Plastiktütchen hin. Er kniff die Augen halb zusammen, konnte aber den Inhalt trotzdem nicht erkennen.

»Was ist da drin?«

»Katzenhaare.«

»Katzenhaare?«, wiederholte er und nahm ihr das Tütchen ab. Als er es ins Licht hielt, konnte er tatsächlich vier graue Haare erkennen.

»Die habe ich an den Lippen des Opfers gefunden. Für eine DNA-Analyse sind sie untauglich, und selbst wenn wir dabei Erbgut finden würden, bräuchten wir für einen Vergleich die dazugehörige Katze.«

»Wie viele Katzen gibt es in Dresden?«, fragte er.

»Woher soll …?«

Er zwinkerte ihr zu und lächelte. »Das war ein Scherz, um die Stimmung ein wenig aufzulockern.«

»Tun Sie mir einen Gefallen: Versuchen Sie in meiner Gegenwart nicht, witzig zu sein.«

Er seufzte bei so viel fleischgewordener Humorlosigkeit und rieb sich die Lider, nachdem er in der zurückliegenden Nacht kein Auge zubekommen hatte. Er wusste, dass die Familie Winzer keine Hauskatze besaß. Blieben natürlich noch Verwandte und Bekannte, von denen Annalena Winzer die Haare zuvor aufgesammelt haben konnte. »Sie haben recht, die Ausgangslage ist zu prekär, um Heiterkeit zu verspüren. Noch dazu, wo ich bisher kaum Ermittlungsergebnisse vorweisen kann. Um ehrlich zu sein, hatte ich mir etwas Aufschlussreicheres erhofft als Katzenhaare. Etwas, was uns hilft, die kleine Liliana zu finden.«

Anscheinend klang er echt verzweifelt, denn Schweitzer tat daraufhin etwas, was sie nie zuvor gemacht hatte. Sie legte einen Hauch von Bedauern in ihre Stimme. »Die Sache mit dem Kind nimmt Sie ganz schön mit, nicht wahr?«

Er zuckte trotzig mit den Schultern. »Ich weiß nicht, haben Sie eigentlich Kinder?«

»Eine Tochter und einen Sohn, aber die sind inzwischen erwachsen und leben nicht mehr in Dresden.«

So wie sie es sagte, vermisste sie die beiden, deshalb wollte er das Thema nicht vertiefen. Er bemerkte aber, dass sie sich danach eine Weile tief anblickten und sie irgendwann auffordernd die Augenbrauen hob.

»Was ist?«, fragte er.

»Haben Sie ernsthaft angenommen, die Katzenhaare wären das Eigenartige, das ich Ihnen zeigen wollte?«

»Nicht?«

Sie kehrte zurück zu ihrem gewohnt verschlossenen Auftreten und schüttelte langsam den Kopf. »Bei der Untersuchung der Atmungsorgane ist mir ein Gegenstand in ihrer Luftröhre aufgefallen.«

»Sie ist erstickt?«

»Nein, der Gegenstand wurde ihr post mortem eingeführt.«

Arne schluckte bei der Vorstellung. »Und?«

Erneut ging sie zum Tisch, auf dem etliche chirurgische Instrumente, Tücher und Chemikalien lagen, und präsentierte ihm eine weitere Plastiktüte. Diesmal konnte er den Inhalt allzu deutlich erkennen.

»Ist das ein USB-Stick?«

Sie nickte bloß.

Kapitel 22

Montag, 10.15 Uhr

Vom Universitätsklinikum brauchte Arne mit dem Auto nur eine gute Viertelstunde bis zum Landeskriminalamt Sachsen. Etliche ältere Kollegen kannten ihn noch, da er nach der Fachhochschule eine Weile in der Abteilung 6, dem kriminalwissenschaftlichen und kriminaltechnischen Institut, gearbeitet hatte. Seine beruflichen Beziehungen stellten sich auch heute als nützlich heraus, denn im Fachbereich 62 behandelte man sein Anliegen bevorzugt – auch wenn das Ergebnis schlussendlich ernüchternd ausfiel.

»Tut mir leid«, sagte der Beamte von der Kriminaltechnik und reichte Arne den USB-Stick samt Plastiktüte zurück. »Was daktyloskopische Spuren angeht, konnten wir nichts machen. Keine Fingerabdrücke. Vielleicht haben die Kollegen bei der DNA-Analyse mehr Glück. Die haben einen Abstrich genommen, aber wenn das Ding im Körper der Toten war, wird man höchstwahrscheinlich nur deren Erbgut daran finden.«

Arne betrachtete das Beweisstück, an dem jetzt lauter Spurensicherungspulver klebte. Er hatte nicht wirklich erwartet, dass das Gehäuse des Datenträgers auswertbare Spuren liefern würde, aber er wollte auch nichts unversucht lassen.

»Danke trotzdem, ich gehe mal rüber zu den Leuten von der Ermittlungsunterstützung.«

»Viel Erfolg, Arne, ich habe dich bei denen schon angekündigt. Die sind genauso neugierig wie du, was sich auf dem Stick befindet.«

Tatsächlich wurde Arne im Dezernat 31 auch direkt von einem Kriminalbeamten in Empfang genommen, der es in Sachen Bauchumfang leicht mit ihm aufnehmen konnte, ansonsten wie ein gut gekleideter Geschäftsmann auftrat, der seinen Mitmenschen jederzeit einen neuen Handyvertrag aufschwatzen konnte.

»Moin, ich bin Samuel«, begrüßte ihn der Kollege mit Handschlag. »Hab gehört, es geht um den Mord unter der Semperoper.«

»Vor allem geht es derzeit um die vermisste Liliana.«

»Schlimme Sache, hab selbst vier Kinder. Die Medien berichten von einem Zahlenmörder und stellen alle möglichen Vermutungen an. Kannst du mir mehr erzählen?«

Arne hob die Tüte mit dem USB-Stick. »Vielleicht beantwortet der hier deine Frage.«

Damit betraten sie einen halb verdunkelten Raum, in dem allerlei Bildschirme aufgereiht standen, Computerpanels blinkten und jede Menge Technik herumstand, deren Nutzen sich Arne nicht auf Anhieb erschloss. Natürlich kannte er sich als Kryptologe mit Computerprogrammen und Hardware einigermaßen gut aus, aber derart viel Sachverstand für Informatik wie die Leute hier besaß er nicht. In diesem Dezernat gab es genügend Leistung, um notfalls auch schwerste Rechenaufgaben zu lösen, dachte er sich. Vor seiner Laufbahn als Polizeibeamter hatte er Mathematik studiert und dabei sein Faible für Kodierungstechnik und das Ver- und Entschlüsseln von Botschaften entdeckt. Überwiegend nutzte man dazu Zahlen, Buchstaben oder Zeichen.

Gespannt schaute er zu, wie Samuel den USB-Stick an einen Rechner anschloss und das portable Laufwerk mithilfe einiger Sicherheitsprogramme überprüfte.

»Keine Sorge, der Rechner ist vom System entkoppelt«, erklärte der Kollege, obwohl Arne ohnehin davon ausging.

»Wir wollen ja nicht gleich das ganze Polizeinetz lahmlegen«, nahm Arne es im Hinblick auf seine Suspendierung sarkastisch, denn auf einen solchen Fehltritt seinerseits wartete man in der Personalabteilung bestimmt schon. »Ich habe einiges gutzumachen.«

»Okay, also was haben wir denn da ...?« Samuel fuhr mit dem Mauszeiger über den Bildschirm und rief ein paar Protokolle auf, mit deren Informationen aus Zahlen- und Buchstabenkolonnen Arne jedoch nichts anfangen konnte. »Wie es scheint, keine Schadsoftware, keine versteckten Dateien. Hm, es ist eine einzige MP3-Datei drauf.«

»Musik?«, fragte Arne.

»Könnte auch eine Sprachnachricht, ein vorgelesener Text oder eine anderweitige Tonaufnahme sein. Soll ich sie starten?«

Gedankenabwesend nickte Arne und Samuel stellte die Lautsprecher ein.

Bald darauf ertönte tatsächlich ein Lied. Kein Gesang, sondern lediglich ein Instrumentalstück. Arne hörte ein Klavier und Streicher heraus. Und noch etwas anderes ...

»Das gibt es doch nicht!«, murmelte er, während er sich auf die Töne konzentrierte.

»Alles in Ordnung?«, fragte Samuel.

Wieder nickte Arne. Von der Stimmung her schwankte das Stück zwischen pompös, melancholisch und herzerweichend. Im Stil glich es entfernt der berühmten »Mondscheinsonate« von Ludwig van Beethoven. Die Melodie war eingängig, das musste Arne zugeben. Irgendwann summte Samuel leise mit, woraufhin Arne ihn ansprach.

»Kennst du das Stück?«

»Nee, ich höre mir so was gewöhnlich nicht an. Ich stehe mehr auf die Hits von Roland Kaiser.« Er lachte und trällerte dann ein »Santa Maria«.

Unbemerkt verdrehte Arne die Augen, weil er unweigerlich an einen weit zurückliegenden Konzertbesuch bei der »Kaisermania« am Elbufer erinnert wurde. Seine Ex fand den Schlagerbarden einfach unwiderstehlich. Also war Arne brav mitgegangen und hatte sogar einmal lauthals mitgesungen – bei »Sieben Fässer Wein« …

Für diesen Fehltritt schämte er sich noch im Nachhinein, zumal selbst der Schlagerbarde in einem Interview betont hatte, das Lied sei eine Art Fremdkörper in seinem Repertoire.

»Okay, ich habe genug gehört«, unterbrach Arne irgendwann die Wiedergabe. »Schick mir eine Kopie davon auf meine Dienstmail und durchleuchte inzwischen die Datei. Vielleicht fällt dir noch irgendetwas auf.«

»Mach ich, aber kannst du denn mit der Musik etwas anfangen?«

»Möglicherweise«, antwortete Arne ausweichend. Er ließ sich nicht in die Karten schauen, dabei hatten ihn die Klänge längst an die gestrige Unterhaltung mit Mandy Luppa erinnert.

Die Frau, die ihr vermeintliches Kind als vermisst melden wollte, hatte während der Befragung dieselbe Melodie gesummt.

Kapitel 23

Montag, 11.25 Uhr

Auf dem Rückweg vom LKA hielt Arne an der Tiefgarage neben der Semperoper. Am Gebäude der Stadtentwässerung flatterte immer noch Absperrband und ein Funkstreifenwagen patrouillierte, wie vom K11 angewiesen, am Tatort.

»Auf die Revierkollegen ist wenigstens Verlass«, redete er vor sich hin. Deren Job hätte er angesichts der stetig zunehmenden Respektlosigkeit gegenüber den Uniformierten ungern übernehmen wollen.

Er hob kurz die Hand und stellte dann an seinem Smartphone die Stoppuhr ein, kurz bevor er von hier aus startete. Durch den Dresdner Autoverkehr brauchte er fünf Minuten, dann hielt er direkt im Fußgängerbereich auf dem Dr.-Külz-Ring. Als er ausstieg und den Wagen verriegelte, fragte er sich, was der Täter nach der Begegnung mit Mutter und Tochter wohl gemacht hatte. Zwischen der Entführung und dem Todeszeitpunkt von Annalena waren rund vier Stunden vergangen.

»Hey, sind Sie blind?«, maßregelte ihn eine Mitarbeiterin vom Ordnungsamt, die mit ihrem Verwarngeldblock in Richtung des Parkverbotsschilds wedelte, um ihm zu bedeuten, dass er seinen Škoda nicht einfach vor dem Eingang der Altmarkt-Galerie abstellen durfte.

Er streckte ihr seine Kripomarke entgegen und sagte: »Ich ermittle hier wegen der vermissten Achtjährigen. Falls Sie kein Herz besitzen, dürfen Sie sich in der Polizeidirektion gern über mich beschweren. Hoheneck, ich heiße Bernhard Hoheneck.«

»Ich habe selbst Kinder, und wie Sie heißen, ist mir schnurz. Sie dürfen hier nicht ...«

Den Rest hörte er nicht mehr, weil er, in Gedanken versunken, bereits die Altmarkt-Galerie umrundete und dabei jeden Meter mit seinem Blick scannte. Der Täter musste das Einkaufszentrum und die Umgebung auf ähnliche Weise ausgekundschaftet haben. Jeder seiner Schritte war durchgeplant gewesen, sozusagen exakt berechnet. Passenderweise nannte ihn die Presse bereits den »Zahlenmörder«. Falls er in diesem Moment die Nachrichten verfolgte oder morgen die Zeitung aufschlug, verschaffte ihm das vielleicht den Kick, nach dem er sich sehnte.

»Wer bist du?«, murmelte Arne, während er durch die Schaufensterscheiben der Geschäfte stierte und schließlich den Spielwarenladen erreichte, in dem man Liliana am Sonntag angeblich zuletzt gesehen hatte.

Er trat ein und nach einem kurzen Herumfragen stand er der entsprechenden Verkäuferin gegenüber.

»Das ist so schrecklich«, sagte Ilona Herfurth. »Ich hab das Mädchen bei den Puppen sogar noch angesprochen und gefragt, ob ich ihr helfen kann. Da hat sie den Kopf geschüttelt und das Regal gewechselt.« Sie zeigte zu einer Reihe, in der Bastelutensilien wie Perlen und Strasssteinchen angeboten wurden. »Wenn ich mir vorstelle, als eine der Letzten mit ihr gesprochen zu haben ... O Gott!«

»Wie sind Sie an sie herangetreten?«, fragte Arne.

»Wie meinen Sie das?«

»Ich meine, da steht ein kleines Mädchen allein ohne Eltern in Ihrem Geschäft herum, steckt sich vielleicht den Finger in den Mund und überlegt, ob sie die Puppen wenigstens einmal anfassen darf …«

»Verstehe, Sie denken, ich hätte sie für eine minderjährige Diebin gehalten. Aber nein, bei uns schauen sich öfter Kinder um. Das befürworten wir sogar, immerhin sind die Kleinen unsere eigentliche Kundschaft und müssen bloß noch ihre Eltern überzeugen, bei uns etwas zu kaufen.«

Arne schaute sich um; so weit er das überblicken konnte, waren alle Kinder in Begleitung von Erwachsenen. »Ich mache Ihnen keinen Vorwurf, ich bin nur berufsbedingt neugierig. Ist Ihnen sonst irgendjemand aufgefallen, der sich für Ihren Geschmack seltsam verhalten hat?«

»Nein, wie gesagt, das Mädchen war allein, und ich habe auch nichts mitbekommen, dass sie mit jemandem gesprochen hätte.« Herfurth legte einen Finger an ihre Lippen. »Ich verstehe das nicht, andere Leute müssen sie doch auch gesehen … Der Wachmann zum Beispiel!«

»Ein Wachmann?«

»Ja, vor dem Geschäft ist einer von den hiesigen Security-Mitarbeitern hin und her gelaufen. Er hat eine Zigarette geraucht, wenn ich mich recht erinnern kann.«

»Kannten Sie den?«

Herfurth dachte kurz nach und schüttelte schließlich den Kopf. »In der Galerie wechselt die Mannschaft häufig, da tauchen immer wieder neue Leute auf. Er trug aber eine schwarze Wollmütze … und eben Uniform, wie alle anderen auch.«

»In Ihrer Zeugenvernehmung steht davon nichts.«

»Daran habe ich mich zu dem Zeitpunkt auch nicht erinnert, immerhin war ich aufgeregt, als die Polizei plötzlich im Laden stand und mir und meiner Kollegin erzählte, worum es ging. Bis spätabends musste ich die Fragen der Kripo beantworten. Ich war ziemlich fertig, konnte mich schlecht konzentrieren, obwohl ich so gern helfen wollte.«

Arne nickte, weil das plausibel klang. Es kam häufig vor, dass Zeugen Dinge erst später wieder einfielen. Im Gegensatz dazu musste man als Ermittler hellhörig werden, wenn ein Zeuge allzu detailliert plauderte. »Ich werde mich direkt an den Wachschutz wenden.« Auch wenn seine Kollegen das natürlich bereits am Sonntag getan hatten, fügte er gedanklich hinzu.

Vorher galt es, die Tiefgarage zu erkunden. Irgendwo dort musste schließlich ein Transportmittel gestanden haben, mit dem der Täter seine beiden Opfer weggebracht hatte. Die Auswertung der Videoaufnahmen lief noch auf Hochtouren, so hatte Bernhard ihm versichert. Bisher war kein auffälliges Fahrzeug darunter gewesen. Blieb natürlich die Möglichkeit, dass der gestressten Nachtschicht vom Kriminaldauerdienst die nötige Aufmerksamkeit gefehlt hatte und deshalb etwas durchgerutscht war, aber er vertraute den Kollegen und ohnehin würde eine zweite und notfalls sogar dritte Sichtung durch das K11 folgen.

»Vorausgesetzt, Bernhard stellt mir fähige Leute zur Seite, die das übernehmen.«

Wie auf Bestellung klingelte Arnes Handy. »Stairway to Heaven« hallte es in der Tiefgarage. Empfang gab es demnach. Ein weiteres Mal durfte er seinen Chef nicht ignorieren, wie er es schon zweimal an diesem Vormittag getan hatte.

»Kannst du mir sagen, wo du steckst?«, klang Bernhard ungehalten, weil ihm wohl die Führungsetage und vor allem die Pressemeute im Nacken saßen.

»Bin im Außendienst und ich stecke mitten in den Ermittlungen.«

»Kein Wunder, dass ich dich nicht in deinem Büro finde. Du hattest von mir eine Deadline für die Zuarbeit bekommen. Weißt du, in welche Erklärungsnöte du mich vor der Präsidentin gebracht hast?«

»Armakuni sagt …«

»Ist mir scheißegal«, wurde Bernhard laut. »Zum Glück kann ich mich auf Nathan verlassen. Der leistet meinen Anweisungen Folge und hat Tilo Walther noch einmal gründlich durchleuchtet. Daraufhin haben wir eine Streife zu ihm geschickt, die ihn zur KPI bringen soll.«

»Tilo Walther? Das ist doch der Mitarbeiter vom SEDD, der die Leiche gefunden hat.«

»Richtig, der saß bis vor Kurzem im Knast.«

»Hat er mir erzählt.«

»Ach, dann hat er dir also auch gesagt, dass er eine ehemalige Mitschülerin gestalkt und sie schließlich in der Dusche eines Hallenbads zusammengeschlagen hat? Die Frau lag fast zehn Minuten in ihrem eigenen Blut und kann heute noch nicht wieder richtig essen, weil er ihren Unterkiefer so massiv verletzt hat.«

Arne war entsetzt von dem, was er da erfuhr. Bei all dem Chaos gestern war er bisher nicht zu einer tiefergehenden Prüfung des Technikers gekommen. »Ist er festgenommen?«

»Noch nicht, wir werden ihn bei der Vernehmung aber in die Mangel nehmen. Wenn wir Glück haben, bekommen wir sein Geständnis noch vor der Pressekonferenz. Der Termin wurde extra verschoben.«

»Aha«, sagte Arne, während er sich in der Tiefgarage umsah, den Kopf schüttelte und die Katakomben schnellen Schrittes verließ.

»Was heißt hier ›aha‹?«

»Was hat Tilo Walther denn für ein Motiv, sich an der Familie Winzer rächen zu wollen?«

»Es gibt da einen älteren Zeitungsbericht, in dem Holger Winzer schwere Korruptionsvorwürfe gegen Walthers früheren Arbeitgeber, ein regionales Havarieunternehmen, erhoben hat. Da etliche Auftraggeber daraufhin die Verträge gekündigt haben, geriet die Firma finanziell in Schieflage und musste etliche Arbeitsplätze streichen, unter anderem den von Tilo Walther.«

»Verstehe, das muss ihn tierisch gewurmt haben«, sagte Arne, stieß im unterirdischen Labyrinth eine Feuerschutztür auf und nahm die Betontreppen ins Erdgeschoss.

»Vor allem ist das nur *eine* interessante Sache, viel wichtiger ist der Fakt, dass Holger Winzer für seine Recherchen natürlich auf interne Informanten aus dem Unternehmen zurückgegriffen hat. Und jetzt darfst du einmal raten, wessen Name darunter auftaucht.«

Wahrscheinlich der von Tilo Walther.

»Gut, oberflächlich betrachtet gibt es da Zusammenhänge. Hatte Tilo Walther denn außerhalb seiner Informantentätigkeit persönlichen Kontakt zu den Winzers? Wenn ja, wusste er auch, dass Annalena Winzer mit ihrer Tochter am Sonntagmittag in der Altmarkt-Galerie einkaufen ging? Und vor allem, wie gut kennt Tilo Walther sich mit Mathematik und Zahlen aus?«

Einen Moment konnte Bernhard nichts entgegnen, bis er sich gefangen hatte. »Wenn du so schlau bist, warum bist du dann nicht hier und führst die Vernehmung mit Walther?«

»Ich sagte doch schon, dass ich ermittle.«

»Aber offenbar an der falschen Stelle! Arne, du kommst jetzt umgehend her.«

Bernhard legte auf.

Eine Weile stierte Arne noch auf das erloschene Handy und dachte über das Gespräch nach. Schließlich schüttelte er den Kopf und schob Bernhards Stimmung auf das Tohuwabohu, das derzeit in der Direktion herrschte. Wenn wirklich jemand schlechte Laune haben durfte, dann ja wohl eindeutig Arne, denn ihn hatte man schließlich wie einen alten Besen in die Abstellkammer verbannt.

Ehe er sichs versah, befand er sich in einer Art überbauter Warenanlieferungszone des Einkaufszentrums. Hier ging es ziemlich einsam und dunkel zu. Außerdem standen etliche Container herum, aus denen es streng roch. Arne schaute Richtung Einfahrt. Vor ihm lag die Marienstraße, wenn er sich richtig orientierte. Demnach lag unweit von hier der Spielwarenladen.

Er kniete sich hin und erkannte im Gegenlicht auf dem Boden Reifenspuren von diversen Fahrzeugen. Er strich über den Belag und roch anschließend an seinen Fingerkuppen. Es klebte altes Öl daran. Je länger er sich hier aufhielt, umso mehr kam er zu der Überzeugung, dass diese Stelle der perfekte Ort war, um eine Person zu entführen. Von den Menschen, die auf dem Gehweg vorbeihuschten, schaute keiner in die Gasse. Und falls doch, musste es für diejenigen Passanten hier drin ziemlich dunkel erscheinen, denn so schnell wechselten Pupillen nicht von Tageslicht auf Nachtsichtmodus.

So gut seine Augen mitspielten, sah er sich in dem düsteren Durchgang um. Der hintere Teil wurde durch ein Gitter samt Tür abgegrenzt. Probehalber rüttelte Arne an der Klinke. Verschlossen.

»Mist!«, sagte er, weil er plötzlich ratlos herumstand.

Ein letztes Mal schweifte sein Blick umher, dann wollte er gehen. Plötzlich entdeckte er einen goldfarbenen Gegenstand, der sich unter dem Rahmen des Gitters verklemmt hatte. Zuerst vermutete er einen weggeworfenen Kronkorken, aber dann fiel ihm die rechteckige Form auf. Er bückte sich erneut und fand ein Namensschild mit einer Anstecknadel, an der ein paar Stofffasern hingen. Vermutlich war es von der Oberbekleidung abgerissen worden. Auf der Messingoberfläche stand sogar ein Name.

Arne legte den Kopf schief. »Sieh mal an!«

Als Nächstes würde er sich mit der Security-Firma unterhalten müssen.

Kapitel 24

Montag, 11.40 Uhr

Auf Mario Dellucci's Schreibtisch lag eine übervolle Unterschriftenmappe. Als Opernintendant gehörte es zu seinen Aufgaben, sich mit Anfragen, Genehmigungen und Entscheidungen auseinanderzusetzen. Insgesamt war das Postaufkommen jedoch deutlich höher als noch Monate zuvor, als die ersten Unruhestifter gegen die Aufführung des »Feurigen Engels« zu Protestaktionen aufgerufen hatten. In solchen Situationen verlor er nicht die Nerven, sondern machte einen ausgiebigen Mittagsspaziergang durch das Opernhaus und überdachte seine Strategie.

Immerhin war die Premiere geglückt. In der *Sächsischen Zeitung* und der *Morgenpost* fielen die Kritiken positiv aus. Man lobte das Ensemble. Insbesondere die Darbietung der Renata wurde als grandioses Spektakel hervorgehoben. Die neue Stimme der Semperoper, so hieß es in einem der Sätze. Als einziger Wermutstropfen blieb die Besetzung von Ritter Ruprecht. Dessen musikalische Leistung wurde in den Zeitungen als durchschnittliche Opernkost bewertet.

Dellucci überlegte, ob es ein Fehler gewesen war, den erfahrenen Ruben Menasse gegen den jungen Lennard Johannson auszutauschen. Das hatte für erhebliche Unruhe in den Reihen der Darsteller gesorgt. Aber Dellucci glaubte fest an Lennards Talent, auch wenn er den privaten Kontakt inzwischen mied. In Lennards strahlend blaue Augen war er allerdings immer noch verliebt, musste Dellucci sich eingestehen.

Unfreiwillig bekam er bei seinem Rundgang einen neuerlichen Disput zwischen Johannson und der Zweitbesetzung Ruben mit. Durch die geschlossene Tür konnte er den Streit auf dem Gang hören.

»Ist alles in Ordnung?«, fragte Dellucci, als er den Aufenthaltsraum der Sänger betrat.

»Dieser Verrückte hat mich geschlagen«, beschwerte sich Ruben. Es sah ein wenig albern aus, wie sich der größere Mann die Wange hielt und auf seinen zierlichen Gegner zeigte.

»Weil er mir einen benutzten Damentampon in den Spind gelegt hat«, rechtfertigte Lennard sich und stellte sich sogleich an Delluccis Seite, als suchte er bei ihm Schutz und Beistand.

»Ist das wahr?«, entrüstete Dellucci sich derart heftig, dass Lennard neben ihm zusammenzuckte und Andrea Kriwitzki vor Schreck ihr Schminketöpfchen fallen ließ. Nie zuvor hatte er eine ähnlich widerwärtige Auseinandersetzung in einem seiner Opernhäuser erlebt.

»Eine völlig absurde Anschuldigung«, entgegnete Ruben. »Wie sollte ich denn an den Spindschlüssel gekommen sein?«

»Jeder hier weiß, dass du mir die Rolle des Ruprecht missgönnst«, rief Lennard.

Wer von den übrigen Sängern nicht saß, trat angesichts dieser Anschuldigung beiseite oder tat beschäftigt, weil niemand ernsthaft Partei für einen der beiden Streithähne ergreifen wollte. Letztlich waren sie allesamt Individualisten und Egoisten, die um ihren eigenen Stammplatz kämpfen mussten. Echte Loyalität gegenüber anderen Sängern gab es nicht, das wusste Dellucci dank jahrelanger Erfahrung. Gleichwohl kannte er Rubens Vergangenheit. Er hatte nicht nur mit seiner Familie gebrochen, sondern auch einen früheren Opernintendanten durch ein nicht eingelöstes Versprechen vor den Kopf gestoßen. Er war regelrecht vertragsbrüchig geworden. Dellucci war also vor seinen Intrigen gewarnt. Unbestreitbar war Ruben sehr wohl neidisch auf Lennard, und der trug im Gegenzug seine Selbstüberschätzung zur Schau. Dabei war Lennard dem acht Jahre älteren Ruben nicht nur in Sachen Körperbau unterlegen, sondern obendrein in Sprachtraining, Tanz und Bühnenfechten.

»Macht weiter mit euren Proben und benehmt euch professionell«, maßregelte Dellucci die Sänger wie eine unartige Kindergartengruppe.

»Damit habe ich kein Problem«, antwortete Ruben und griff nach seinem dunklen Samtmantel, den er für die Rolle des Doktor Faust benötigte.

Als Sekunden danach eine gewisse Normalität eintrat und jeder längst wieder mit sich beschäftigt war, bat Johannson Dellucci zur Seite und stellte sich auf Zehenspitzen, um sich etwas zu innig an sein Ohr zu beugen. Fast befürchtete Dellucci, Lennard wolle ihn vor versammelter Mannschaft küssen, stattdessen flüsterte er ihm bloß etwas zu.

»Ich vermisse dich, darf ich dich heute Abend zu Hause besuchen?«

Bevor Dellucci ihm eine Absage erteilen konnte, räusperte sich hinter ihnen jemand. Es war sein Assistent, der unbemerkt den Raum betreten hatte.

»Können wir kurz reden?«, fragte Hans Leo.

Erleichtert nahm Dellucci diese Unterbrechung an. Mit einem knappen Kommentar und ohne ein Versprechen verabschiedete er sich von Lennard, der ihn enttäuscht anblickte und dann zornig eine Puderdose von Ruben umstieß. Dellucci ignorierte den Trotzkopf und ebenso das hämische Grinsen von Ruben. Gemeinsam mit seinem Assistenten ging er nach draußen, sie blieben im Foyer stehen, wo sie sich ungestört unterhalten konnten.

»Wegen des gestrigen Vorfalls gibt es die ersten Ticketstornierungen«, berichtete Leo ganz nach Art eines besorgten Sekretärs. »Offenbar haben einige Besucher Angst, sie könnten das nächste Opfer eines Wahnsinnigen sein.«

»Was für ein Unfug! Der Todesfall ist bedauerlich, aber das Unglück hat absolut keinen Bezug zur Semperoper.«

»Inzwischen ist durchgesickert, dass Annalena Winzer und ihr Mann exklusive Tickets für die Premiere hatten. Außerdem trug sie bei ihrer Ermordung ein schwarz-rotes Kleid, das nachweislich nicht ihr gehörte.«

»Dannazione!« Verdammt! Kaum war Holger Winzers Schmutzkampagne gegen den Dirigenten vom Tisch, schien neues Ungemach aufzuziehen. Dieses drohte dem »Feurigen Engel« massiv zu schaden. »Woher wissen wir das?«

»Aus gut informierten Polizeikreisen, wie immer. Keine Sorge, ich habe dieses eine Detail nicht kommentiert.«

Dellucci kannte frühere Inszenierungen der Oper. In diesen trug Renata oftmals ein markantes Kleid. Dieser Umstand würde die Ermittlungen der Kriminalpolizei früher oder später geradewegs auf die Semperoper lenken.

»Ich möchte, dass du mit der Polizei in Kontakt bleibst«, wies er daraufhin Leo an. »Dieser Kommissar …«

»Herr Arne Stiller.«

»Richtig, was wissen wir über ihn?«

»Er gilt als Querkopf mit einem brillanten Gehirn. Erinnerst du dich an den Millennium-Erpresser?«

»Der Kriminelle, der von der Stadt fünf Millionen Euro verlangt hat und drohte, andernfalls die Frauenkirche in die Luft zu sprengen? Das ist über zwanzig Jahre her.«

»Stiller hat den Code des Erpressers entschlüsselt und so eine Explosion verhindert.«

»*Tutta attenzione,* was für ein Teufelskerl!« Dellucci kannte das damalige Geschehen nur von Erzählungen seiner Mitarbeiter. Demnach war die Semperoper indirekt von den Schutzmaßnahmen betroffen gewesen und es hatte zu erheblichen Einschränkungen des Geschäftsbetriebs geführt. So weit wollte Dellucci es diesmal nicht kommen lassen. »Ich mag solche Leute wie diesen Stiller. Gleichzeitig halte ich sie für enorm gefährlich. Umso wichtiger finde ich es, dass wir mit ihm kooperieren – damit wir ihn in unserem Sinne lenken können. Vielleicht hat er in der Vergangenheit Fehler gemacht.«

»Hat er.«

»Umso besser.« Dellucci wollte keine Einzelheiten wissen. »Können wir ihn damit unter Druck setzen?«

Kapitel 25

Montag, 11.55 Uhr

Zurück in der Kriminalpolizeiinspektion, wunderte Arne sich nur kurzzeitig über die sperrangelweit offen stehende Tür zu seinem Arbeitszimmer. Er blieb vor der Türschwelle stehen. Ein flüchtiger Blick in den Raum genügte, um die Veränderungen zu erfassen. Ein Schreibtisch aus hellem Holz, ein an die Wand montiertes Whiteboard und zwei Laptops samt einem Multifunktionsdrucker, der die Größe eines Monstrums besaß und an dessen Netzkabel noch das Preisschild hing. Dahinter hockte Inge Allhammer in einem von zwei neuen Bürostühlen.

»Was machst du da?«, fragte er wie selbstverständlich, statt sie als seine neue Kollegin zu begrüßen.

»Arbeiten.« Sie beugte sich am Drucker vorbei und zuckte mit den Schultern. »Ich dachte schon, du würdest gar nicht mehr auftauchen. Fünf Minuten später und ich hätte deinen Namen wieder abkratzen lassen.«

Abkratzen! Das hätte sie wohl gern gehabt.

Er blickte zur Seite. Tatsache! Neben dem Eingang hing jetzt eine druckfrische Tafel mit ihrer beider Namen und der Zimmernummer 413.

Ausgerechnet 413! Zwei Unglückszahlen auf einmal. Über die Bedeutung der dreizehn rankten sich zahlreiche Überlieferungen, Märchen und Verschwörungstheorien. Daneben gilt die Zahl Vier in Japan und anderen ostasiatischen Ländern als Symbol für den Tod. Was die JALTA SINN wohl dazu sagte? Zum Glück litt Arne nicht an Tetraphobie, also der Angst vor der Zahl Vier, aber auch diesen neuerlichen Affront seines Vorgesetzten speicherte er in seinem Hinterkopf ab.

413!

Arne grunzte, betrat den Raum, stellte seine Tasche ab, warf seinen Mantel über die Stuhllehne und baute sich vor Inge auf. Da saß sie nun, seine neue Mitarbeiterin, den Aktenstapel auf dem Schoß und mit einem Blick, als erwartete sie ein Lob. Für was auch immer. Bis jetzt hatte er an sie noch keine einzige Aufgabe verteilt, daher wunderte er sich, was sie hier eigentlich tat.

»Ich würde es begrüßen, wenn du meine Sachen nicht ohne meine Erlaubnis anfasst«, stellte er klar.

»Deine Sachen?« Sie zog die Augenbrauen hoch. »Also hast du dieses Kopierpapier von zu Hause mitgebracht? Und die Stifte, die Klebezettel und den Kleiderständer hast du aus eigener Tasche bezahlt?«

Arne inspizierte den Schreibtisch, auf dem es inzwischen geringfügig nach einem Büro aussah. Während seiner Abwesenheit hatte Inge anscheinend alle notwendigen Arbeitsmittel besorgt und geordnet. Trotzdem blickte er sie vorwurfsvoll an. Seit ihrer letzten Begegnung hatte sich ihr Haar von Silbergrau zu Schlohweiß verändert. Und ihr Gesicht! Gott, war die Frau knochig geworden! Wenn er musikalisch gewesen wäre, hätte er bei ihr durch Hemd, Haut und Rippen »Sieben Fässer Wein« pfeifen können. Das einzig Stabile an ihr schien ihre Leber zu sein. Um diese rankten sich innerhalb der Polizeidirektion jede Menge Legenden. Beständig wie Teflon, meinten die einen, finster und endlos wie ein Schwarzes Loch, sagten die anderen. In Wahrheit sah die Sache jedoch weitaus weniger famos aus. Die Ärzte hatten Inges Leber schon vor Jahren aufgegeben. Zeitweise hatte man auf ihrer Haut sogenannte Lebersternchen gesehen, die symptomatisch für eine kaputte Leber waren und die sie regelmäßig kosmetisch hatte entfernen lassen.

Er riss ihr die Zettel mit den Zahlen von der Haut der Toten aus den Fingern. »Kümmere dich gefälligst um deinen eigenen Kram.«

»Tut mir leid, ich dachte, ich könnte dich irgendwie unterstützen.« Sie stand auf, schnappte sich seinen Mantel und hängte ihn an den Kleiderständer. »Ich wollte auf dem neusten Ermittlungsstand sein, also habe ich mir die ›Engelsinfonie‹ auf dem Rechner angehört.«

»Halt, langsam!« Verwirrt blinzelte Arne, weil er ihr nicht folgen konnte. »Was für eine ›Engelsinfonie‹?«

Sie kehrte zum Schreibtisch zurück und berührte eine Taste des Laptops. »Ich rede von der MP3-Datei, die das LKA für dich auswerten sollte.«

Jetzt war er richtig verblüfft. »Woher weißt du davon?«

»Steht doch in der Mail, die dir dieser Samuel geschickt hat.«

»Du hast meine Dienstmail gelesen?« Krampfhaft überlegte er, wie sie an seine Zugangsdaten gelangt war, denn als Kryptologe konnte er sich wie kein Zweiter Zahlenkombinationen und Passwörter merken. Deshalb notierte er sie sich auch niemals auf einen Zettel oder ins Handy. »Das ist ja wohl der Hammer!«

»Ha, ha, ha … Ach, komm schon, Arne, der Witz ist sogar noch älter als ich.«

Weil ihm daraufhin die Worte fehlten, stemmte er bloß die Arme in die Hüften und holte tief Luft.

Sie schüttelte den Kopf. »Gar nicht gut; wenn du deine Backen so aufbläst, siehst du aus wie ein Buddha. Stimmt es eigentlich, dass du ins Lager der Gläubigen gewechselt bist?«

»Das geht dich nichts an«, wollte er das Thema der JALTA SINN aussparen, aber er hatte nicht mit Inges Hartnäckigkeit gerechnet.

»Was lernt man denn da so?«

»Da lernt man, dass man sich nicht in die Angelegenheiten von anderen einmischt.« Er rieb sich die Stirn, weil ihn das Gespräch nervte. »Woher kennst du das Lied und den Titel?«

»Ach, jetzt ist es also doch in Ordnung, dass ich mir das Musikstück angehört habe?«

»Beantworte einfach meine Frage, okay?«

Sie hob entschuldigend die Arme. »Keine Ahnung, ich höre oft Musik.« Sie summte ein paar Töne der Melodie. »Ich glaube, das Lied wurde sogar von einer Dresdner Rockband gecovert. Soll ich das für dich herausfinden?«

»Nein, das mache ich selbst«, platzte es aus Arne heraus. »Immerhin wurde die Datei an meine E-Mail-Adresse gesendet, soweit ich mich erinnern kann. Hier!« Verpackt in eine Spurensicherungstüte, knallte er ihr das Messingschild hin, das er in der Altmarkt-Galerie gefunden hatte. »Das sollen die vom K41 schleunigst untersuchen. Außerdem steht da ein Name drauf: U. Tännert. Das Schild ähnelt denen, die der Wachschutz in der Altmarkt-Galerie trägt, aber es ist eine Fälschung und von denen kennt auch niemand einen Mitarbeiter mit einem solchen Namen. Ich glaube zwar nicht, dass wir Glück haben, aber ich möchte, dass du trotzdem nach passenden Personen im Melderegister recherchierst. Fang mit den Einwohnern der Stadt an und vergrößere dann den Suchbereich im Umland von Dresden.«

»Kein Problem«, sagte sie bereitwillig. »Soll ich hier gleich noch mit sauber machen?«

»Bitte?«

»War ein Witz. Kann ich dir sonst noch etwas abnehmen? Überstunden machen nur meinem Hund etwas aus.«

Er lachte auf. Allein für diese Recherche würde sie eine halbe Ewigkeit brauchen. Aber er wollte mal nicht so sein und reichte ihr ein weiteres Tütchen.

»Sind das Tierhaare?«

»Von einer Katze. Die stammen von unserem Mordopfer. Überleg ein bisschen, wie uns das weiterbringen könnte. Vielleicht kann uns eine Frau Mandy Luppa helfen. Soweit ich weiß, arbeitet sie im Tierheim.«

»Die Verrückte von gestern?«, kam es von Inge, was ihm verdeutlichte, dass sie seine gestrigen Aufzeichnungen studiert hatte.

»Frau Luppa ist keine Verrückte, sie hatte nur sehr viel Pech in ihrem Leben.«

»So ein Zufall, da kenne ich noch zwei Menschen.« Sie grinste ihn an, bis Arne begriff, dass sie sich und ihn meinte.

»Schlussfolgere bitte nicht von dir auf andere. Mir geht es nämlich blendend. Ich habe ein schickes Büro, einen brisanten Fall und jede Menge Tatendrang. Mehr brauche ich momentan nicht.«

»Nicht zu vergessen die attraktivste Assistentin, die Sachsen zu bieten hat.«

Er schloss für einen Moment die Augen. Das durfte alles nicht wahr sein. Endlich wusste er, warum innerhalb der Polizeidirektion die Köpfe runtergingen, wenn der Name Inge Allhammer fiel.

»Da du anscheinend nicht ausgelastet bist, kannst du dir gleich noch sämtliche Vermisstenfälle der letzten zehn … nein, fünfzehn Jahre vornehmen, bei denen es um Kinder geht. Damit meine ich auch sämtliche Dauerausreißer …«

Damit schnappte er sich einen der beiden Laptops und dachte darüber nach, wie er die vorlaute Kollegin am schnellsten wieder loswerden konnte.

Kapitel 26

Montag, 14.15 Uhr

Mit dem Laptop unter dem Arm suchte Arne sich ein ruhiges Plätzchen im Kommissariat. In der Vergangenheit war er es gewohnt gewesen, in einem Einzelzimmer zu arbeiten. Anscheinend brachte sein zweites Leben weitaus mehr Umstellungen mit sich als angenommen. Erst recht, wenn Inge den vorher gezeigten Fleiß auch zukünftig an den Tag legte. Dann musste er sich gehörig sputen, um mit ihr Schritt zu halten. Aber noch konnte er nicht zuverlässig abschätzen, ob die Sechzigjährige wirklich eine Unterstützung für ihn war. Vielleicht war das K11 für sie bloß eine weitere Durchgangsstation hin zum endgültigen Absturz. Bis er darüber Klarheit hatte, suchte er ein bisschen Einsamkeit. Die Einsamkeit und er waren zuletzt sehr gute Freunde geworden.

Zu seiner Enttäuschung stellte er fest, dass der Besprechungsraum bereits belegt war. Kein Wunder, dass es auf dem Kommissariatsflur so verdächtig still zuging. Wie es schien, verfolgten alle Mitarbeiter, außer Inge und ihm, gebannt die Pressekonferenz auf dem Großbildfernseher. Dort übergab die Polizeipräsidentin soeben das Wort an den Leiter der Mordkommission und der Sender blendete in einer Leiste für die Zuschauer »EKHK Bernhard Hoheneck« ein.

»… einen Verdächtigen«, vernahm Arne Bernhards Stimme aus den Lautsprechern, als er sich bereits abwandte. »Dieser wurde nach der Vernehmung wieder entlassen. Derzeit gibt es keine Beweise …«

Den Rest der Erklärung konnte Arne sich schenken, denn die hastig angesetzte Vernehmung von Tilo Walther hatte, wie erwartet, nichts gebracht. Unbestreitbar hatte er seine einstige Klassenkameradin über Jahre gestalkt und schlussendlich rot gesehen, nachdem er sie knutschend mit ihrem neuen Freund in der Stadt bemerkt hatte. Im Schwimmbad hatte er ihr dann aufgelauert. Wegen schwerer Körperverletzung hatte er nicht ganz zwei lächerliche Jahre im Knast gesessen. Im Gegensatz zu dieser Tat konnte man ihn mit dem Mord an Annalena Winzer oder der Entführung von deren Tochter nicht in Verbindung bringen, zumal er ein glaubhaftes Alibi für den Sonntagnachmittag besaß.

Im Vernehmungszimmer, in dem anderthalb Stunden zuvor Tilo Walther von Arnes Kollegen Anja und Nathan eindringlich befragt worden war, klappte er jetzt den Laptop auf. Ein bisschen ärgerte er sich, dass er seinen Aschenbecher vergessen hatte, aber immerhin stand die mobile Datenverbindung zum Rechner. Die Navigation im Internet ging sogar richtig flott.

»Was die richtige Technik so alles ausmacht«, redete er mit sich selbst, dann tauchte er in die Gedankenwelt eines Mörders ein, wie er es früher oft getan hatte.

Plausibel erschien ihm das Vorgehen des Täters in erster Linie nur, wenn derjenige aus der Verwandtschaft oder Bekanntschaft der Familie Winzer stammte. Bestenfalls ein Liebhaber von Annalena, der alles über ihren Alltag erfahren und dem sie von ihren Einkaufsplänen in der Altmarkt-Galerie erzählt hatte. Eine Affäre hätte das Wort *ehelos* zumindest teilweise erklärt. Aber laut Holger Winzer gab es da keinen anderen Mann.

Eine andere Frau?

Arne verwarf den Gedanken und klickte sich durch die Homepage der Semperoper. Dort bot man Führungen an, auch separat für Schulklassen. Ging es dem Täter vielleicht nur um die Tochter? Aber warum hatte er dann die Mutter neu eingekleidet und die Zahlen hinterlassen?

Abermals wünschte Arne sich einen Aschenbecher herbei.

Er würde das mit den Klassenführungen überprüfen lassen und machte sich deshalb eine Notiz.

»Wo hast du das Mädchen hingebracht, du Mistkerl?«, redete er mit einem imaginären Gegner.

Auch wenn es ihn anwiderte, rein aus Berufsgründen musste er mögliche Szenarien in seinem Kopf durchgehen, was ein Erwachsener mit einem minderjährigen Opfer anstellen konnte. Die Schlussfolgerungen gefielen ihm nicht. Ständig ertappte er sich, wie er sich gedanklich ablenkte. Wenn er doch nur gewusst hätte, was 57 und 54 bedeuten sollten …

Vielleicht waren die Zahlen Hinweise auf Lilianas Verbleib. Der Art des Vorgehens nach handelte es sich um einen intelligenten, methodisch arbeitenden und konsequenten Täter. Jemand, der sein Leben zumindest nach außen hin im Griff hatte. Jemand, der bei seinen Einkäufen penibel darauf achtete, unverfängliche Alltagsgegenstände auf das Kassenband zu legen und vermutlich überwiegend bar bezahlte. Das tat er, um nicht aufzufallen und nicht überprüfbar zu sein. Arne tippte auf jemanden, der vom freundlichen Nachbarn hin zu bedingungsloser Kaltblütigkeit wechseln konnte. Möglicherweise jemand, der immer oder oft allein lebte und einen Hass auf Frauen verspürte. Jemand, der nicht den Mut besaß, seinem Opfer beim Töten in die Augen zu sehen, und es deshalb von hinten erdrosselte. Jemand, der Angst vor Frauen hatte …

»Oder einfach jemand, der ein beschissenes Zahlenspiel spielt«, sagte er, als er sich bei Wikipedia noch einmal intensiv über die Oper »Der feurige Engel« informierte und ihm diesmal wie aus einer Eingebung heraus etwas auffiel. »Nein, wie simpel!«

Demnach bestand die Aufführung aus fünf Akten und sieben Bildern. Siebenundfünfzig! Und die konzertante Uraufführung der Oper war 1954 gewesen. Damit erklärte sich die vierundfünfzig!

Vor Aufregung rieb Arne sich das unrasierte Kinn. Konnte das die Lösung sein? Also ergaben die Zahlen kein Wort nach dem Beghilos-Alphabet, keine Initialen oder andere Codezeichen, sondern zwei eindeutige Hinweise auf die Oper?

Im Reflex wollte er aus dem Vernehmungszimmer stürmen und den erstbesten Kollegen um seine Meinung bitten, aber dann mahnte Arne sich zur Besinnung. Er brauchte mehr Indizien. Also las er sich den Wikipedia-Artikel bis zum Ende aufmerksam durch und stöberte anschließend auf weiteren Internetseiten.

»Ach«, sagte er, als er auf einen alten Bericht stieß, den Holger Winzer verfasst hatte und in dem es um den Konkurrenzkampf zwischen dem ehemaligen Chefdirigenten und seinem späteren Nachfolger ging. Gegen den Chefdirigenten Christian Huss waren Plagiatsvorwürfe laut geworden, die jedoch gerichtlich widerlegt werden konnten. Er hatte trotzdem seinen Posten geräumt – freiwillig, so lautete die offizielle Stellungnahme.

Ausgerechnet Christian Huss, von dessen ertrunkener Tochter die Akte auf Arnes Tisch lag. Während er noch überlegte, wie ihm der Bericht und die Informationen weiterhalfen, klickte er sich bereits durch YouTube, um sich eine ältere Aufführung der Oper anzusehen. Er wollte ja mitreden können. Was er kurze Zeit später sah, versetzte ihn nicht nur in Erstaunen, sondern verdeutlichte ihm einmal mehr, wie einfallsreich er sein konnte, wenn er sich anstrengte.

Kapitel 27

Montag, 14.25 Uhr

Kriminalhauptmeisterin Inge Allhammer konnte nicht behaupten, besonders glücklich über die Versetzung zu sein, aber nach allen Stationen, die sie in ihrer beruflichen Laufbahn durchgemacht hatte, kam es auf den einen Tapetenwechsel mehr oder weniger nicht an. Wobei man diesmal nicht wirklich von Tapete sprechen konnte, wenn sie sich so in dem ehemaligen Archiv umschaute, dessen Wände nur weiß verputzt waren. Kein Wunder, dass Arne Stiller schlechte Laune hatte. Wie es schien, waren hier zwei Gestrandete auf derselben Insel gelandet.

»Nun gut«, sprach sie sich laut zu. Das hier war ihre letzte Chance und nach außen hin klang es immerhin nach einer verantwortungsvollen Aufgabe. Schließlich konnte sie ab sofort jedem berichten, dass sie bei der Mordkommission arbeitete. Ihre zweiundachtzigjährige Mutter hatte sie am Telefon jedenfalls zu dieser geachteten Stelle knapp beglückwünscht, um dann nahtlos von ihrem Stuhlgang zu berichten. Was Inges Hund bei ihrer Heimkehr dazu meinte, wenn sie ihm von ihrer neuen Tätigkeit erzählen würde, konnte sie sich ebenfalls denken.

Und wo bleibt mein Futter?, würde der aufgeweckte Rat Terrier bellen.

Inge war es gewohnt, dass niemand sich wirklich für sie interessierte. Ihre Bekannten fanden ständig Ausreden, wenn sie sich mit ihnen verabreden wollte, und ihr erwachsener Sohn hatte sich schon seit einem Dreivierteljahr nicht mehr bei ihr blicken lassen oder wenigstens angerufen. Falls seine Großmutter ihm nicht davon erzählt hatte, hätte er vermutlich nicht einmal gewusst, dass Inge wieder rückfällig geworden war und ihre dritte Therapie angefangen hatte.

Was die Männerwelt anging, hatte sie auch eine Pleite nach der anderen erlebt. Das letzte Exemplar war doch tatsächlich ein Priester gewesen, bis er beim Sex plötzlich seine dunkle Seite gezeigt hatte und Inge zu seiner dauerhaften Sklavin machen wollte, die für ihn am Boden kriechen und bei jedem Befehl »Amen« schreien sollte. Als er sie als alkoholkranke Hure betitelt hatte und sie mit einer eigens dafür angefertigten Fiberglasrute für ihre Sünden hatte züchtigen wollen, hatte sie kurzerhand ihre Dienstpistole auf ihn gerichtet. Die Waffe war zwar nicht geladen gewesen, aber der feine Gottesmann hatte trotzdem ein Stoßgebet zu seinem Schöpfer gesandt, gebettelt, sie möge ihn nicht erschießen, und war dann, nur in Unterhose gekleidet, davongerannt.

Sie seufzte angesichts all der verpassten Chancen in ihrem Leben. Aufgeben wollte sie nicht, deshalb suchte sie immer noch nach dem richtigen Partner, seit Neustem bei einer der zahlreichen Singlebörsen im Internet. Zwar war es nicht so, dass sie sich vor Anfragen kaum retten konnte, aber der eine oder andere Interessent schrieb ihr tatsächlich, so wie Reinhard, der ihr eben eine neue Nachricht übers Internet geschickt hatte.

Da sie sich allein im Zimmer befand, weil Arne schließlich in Ruhe arbeiten wollte, störte sich niemand daran, dass sie ein paar Minuten von ihrer Dienstzeit abzwackte. Privat ging vor Katastrophe!

Reinhard gab sich als Steuerberater aus und wollte mehr über sie wissen. Selbstverständlich war sie nach etlichen Pleiten nicht mehr so leichtgläubig wie früher, also warf sie ihm lediglich ein paar Brocken hin.

Ich bin eins neunundsechzig, würde meine Figur als athletisch bezeichnen und trinke am liebsten italienischen Rotwein, tippte sie in das Nachrichtenfeld. Und ein Mann sollte mit meinem Sarkasmus klarkommen.

»Das muss reichen«, sagte sie in den leeren Raum hinein.

Bevor sie zu viel schrieb, klickte sie auf »abschicken«. Dann wandte sie sich den Aufgaben zu, die ihr Chef ihr gegeben hatte. Eigentlich war Arne nicht ihr richtiger Chef, aber es fühlte sich für sie irgendwie besser an, wenn es eine klare Hierarchie gab. Nur mit seiner Religion hatte sie ein Problem, nach der Sache mit dem Priester.

Während sie die gefilterten Vermisstenfälle der letzten fünfzehn Jahre alphabetisch nach den Namen der Minderjährigen ordnete, sang sie leise »My Way«. Allerdings die deutsche Version von Harald Juhnke, weil ihr Englisch noch miserabler abschnitt als ihre Sozialkontakte.

Ob Arne stolz auf sie war, weil sie die Melodie der »Engelsinfonie« auf Anhieb erkannt hatte, konnte sie nicht einschätzen. Aber wenn sie weiterhin gute Arbeit machte, würde die Anerkennung schon noch kommen.

»Ha, ha, Inge!«

Sie schniefte, griff zum Telefon und legte Arnes gestrige Notiz über das Gespräch mit Mandy Luppa und dazu die geschäftliche Telefonnummer von Daniel Funke vor sich hin. Funke war Berufsbetreuer und für Luppa verantwortlich. Laut seiner Homepage hatte er früher etliche Jahre als Anwalt für Insolvenzrecht gearbeitet.

Das Rufzeichen ertönte und Inge kratzte mit ihrem Fingernagel Linien ins Papier. Funkes Nummer musste sie unbedingt abspeichern. Es hatte eine Zeit gegeben, da wäre sie beinahe selbst in die Privatinsolvenz gerutscht. Bis ihr Dienstherr einen Teil ihrer Bezüge einbehalten und damit nach und nach ihre Schulden abgebaut hatte.

»Funke«, meldete sich eine sonore, freundliche Männerstimme.

»Hier ist Allhammer von der Kripo Dresden, es geht mir um eine Dame, für die Sie die Betreuung übernommen haben.«

»Gut, und wen meinen Sie da?«

»Mandy Luppa.«

»Mandy Luppa?«

»Ja, laut unseren Unterlagen sind Sie ihr gesetzlicher Vertreter.«

»Ich unterstütze Frau Luppa im Alltag, das ist richtig.«

»Mein Kollege, Herr Kriminaloberkommissar Stiller, möchte kurzfristig eine Zeugenvernehmung mit ihr durchführen. Wann können Sie mit ihr zur Dienststelle kommen?«

Funke machte eine knappe Bemerkung, weil ihm das gar nicht so recht zu passen schien. »Darf ich erfahren, worum es geht?«

»Nun, wir ermitteln im Vermisstenfall Liliana, von dem Sie sicher in den Medien gehört haben.«

»Ja natürlich, ganz Dresden ist betroffen darüber. Ich verstehe nur nicht, wie Frau Luppa zur Aufklärung beitragen kann.«

»Das würde Herr Stiller Ihnen im persönlichen Gespräch erklären.«

»Verstehe.« Er ließ eine Pause und überschlug dabei wohl seinen Terminplan. »Frühestens Ende der Woche ginge es …«

Kapitel 28

Montag, 15.45 Uhr

»Sie hätten mich vorher anrufen sollen«, musste Arne sich beim Betreten der Semperoper vom Assistenten Hans Leo anhören.

»Hat meine Kollegin das etwa nicht getan?«, heuchelte Arne Unwissenheit.

»Nein, sonst wäre ich über Ihren Besuch wohl kaum derart überrascht.«

Arne lachte, um die Stimmung zwischen ihm und dem stocksteifen Bürokraten aufzulockern. »Na ja, als Besuch würde ich mein Erscheinen nicht unbedingt bezeichnen. Immerhin ermittle ich in einem Mordfall.«

»Und einer Entführung, ist mir bekannt.« Leo legte die Fingerspitzen aufeinander und bildete mit den Händen vor seinem Bauch eine Raute. »Trotzdem können Sie nicht unangekündigt den Geschäftsablauf stören. Herr Dellucci …«

»… ist sehr beschäftigt, ich weiß«, unterbrach Arne. »Leute wie Herr Dellucci sind ständig beschäftigt. Aber kennen Sie Armakuni?«

Irritiert blinzelte Leo und schaute so skeptisch wie gestern im Abwasserschacht. »Ist das ein Künstler?«

»Im weitesten Sinne ja! Ein Überlebenskünstler, einer vom Schlag wie ich. Armakuni sagt immer: ›Eine Krone passt auch auf den Kopf eines einfachen Mannes.‹«

Tatsächlich schien der Assistent über diese Weisheit nachzudenken. »Mir scheint, Sie haben das falsch wiedergegeben, denn die Bedeutung erschließt sich mir nicht.«

»Kann sein, mein Japanisch ist etwas eingerostet. Aber es soll ausdrücken, dass auch scheinbar unwichtige Leute wie ich manchmal wichtige Anliegen haben. Also nehmen Sie Ihren Stock und treten beiseite, bevor ich ungemütlich werde.«

Im Gegensatz zu Armakunis Worten verstand Leo die Anspielung auf seine Haltung auf Anhieb. »Herr Stiller, wir haben uns an höherer Stelle über Sie erkundigt ...«

Gern hätte Arne dazwischengeredet, um zu erfahren, wer mit *wir* gemeint und, vor allem, von *welcher* höheren Stelle die Rede war, aber er hörte aufmerksam zu, was Leo stattdessen vorbrachte.

»Sie stehen unter Beobachtung, so will ich es ausdrücken. Gehen Sie bitte, bevor wir Ihr Benehmen melden müssen und Sie Ärger bekommen. Ihre Karriere ist auch so schon gehörig ins Wanken geraten, wie man hört.«

»Es freut mich, dass Ihnen meine Karriere am Herzen liegt, aber die lassen Sie mal meine Sorge sein.« Damit wünschte er dem Assistenten einen schönen Tag und trat an ihm vorbei.

Natürlich nahm Leo die Verfolgung auf und rief ihm derart lauthals hinterher, dass er für Aufmerksamkeit sorgte.

»Es ist alles in Ordnung, Hans«, kam es plötzlich von der Seite, als Mario Dellucci persönlich hinter einer der Säulen im Foyer hervortrat, als hätte er von dort die ganze Zeit gelauscht. »Ich kümmere mich um den Herrn von der Kriminalpolizei.«

Na also, dachte Arne und streckte dem Direktor die Hand hin.

»Endlich lernen wir uns kennen«, sagte Dellucci und nahm den Handschlag an. »Hans hat mir bisher nur Gutes über Sie erzählt.«

»Alles andere hätte mich auch gewundert.«

»Er meinte, Sie seien sehr akribisch bei Ihrer Arbeit.«

»Bestimmte Leute würden mich eher als penetrant beschreiben. Aber wenn ich mich in einen Fall verbissen habe, dann bin ich wie ein Terrier: Ich kann einfach nicht loslassen.«

»Angesichts der dramatischen Vorfälle arbeitet die Polizeidirektion Dresden mit Hochdruck an der Aufklärung dieser schrecklichen Verbrechen, so wird berichtet.« Mit einem Handzeichen wies Dellucci Arne den Weg in sein Büro. »Ich habe vorhin die Pressekonferenz verfolgt. Leider klang das nicht nach einer schnellen Aufklärung.«

»Deshalb bin ich hier. Wie Sie wissen, geschah der Mord unter der Semperoper, aber womöglich führt die Spur direkt hierher.«

Dellucci reagierte nicht überrascht auf diese Äußerung, sondern schloss routiniert die Tür zu seinem Büro auf und ließ Arne den Vortritt. Es war ein geschmackvoll eingerichteter Raum, der mit seinen historischen Holzmöbeln und Polstern bestimmt etliche Geschichten erzählen konnte. Beide setzten sich. Dellucci nahm einen silberfarbenen Federhalter in die Hand, ohne damit etwas zu schreiben. Er hielt ihn einfach fest und drehte ihn mehrfach zwischen seinen Fingern.

»Wie kann ich Ihnen helfen, Herr Stiller?«

»Arbeitet innerhalb der Oper jemand mit dem Nachnamen Tännert?«

»Nicht dass ich wüsste. Ist das ein Verdächtiger?«

Arne gab keine Antwort, sondern hakte die Frage gedanklich ab. »Bitte verstehen Sie, wenn ich nicht auf Details eingehen werde, aber nach derzeitigem Ermittlungsstand besteht ein Zusammenhang zwischen dem Mord an der Ehefrau eines bekannten Journalisten und der gestrigen Opernpremiere.« Arne griff in seinen Mantel und holte einen zusammengefalteten Papierausdruck hervor. Er breitete ihn aus und reichte das Bild dem Direktor. »Für die Qualität muss ich mich entschuldigen, aber ich hatte es eilig. Was erkennen Sie darauf?«

»Es scheint mir eine ältere Inszenierung des ›Feurigen Engels‹ zu sein. Auf dem Foto sieht man eindeutig Renata und Ruprecht. Woher haben Sie das?«

»Aus dem Internet. Ist ein Screenshot von YouTube. Schauen Sie sich das Kleid an.«

»Es ist schwarz-rot. Derart oder wahlweise schneeweiß sahen die Kostüme in früheren Inszenierungen aus. Wir haben uns bewusst für eine modernere Variante entschieden.«

»Schwarz-rot, Sie sagen es.« Arne griff über den Schreibtisch und entzog ihm das Papier wieder. »Ein ähnliches Kleid wie auf dem Bild trug die Tote, die wir unweit von hier in einem Abwasserkanal gefunden haben. Außerdem wurden an der Leiche Zahlen hinterlassen, die als eindeutiger Hinweis auf die Oper ›Der feurige Engel‹ gedeutet werden können.«

»Ja, von Zahlen hat der Kommissar bei der Pressekonferenz gesprochen, ohne das näher zu erläutern. Dürfte ich erfahren, wie die Hinweise aussahen?«

Arne überlegte, dann nahm er sich einen der herumliegenden Kugelschreiber und schrieb auf einen Notizblock die Zahlen 57 und 54. Natürlich konnte Dellucci mit den Zahlen nichts anfangen.

»Fünf Akte, sieben Bilder. Und die Uraufführung fand 1954 statt.«

Anerkennend nickte Dellucci. »Sie sind Kryptologe, nicht wahr?«

Diesmal nickte Arne zustimmend, denn Dellucci hatte sich auf diese Begegnung besser vorbereitet als erwartet. »Und Sie sind der Intendant, also gehe ich davon aus, dass Sie daran interessiert sind, Schaden von diesem ehrwürdigen Haus der Musik fernzuhalten.«

»Ehrwürdiges Haus der Musik, schön ausgedrückt.«

»Ich bin sicher, falls sich einer der Angestellten, der Musiker oder Sänger in letzter Zeit merkwürdig verhalten hätte, hätten Sie das mitbekommen. Denken Sie nach, gibt es jemanden, der die Oper um den feurigen Engel mehr als üblich liebt … oder hasst?«

Dellucci legte den Federhalter ganz vorsichtig ab und tippte auf den Notizblock. »Ich gehe davon aus, das hier ist allein Ihre Theorie. Demnach könnten Sie sich auch irren. Vielleicht suchen Sie Ihren Mörder am falschen Ort. Es gab etliche Proteste gegen die Premiere, es könnte also auch sein, dass jemand von außerhalb weitere Aufführungen sabotieren möchte.«

»Das glaube ich nicht, denn Sabotage ist eine Sache, Mord und Entführung sind eine ganz andere. Diese Schwelle, einen Menschen kaltblütig zu töten, überschreitet man nicht einfach so. Es geschieht im Affekt oder weil das Verlangen, einem Menschen das Leben zu nehmen, über Jahre hinweg in einem gewachsen ist. Im vorliegenden Fall gehe ich von einem triebgesteuerten Täter aus, wenn man sein Opfer derart präsentiert wie die Tote im Abwasserkanal. Das Kleid und die Zahlen erwähnte ich ja eben. Das sind Dinge, die bei einer Affekthandlung gänzlich fehlen würden. Derjenige, den ich suche, will uns etwas sagen und dafür greift er auf eine sehr effektive Darstellung zurück, so will ich es nennen. Für diese bedarf es einer langen Vorbereitung und … einer gewissen Übung …«

»Übung?« Zum ersten Mal zeigte der Italiener so etwas wie Beklemmung in seinem Mienenspiel. »Sie meinen, es gab noch mehr Morde?«

»Ich meine, dass jederzeit wieder ein Unglück passieren kann. Dann vielleicht hier, in einem dieser Räume.«

Dellucci blieb ausdruckslos, bis seine Mundwinkel herabfielen, weil er begriff, dass Arne es absolut ernst meinte. Sogleich lenkte der Direktor ein und kramte aus einem Schubfach ein Schriftstück hervor. Er reichte es in einem Folienumschlag herüber. »Das hier erhielt ich vor rund drei Wochen.«

SIE SIND EIN KRANKES SCHWEIN! NEHMEN SIE IHREN HUT ODER SIE WERDEN ES BEREUEN!

Die Drohung war auf altmodische Weise aus ausgeschnittenen und aufgeklebten Zeitungsbuchstaben verfasst worden.

Arne verzichtete auf die Frage, wem er es gezeigt hatte, sondern schüttelte nur den Kopf. »Okay, wer hat das Papier alles in den Händen gehalten?«

»Nur ich. Es befand sich in einem Umschlag, den ich weggeschmissen habe.«

»Dann werden wir Ihre Fingerabdrücke zum Vergleich benötigen.«

»Ist denn das wirklich notwendig? Ich habe das nicht ernst genommen.«

»Deshalb haben Sie es nicht im Reißwolf entsorgt, sondern ordentlich eingeschlagen und aufgehoben.« Arne hielt das Schreiben hoch. »Kommt dafür jemand aus Ihrer Belegschaft infrage?«

»Für meine Leute lege ich die Hände ins Feuer.«

»Vorsicht, nach meiner Erfahrung kann man sich dabei leicht verbrennen.«

Beide stutzten gleichzeitig, denn ihnen fiel der Bezug zum »Feurigen Engel« auf.

Dellucci zeigte daraufhin auf den Drohbrief. »Meinen Sie, das da hat in Bezug auf Ihre Ermittlungen wirklich etwas zu bedeuten?«

»Bis ich mir darüber im Klaren bin, benötige ich eine lückenlose Aufstellung aller Mitarbeiter. Und mit lückenlos meine ich lückenlos.«

»Halten Sie das nicht für übertrieben?«

»Und außerdem will ich mich jetzt gleich noch mit einigen von den Akteuren unterhalten.«

Kapitel 29

Montag, 16.15 Uhr

Betrat man die Räume, die nur für das Personal vorgesehen waren, verlor die Semperoper beträchtlich von ihrem Charme. Gemeinsam mit dem Chefdirigenten Vincent Ludwig saß Arne in einem Raum, in dem kein einziges Bild hing, dafür an der Decke eine Neonröhre, die im völligen Kontrast zu dem aristokratischen Leuchter stand, der den Saal schmückte und als Blickfänger auf Werbeblättern erstrahlte.

»Dass ich einmal von der Polizei vernommen werden würde, hätte ich nie erwartet«, begann Ludwig und schlug die Beine übereinander. Er spielte nervös mit seinen Fingern.

»Streng genommen ist das hier keine Vernehmung«, beruhigte Arne ihn. »Das erkennt man leicht daran, dass wir hier so gemütlich nebeneinandersitzen. Sie kennen bestimmt Kriminalfilme, in denen der Kriminalbeamte dem Verdächtigen grimmig die Beweise auf den Tisch knallt. Direkt neben einen Becher mit kaltem Kaffee. Das Ganze unter schlechter Beleuchtung. Solche Klischees eben.«

Ludwig atmete gespielt aus. »Und ich dachte schon, ich hätte irgendwas ausgefressen.«

»Haben Sie garantiert.«

»Wie darf ich das verstehen?«

»Jeder Mensch hat Geheimnisse. Bei dem einen sind sie nur dunkler als bei anderen.«

»Verstehe, Sie versuchen, mich einzuschüchtern – wie in diesen Filmen, von denen Sie eben sprachen.«

Arne schmunzelte bloß und schüttelte den Kopf, als hätte er die Bemerkung eben nicht gemacht. Bevor er mit der Befragung loslegte, betrachtete er den Dirigenten, dessen Haare ähnlich wild abstanden wie bei ihm selbst. Zudem waren sie beide annähernd gleich alt, aber Ludwigs Gesicht wirkt irgendwie frischer. Vielleicht kam das von einer speziellen Gesichtscreme. Die Haut des Mannes glänzte förmlich. Raucher war er bestimmt auch nicht. Seine Fingerkuppen waren heller als bei Arne.

»Sie kennen Holger Winzer?«

»Wer nicht?«, antwortete Ludwig knapp und schob eine abfällige Bemerkung über den Journalisten hinterher.

»Hat er recht mit der Anschuldigung, Sie würden Drogen konsumieren?«

»Nein, bewahre! Das in seinem Artikel waren absolut haltlose Anschuldigungen. Herrn Winzer geht es nicht um seriöse und faktenhaltige Berichterstattung, sondern darum, zu provozieren.«

Dem konnte Arne wahrlich nicht widersprechen, aber er blieb bei seiner Linie. »Er wäre wohl kein so angesehener Journalist, wenn er Lügen verbreiten würde.«

»Über das Wort ›angesehen‹ lässt sich streiten.«

Arne zielte mit dem Finger auf sein Gegenüber, weil der Punkt an ihn ging. »So weit ich informiert bin, steht Herr Dellucci hinter Ihnen. Er hat sich stark für Sie gemacht, auch gegenüber den Redaktionen. Deshalb gab es wohl keine größeren Untersuchungen, vor allem seitens der Polizei nicht.«

»Wie gesagt, die Anschuldigungen waren haltlos.«

»Unbestreitbar ist aber, dass Sie vor nicht allzu langer Zeit Kontakt zu einem ehemaligen Drogenhändler hatten.«

»Was?«, entrüstete Ludwig sich. »Was für eine absurde Behauptung, wie kommen Sie darauf?«

Gemächlich griff Arne in seinen Mantel und zog ein Foto hervor, das er sich vom K22 besorgt hatte. Darauf war Vincent Ludwig mit einem Mann zu sehen, den das Rauschgiftkommissariat bereits jahrelang wegen schwerer Delikte überwachte.

»Erkennen Sie sich?«, fragte Arne.

Ludwig rückte unruhig auf seinem Stuhl herum. »Das bin ich, aber was beweist das schon? Ein Gespräch unter Männern, nichts weiter.«

»Oh, es gibt eine ganze Serie von diesen Bildern.« Von der Telefonüberwachung verriet Arne natürlich nichts. »Außerdem wurde der Herr in dem schneidigen Mantel mehrfach von Insidern belastet, Handel mit Betäubungsmitteln zu betreiben. Leider wollten sämtliche Zeugen urplötzlich nicht mehr vor Gericht gegen den Mann aussagen. Aber ich schätze, das ist nur eine Frage der Zeit. Gut möglich, dass dann Ihr Name fällt.«

»Was genau wollen Sie jetzt von mir?«

Diese Frage kam für Arne wenig überraschend. Er hatte nicht erwartet, dass einer der Angestellten der Oper aufspringen und zugeben würde, ein Mörder zu sein. Arne ging es vielmehr darum, das Ensemble kennenzulernen und sich ein Bild von jeder einzelnen Person zu machen. »Ich unterhalte mich mit Ihnen und danach mit Ihren Arbeitskollegen. Ich nehme mir einen nach dem anderen vor. Dabei versuche ich einzuschätzen, ob jemand ein Motiv hat, der Familie Winzer zu schaden oder sich sogar an ihr zu rächen. Anders ausgedrückt, ich suche nach einem Mörder und Entführer.«

»Wissen Sie, wie viele Leute in der Semperoper arbeiten?«

»Eine ganze Menge, schätze ich.«

»Warum fangen Sie da ausgerechnet bei mir an?«

»Bei wem hätte ich denn Ihrer Meinung nach anfangen sollen?«

»Was weiß ich, Ruben Menasse, der aktuell den Johann Faust spielt. Ruben war früher ein gefeierter Star, bis Lennard Johannson vom Staatstheater Wiesbaden kam. Ich glaube, Herr Winzer hat auch negativ über Ruben berichtet. Oder noch besser, unterhalten Sie sich mit der Hauptdarstellerin Andrea Kriwitzki. Ich nehme doch an, der Täter könnte ebenso gut eine Frau sein.«

»Sie scheinen sich ja mächtig für das Verbrechen unter der Semperoper zu interessieren, wenn Sie bereits eigene Vermutungen anstellen. Das finde ich lobenswert, weil es mir vielleicht Arbeit erspart.«

»Was glauben Sie denn, was aktuell das Gesprächsthema Nummer eins innerhalb der Belegschaft ist?«

»Ja, ich kann es mir vorstellen.« Langsam wurde Arne die Unterhaltung zu mühsam. Zeit, etwas mehr Druck aufzubauen. »Noch einmal, konsumieren Sie Kokain?«

»Nein, verdammt!«

»Haben Sie in der Vergangenheit Kokain konsumiert?«

»Nein.«

»Wären Sie mit einem freiwilligen Drogentest einverstanden?« Er deutete nach draußen, bevor Ludwig antworten konnte. »Im Wagen habe ich einen Schnelltester liegen.«

Nach einem Moment des Zögerns stand Ludwig auf und verabschiedete sich ruppig.

»Haben Sie je von der ›Engelsinfonie‹ gehört?«

Ludwig, den Arne mit seiner Frage an der Tür aufgehalten hatte, spitzte die Lippen und verengte die Augen, bis er nickte. »Verstehe, Ihnen geht es eigentlich um die Sache mit Christian Huss.«

Von der Nennung dieses Namens war Arne überrascht, unterbrach Ludwig, der von sich aus weiterredete, aber nicht.

»Jetzt wollen Sie mir offenbar unterstellen, ich hätte einen unliebsamen Konkurrenten mit falschen Anschuldigungen beseitigt und mir so den Posten des Chefdirigenten geschnappt. Natürlich kenne ich die Plagiatsvorwürfe zu seinen Kompositionen, aber damit habe ich nichts zu tun. Christian Huss und ich haben lange Zeit professionell zusammengearbeitet. Christian hat freiwillig gekündigt, weil er die Sache mit seiner Tochter nie verkraftet hat. Das bedauere ich sehr, aber ich bin gleichfalls sehr froh, an einem so renommierten Opernhaus das Orchester leiten zu dürfen. Das können Sie hoffentlich nachvollziehen.«

»Sicher.« Den Todesfall zu Christian Huss' Tochter kannte Arne, nachdem er die Akte gelesen hatte, aber eine Sache war ihm in dem Zusammenhang nicht klar. »Ich habe Sie eben zur ›Engelsinfonie‹ gefragt, wie kommen Sie da plötzlich auf Christian Huss zu sprechen?«

»Ich dachte, Sie wollten über die ›Engelsinfonie‹ …« Ludwig unterbrach sich und schüttelte wie benommen den Kopf, um sich sogleich zu sammeln. »Christian Huss hat die ›Engelsinfonie‹ schließlich komponiert.«

Kapitel 30

Montag, 17.00 Uhr

Wieder lag Liliana zusammengekrümmt in dem Bettchen. Im Zimmer war es so still, dass sie ihre eigene Atmung hören konnte. Bald würde er zurückkehren und von ihr eine Antwort haben wollen.

Gestern Abend hatte Liliana die tote Katze wegräumen müssen. Zur Strafe, wegen der falschen Lösung. Trotz ihres Flehens hatte der Mann ihr eine Folienrolle in die Hand gedrückt und verlangt, dass sie das Tier darin einwickelte. Wegen des Gestanks, hatte er gemeint. Tote Katzen würden wie tote Menschen stinken, wenn sie nur lange genug an der frischen Luft liegen. Ob sie den Geruch eines verwesenden Kadavers kenne, hatte er sie außerdem gefragt. Sie hatte stumm den Kopf geschüttelt und das Kätzchen mit zusammengekniffenen Augen am Schwanz angehoben.

Unter seiner Aufsicht war Liliana dafür aus dem Bett gestiegen. Aber wegen der Katze hatte sie sich natürlich nicht darüber gefreut. Weil sie das Folienpäckchen in den Müll bringen sollte, hatte sie sogar das Zimmer mit den Zahlen an der Wand verlassen dürfen. Vorher hatte er ihr den Mund mit Klebeband verschlossen und gedroht, beim kleinsten Mucks mit ihr das Gleiche zu machen wie mit der Katze. Falls sie sich das Klebeband abziehen und schreien würde, müsse er sie auf der Stelle totschlagen und würde hinterher behaupten, er habe den Fernseher versehentlich zu laut gestellt. Niemand in der Nachbarschaft werde auf die Idee kommen, bei ihm habe ein Kind um Hilfe geschrien. Wie auch, er ging einer geregelten Arbeit nach und half den alten Leuten im Nachbareingang, wenn sie mit dem Schlüssel mal wieder nicht das winzige Schloss am Briefkasten fanden. Er war vielleicht nicht beliebt, aber die Leute würden ihn als anständig beschreiben. Das hatte er Liliana über sich erzählt.

Aber in der Wohnung war der Fernseher gar nicht eingeschaltet gewesen, die Musik war aus einer Stereoanlage gekommen. Es hatte niemand gesungen, man hatte nur Instrumente gehört. Irgendein berühmter Komponist vermutlich. Im Musikunterricht hatten sie über Mozart und Beethoven gesprochen. Der Mann hatte sie in die Küche gelenkt, zur Musik gesummt und hinter ihr den Zeigefinger bewegt, ähnlich wie ihr Chorleiter in der Schule den Taktstock.

Außerhalb des Zahlenraums, in den er sie einsperrte, sah die Wohnung ganz normal aus. Fast so wie bei ihr zu Hause. Nur dass keine Damenschuhe und Handtaschen wie bei ihrer Mutter herumstanden. Und natürlich gab es nirgendwo Spielsachen. Aber es hingen Familienfotos herum. Die Personen darauf hatte sie beim Vorbeigehen allerdings nicht richtig erkannt.

Nachdem sie die Katze in den Mülleimer geworfen hatte, hatte er gesagt, er werde den Beutel morgen vor der Arbeit entsorgen. Gleichzeitig hatte er versprochen, ihr Spielzeug zu kaufen, wenn sie brav die Aufgabe löste und machte, was er sagte. Ob sie einen speziellen Wunsch habe, hatte er gefragt.

Sie hatte geantwortet, dass sie nur ihre Eltern sehen wolle.

»Dann eben nicht«, hatte er daraufhin zornig gesagt.

Heute Morgen war er wieder zu ihr ans Bett getreten, hatte das Gitter geöffnet und mit dem schwarzen Stift die gleichen Zahlen wie zuvor auf ihren Bauch gemalt.

»Zur Strafe werde ich das Rätsel erschweren«, hatte er gedroht und drei weitere Zahlen auf Höhe ihres Bauchnabels geschrieben.

Wenn sie das Rätsel nicht löste, wollte er sie die Wohnung putzen lassen. Die Drohung erschreckte sie nicht, sie war viel weniger schlimm als die Tatsache, bei dieser fremden Person zu sein. Sosehr sie sich anstrengte, sie konnte mit den Zahlen nichts anfangen.

»Neun, eins, zwei«, las sie sich vor.

So lautete die oberste Zeile. Darunter standen drei weitere Ziffern und dann eine einzelne. Das war eine Fünf. Und dann gab es da noch die drei neuen Ziffern.

Immer und immer wieder wiederholte sie die Zahlen. Vermutlich war es ein Erwachsenenrätsel, das sie als Kind niemals lösen konnte. Das hatte ihr der Mann gegeben, damit sie niemals hier wegkam.

»Mama«, schluchzte Liliana erneut. Da sie die Stäbe am Bettchen nicht zerbrechen oder verbiegen konnte, begann sie an ihnen zu rütteln und zu drehen.

Tatsächlich wackelte nach etlichen Minuten einer der Stäbe.

Kapitel 31

Montag, 18.40 Uhr

Als Arne die Semperoper verließ, hatte er sich gerade einmal mit fünf Leuten unterhalten, Mario Dellucci und dessen Assistenten eingeschlossen. Obgleich es noch Herbst war, schlug ihm draußen auf dem Theaterplatz bereits ein eisiger Wind entgegen. Auch der Himmel hatte sich merklich eingetrübt. Die Pflastersteine glänzten feucht und die barocke Hofkirche samt den anderen historischen Gebäuden wirkte besonders grau. Über der Stadt lag ein gottverdammter Schleier, der von Minute zu Minute an Schwere zunahm.

Doch nicht das Wetter schlug auf Arnes Gemüt, sondern das Gefühl, zwar ständig neue Hinweise zu finden, jedoch keinen Schritt vom Fleck zu kommen. Besonders der Drohbrief, den der Direktor ihm vorher wie eine Einladungskarte zu einer besonders bizarren Vorführung überlassen hatte, stellte ihn vor ein Rätsel.

SIE SIND EIN KRANKES SCHWEIN! NEHMEN SIE IHREN HUT ODER SIE WERDEN ES BEREUEN!

Er hatte Dellucci gar nicht erst danach gefragt, worauf die Beleidigung anspielte. Dellucci hätte ihm niemals die Wahrheit gesagt. Und bei der Befragung von Vincent Ludwig, Lennard Johannson und Andrea Kriwitzki hatte er auch nicht den Eindruck gewonnen, seriöse Zeugen – oder wahlweise auch einen eiskalten Mörder – vor sich sitzen zu haben. Der Chefdirigent war ein Drogenkonsument, Johannson hochmütig und Andrea Kriwitzki ein naives Ding, das zwar wusste, was es wollte, aber leider mit beschränktem Horizont gesegnet war. Ständig hatte sie betont, dass sie nur zum Singen auf der Welt sei.

Komische Kauze, diese Opernkünstler.

Als er in seinen Wagen stieg, graute es ihm bereits vor der nächsten Begegnung.

»Noch so ein Kunstschaffender«, knurrte Arne.

Immerhin ging es in eine der prachtvollsten Gegenden von Dresden: Weißer Hirsch. Ein Villenstadtteil direkt hinter den Elbschlössern an der Mordgrundbrücke, über die die Bundesstraße 6 führt.

Der Mordgrund!

»Der richtige Name für diese Geschichte.«

Einer Sage zufolge sollten sich dort im 13. Jahrhundert zwei Liebende mit einem Dolch selbst getötet haben. Natürlich, weil die Dame zur Hochzeit mit einem wohlhabenden Grafen gezwungen worden war.

»Tja, so können Eltern eben sein.«

Dahin gehend hatte Arne in seinem Leben Glück gehabt. Seine Eltern hatten sich immer Zeit für ihn genommen und ihm liebevoll und mit viel Geduld die wichtigsten Regeln im Leben beigebracht. »Kein Mensch ist nur gut oder nur schlecht«, hatte sein Vater oft gesagt und danach angefügt: »Außer die Dummen. Die Dummen sind nur dumm.«

Auch wenn sie es nie ausgesprochen hatten, sie waren stets stolz auf ihren Sohn gewesen. Bloß die fehlenden Enkel hatten sie ihm krummgenommen, auch das hatten sie nie thematisiert, aber er wusste es.

Kaum war er über die Carolabrücke gefahren, klingelte sein Handy. Es war Inge.

»Ich habe Daniel Funke erreicht«, sagte sie.

Arne überlegte kurz, sie meinte den Berufsbetreuer. »Und was sagt er?«

»Er kommt in zwanzig Minuten vorbei, zusammen mit Mandy Luppa.«

»Zur Dienststelle? In zwanzig Minuten?«

»Du sagtest, ich soll mich um einen Termin kümmern, also dachte ich, es wäre dringend. Zuerst wollte er absagen, aber ich habe nicht lockergelassen. Das war doch in deinem Sinn?«

Das war es natürlich, dennoch war es jetzt ungünstig. »Ich bin gerade auf dem Weg zu Christian Huss. Seine Befragung ist momentan wichtiger.«

»Hast du denn einen Termin bei ihm?«

»Wozu, er ist doch freischaffender Künstler, soweit ich weiß. Solche Leute arbeiten ja nicht wirklich. Also gehe ich davon aus, dass ich ihn zu Hause antreffen werde.« Im abendlichen Dresdner Verkehr kam er nur mühsam voran, was ihn nervte. »Wusstest du, dass er die ›Engelsinfonie‹ komponiert hat?«

»Hab ich vor einer halben Stunde aus dem Internet erfahren, ich war nämlich nicht untätig. Und um ehrlich zu sein, ich habe längst meine tägliche Dienstzeit überschritten. Daher werde ich jetzt nach Hause gehen. Wie du das mit Funke und Luppa organisierst, ist jetzt deine Sache.«

»Nee, das geht nicht. Du kannst jetzt nicht einfach abhauen.«

»Schon mal was von der Arbeitszeitverordnung gehört?«

»Schon mal was von Überstunden gehört?«

Sie schnaubte müde. Garantiert war sie mindestens so geschafft wie er. Aber darauf konnte er keine Rücksicht nehmen. Nicht, solange sie ein Kind suchten.

»Soll ich Herrn Funke und Frau Luppa etwas von dir ausrichten?«, fragte Inge versöhnlich.

»Du sollst die beiden an meiner Stelle vernehmen.«

»Ganz bestimmt nicht, das ist dein Job.«

»Wieso? Du bist doch Kriminalbeamtin, also steht dem nichts entgegen.«

»Weißt du, wann ich meine letzte Vernehmung durchgeführt habe? Da lagst du noch in den Windeln.«

»An meine letzte Windel kann ich mich jedenfalls nicht erinnern«, konterte er, denn zwischen ihnen lagen nur elf Jahre Altersunterschied. »Und während du auf die beiden wartest, ruf mal in der Oper an und erkundige dich, wann Herr Dellucci mir endlich die Auflistung der Mitarbeiter per Mail schickt. Ach, und wenn die Liste eintrifft, recherchiere, ob auch wirklich ausnahmslos alle Namen darauf stehen. Meinen E-Mail-Zugang kennst du ja schon …«

Bevor sie Einwände erheben konnte, beendete er das Telefonat und beschleunigte seinen Wagen.

Kapitel 32

Montag, 18.55 Uhr

Beim Befahren der Bautzner Landstraße fühlte Arne sich wie in einer anderen Welt. Die schmucken Häuser erinnerten an Urlaub, Erholung und natürlich an das Geld anderer Leute. Wer auf dem Weißen Hirsch lebte, gehörte überwiegend zur wohlhabenderen Gesellschaft. Berühmtheit hatte die Ortschaft im 19. Jahrhundert als Kurbad erlangt. Besonders das ehemalige Lahmann-Sanatorium, in dem sich inzwischen luxuriöse Eigentumswohnungen befanden, hatte in damaliger Zeit jährlich bis zu siebentausend Kurgäste angezogen.

Unweit des heutigen Dr.-Lahmann-Parks wohnte Christian Huss in einer Jugendstilvilla mit einem feuerroten Dach. Eine alte Dame saß auf ihren Gehstock gestützt davor und rauchte. Sie begrüßte Arne und erkundigte sich, wer er sei und zu wem er wolle. Nachdem er Auskunft gegeben hatte, gab sich die Dame als die neunundachtzigjährige Eigentümerin Maria von Loth zu erkennen und erklärte, dass man heutzutage gut aufpassen müsse, wer das Grundstück betrete. Freundlicherweise klingelte sie für Arne bei Christian Huss, der in dem großen Haus mit den fünf Mietparteien im Erdgeschoss wohnte.

»Besuch für dich«, sagte die Hausbesitzerin, als Huss an der Wohnungstür erschien. »Von der Polizei.«

»Stiller, Kriminalpolizei«, stellte Arne sich vor und wartete, bis die Frau gegangen war. »Entschuldigen Sie die späte Störung, Herr Huss, ich ermittle in dem Mordfall, den Sie sicherlich in den Nachrichten verfolgen.«

»Kriminalpolizei?«, wiederholte Huss und wich ein Stück in seine Wohnung zurück, deren Korridor aufgrund fehlender Beleuchtung im Dunkeln lag.

»Es dauert nicht lange, darf ich eintreten?«

»Worum geht es genau?«, überwand Huss sein Erstaunen und kratzte sich am Hals.

Der Vierundfünfzigjährige wirkte etwas unaufgeräumt. Seine Haare wirkten zerrauft und sein Brillengestell hing schief auf der Nase, weil ein Bügel verbogen war. Er hätte es unbedingt von einem Optiker richten lassen sollen. Aber das war nicht Arnes Problem.

»Komme ich ungelegen?«

»Nein, ich …«

»Dann sprechen wir doch drinnen weiter.« Arne machte einen Schritt zur Türschwelle und Huss blieb nichts anderes übrig, als ihn eintreten zu lassen.

Bevor Arne mit der Befragung loslegte, verschaffte er sich zuerst einen Überblick über die Wohnsituation des Inhabers. Auch wenn es überall finster zuging und es geringfügig nach nasser Katzenstreu roch, konnte man die Einrichtung als überaus wohnlich bezeichnen. Die Auslegware war sauber und in der Küche stand nirgendwo benutztes Geschirr herum. Etliche Fotografien hingen an den Wänden, auch wenn die meisten in Schwarz-Weiß waren und damit Rückschlüsse auf das Alter der Aufnahmen zuließen.

»Die Räume sind kleiner, als die Villa von außen vermuten lässt«, stellte Arne fest und fügte gedanklich an, dass sie dringend gelüftet werden sollten.

»Bitte«, ging Huss nicht darauf ein, sondern streckte den Arm aus. »Gehen wir in mein Arbeitszimmer.«

Dort gab es neben einem weiteren abgedunkelten Raum einen Flügel der Marke C. Bechstein und jede Menge neumodische Ausrüstung, wie man sie für ein anständiges Aufnahmestudio benötigt, einschließlich Mischpult und Computertechnik.

Arne konnte nicht behaupten, dass die Atmosphäre gemütlich war, aber wenn Huss sich hier wohlfühlte, sollte ihm das nur recht sein. Um einen Musikvertrag würde es allerdings heute nicht gehen.

»Sie haben von dem vermissten Mädchen gehört?«, fragte Arne.

Huss blickte Arne nicht an, sondern entfernte auf dem Mischpult mit einem Finger Staub zwischen zwei Reglern. »Ja, ist wohl das Kind von irgendeinem berühmten Journalisten.«

»Kennen Sie Holger Winzer?«

Jetzt hob er den Kopf. »Sollte ich?«

»Sagen Sie es mir.«

»Nein.«

Danach schwiegen sie sich gegenseitig an. Offensichtlich redete Huss nicht gern mit Fremden. Überhaupt wirkte er in sich gekehrt und verschlossen.

»Leben Sie allein hier?«

»Kommt darauf an, wie man das interpretiert. Es gibt ja die Nachbarn, angenehme ältere Leute wie Frau Loth, die Sie bereits kennengelernt haben.«

»Ich meine hier.« Arne zeigte auf den Boden zwischen ihnen. »Hier in dieser Wohnung.«

»Seit vier Jahren bin ich allein. Meine Frau ist durchgebrannt und hat mich mit den Schulden zurückgelassen.«

Angesichts der Parallele zu seinem eigenen Leben konnte Arne nachvollziehen, wie verletzt der Mann sich fühlte. Zumal Huss es entsprechend gereizt mitteilte.

»Sie stecken in finanziellen Schwierigkeiten?«

»Glauben Sie, ich hätte das Haus meiner Eltern freiwillig verkauft? Ach, verdammt, warum erzähle ich Ihnen das eigentlich? Das wollen Sie doch gar nicht wissen.«

Erst mit Verzögerung verstand Arne, dass er die Villa meinte. »Frau Maria von Loth hat Ihnen das Haus abgekauft?«

»Und mir ein lebenslanges Wohnrecht zugesichert, auch über ihren Tod hinaus.«

»Ich dachte, Sie wären ein erfolgreicher Musiker.«

»Ja, bis alles den Bach runtergegangen ist.« Er nahm seine Brille ab und rieb sich die Augen, als müsste er weinen. Doch dann fing er sich und schaute Arne mit regelrecht unheimlicher Miene direkt ins Gesicht. »Weshalb sind Sie eigentlich hergekommen?«

»Das sagte ich bereits, ich ermittle in einem Mordfall und einem Vermisstenfall. Zufällig ist Liliana am Todestag Ihrer Tochter verschwunden.«

»Ja, und?«

»Sie haben damals behauptet, Ihre Tochter wäre nicht einfach im Pool ertrunken, sondern jemand hätte sie umgebracht.«

»Inzwischen habe ich eingesehen, wie sehr ich mich getäuscht hatte. Damals war ich nicht Herr meiner Sinne in Anbetracht des erschütternden Geschehens. Ich habe einen Schuldigen für Manuelas Tod gesucht, aber ich habe mich selbst belogen. Es war ein Unglück, Manuela konnte ja nicht richtig schwimmen. Die Experten warnen ständig vor Teichen und Pools im Garten.« Er zeigte mit dem Daumen nach draußen, obwohl das

Zimmerfenster verdunkelt war. »Für eine Achtjährige war sogar unser flacher Goldfischteich zu tief.«

»Liliana ist acht Jahre alt, genau wie Ihre Tochter damals.«

»Noch einmal, was wollen Sie?«

»Kennen Sie Holger Winzer und dessen Familie wirklich nicht?«

»Das können Sie mich so oft fragen, wie Sie möchten, es wird keine andere Antwort als ›nein‹ geben.«

»Lilianas Mutter wurde umgebracht und bei der Leiche wurde eine Botschaft hinterlassen. Eine Botschaft, die mich direkt zu Ihnen führt. Der Täter hat auf einem Datenspeicher ein Musikstück hinterlassen.«

Endlich hatte Arne die volle Aufmerksamkeit seines Gegenübers, denn Huss richtete im Stuhl seinen Oberkörper auf. »Eines meiner Musikstücke?«

»Die ›Engelsinfonie‹, um genau zu sein.«

»Hm ...« Huss schien weniger überrascht als erwartet. »Das passt alles irgendwie zusammen; soweit ich weiß, hat man die Tote in der Nähe der Semperoper gefunden. Unmittelbar vor Aufführungsbeginn der neuen Oper.«

»Haben Sie die Premiere gesehen.«

»Natürlich.«

»Wissen Sie, da kommen einige Zufälle zusammen ...«

Huss nickte, griff nach einem USB-Stick, der in Reichweite lag, spielte damit herum und hielt ihn dann in die Luft. »Und Sie haben einen solchen USB-Stick mit meiner Komposition bei der Toten gefunden?«

»Nun, von einem USB-Stick habe ich nichts gesagt, ich sprach lediglich von einem Datenträger.«

Kapitel 33

Montag, 19.00 Uhr

Inge Allhammer dachte, sich am Telefon klar ausgedrückt zu haben, aber Daniel Funke schien sie dennoch missverstanden zu haben.

»Kommt Frau Luppa später?«, fragte sie, nachdem sie den Berufsbetreuer begrüßt und in die Dienststelle hatte eintreten lassen.

»Frau Luppa ist verhindert«, antwortete Funke wie vermutet.

Passend zu seiner kultivierten Kleidung und dem feschen Männerhaarschnitt, zeigte Funke ein smartes Lächeln. Sein Auftreten strahlte tatsächlich noch ein bisschen von einem Anwalt aus.

»Das ist ungünstig.« Ohne Mandy Luppa war die Vernehmung eigentlich hinfällig, aber so einfach wollte Inge sich nicht geschlagen geben. Arne hatte ihr eine Aufgabe erteilt und die wollte sie bestmöglich erfüllen. »Dann folgen Sie mir mal.«

Sie schämte sich für den Raum, den man Arne und ihr zugewiesen hatte, während die anderen Kollegen in anständigen

Büros arbeiteten. Deshalb ging sie mit Funke in einen der Vernehmungsräume und setzte sich ihm gegenüber.

»Ohne Frau Luppa macht der Termin wenig Sinn, finden Sie nicht?«, begann sie.

»Ihr Kollege kann gern mit mir reden«, konterte Funke. »Wo ist Herr Stiller eigentlich?«

»Herr Stiller ist ebenfalls verhindert«, nutzte sie Funkes vorher gewählten Wortlaut, was definitiv der Wahrheit entsprach.

»Tja, dann …« Funke erhob sich.

»Setzen Sie sich bitte wieder«, sagte Inge freundlich, aber bestimmt.

Sie legte sich das Formular für ein Vernehmungsprotokoll zurecht, das sie ausnahmsweise handschriftlich ausfüllen würde, da sie seit Jahren nicht mehr in der elektronischen Vorgangsbearbeitung der Polizei gearbeitet hatte und sich erst wieder mit den neuen Funktionen und Eingabemasken vertraut machen musste. Streng genommen hatte man sie ins K11 versetzt, damit sie als Bürokraft aushalf, und nicht, um selbstständig Ermittlungen durchzuführen.

Notgedrungen nahm sie einen Kugelschreiber zur Hand und fügte das Aktenzeichen in den Formularkopf ein. Die Zeilen darunter füllte sie mit Funkes Personalien aus, die sie von seinem Ausweis abschrieb. Bestimmt wunderte er sich über dieses Vorgehen, aber falls es so war, verkniff er sich einen Kommentar. Stattdessen saß er seelenruhig auf seinem Stuhl und wartete, wie es weiterging.

Inge ließ sich Zeit. Das hatte zwei Gründe: Einerseits wollte sie Funkes Geduld auf die Probe stellen, und dann gab es noch das Problem mit ihrem Schriftbild, das sich im Laufe ihrer Alkoholkrankheit mörderisch verschlechtert hatte. Deshalb musste sie sich ernstlich konzentrieren, die Buchstaben halbwegs lesbar auf das Papier zu bekommen.

»Warum konnte Frau Luppa nicht mitkommen?«, fragte sie wie beiläufig.

»Ihr geht es gesundheitlich nicht besonders. Da sie Tabletten eingenommen hat, wollte sie lieber zu Hause bleiben.«

»Das müssen aber wirklich starke Medikamente sein.« Sie wartete keine Erklärung ab, sondern schwenkte um. »Seit wann betreuen Sie Frau Mandy Luppa?«

»Seit etwa sechs Jahren«, kam es wie vorbereitet.

»Dann kennen Sie sie ja inzwischen sehr gut.«

Diesmal zögerte er. »Es gehört zwangsläufig zu meinen Aufgaben, die Menschen, mit denen ich arbeite, zu kennen. Oder finden Sie das seltsam?«

»Weiß nicht, ich hatte noch nie einen Betreuer.«

»Für manche ist ein Betreuer sinnvoll, um überhaupt aktiv am Leben teilnehmen zu können.«

»Warum behauptet sie ständig, jemand hätte ihr Kind entführt?«

»Ich bin mir nicht sicher, ob ich darüber reden darf, wenn Frau Luppa nicht anwesend ist.«

»Deshalb wäre es besser gewesen, sie wäre mitgekommen. Aber wissen Sie was?« Inge griff neben ihren Unterlagen nach dem Dienstapparat, der in jedem Vernehmungsraum stand. »Wir können sie ja anrufen. Wenn sie zu Hause ist, wird sie auch rangehen.«

Funke stellte die Ellenbogen auf den Tisch und rieb sich die Hände wie jemand, der endlich ans Werk gehen wollte. »Entschuldigen Sie, wenn ich das anmerken muss, aber als Berufsbetreuer begleite ich oft Personen auf Polizeidienststellen. Entsprechend kenne ich mich mit polizeilichen Maßnahmen aus. Daher empfinde ich Ihre Vernehmungsführung als äußerst ungewöhnlich.«

»Das könnte daran liegen, dass ich etwas außer Übung bin.« Sie lächelte ihn an, weil sein Mund aufging, dann hob sie den Telefonhörer ab. »Frau Luppas Nummer kennen Sie sicherlich auswendig …«

Er beschwichtigte mit einem Handzeichen. »Ich möchte nicht, dass wir sie stören, also werde ich Ihre Fragen, so gut es geht, beantworten.« Er holte tief Luft, woraufhin Inge den Hörer auflegte. »Mandy Luppa hatte vor zehn Jahren einen Schwangerschaftsabbruch. Auch wenn sie sich bewusst dafür entschieden hat, macht sie sich seither schwere Vorwürfe. Nein, eigentlich ist es so, dass sie die Schuld bei anderen sucht. Infolge von Depressionen kam es bei ihr zu einem gewissen Realitätsverlust. Inzwischen leidet sie gelegentlich an Wahnvorstellungen, was die Sache mit ihrem Kind angeht. Dann ist sie vollkommen unzurechnungsfähig. So tragisch das ist, sie hat ihre eigene Entscheidung nie verkraftet.«

»Unzurechnungsfähigkeit führt im strafrechtlichen Sinne zu Schuldunfähigkeit.«

»Medizinisch gesprochen, reden wir von einer dissoziativen Störung.«

Dankbar für diese unnötige Aufklärung, nickte sie. »Von wem war sie schwanger?«

Er schüttelte den Kopf und lächelte mitleidig, weil er wohl mit dieser Frage gerechnet hatte. »Selbst wenn ich es wüsste, dürfte ich es Ihnen nicht sagen.«

»Ich frage trotzdem, denn es wundert mich, dass Frau Luppa einer geregelten Arbeit im Tierheim nachgeht und einen eigenen Haushalt führt, Sie sie aber so hinstellen, als könnte sie ihren Alltag nicht allein meistern.«

Er zuckte mit den Schultern. »Das ist überhaupt nichts Ungewöhnliches. Solange alles geregelt läuft, haben Menschen wie Frau Luppa keinerlei Probleme, sich im Alltag zurechtzufinden. Meine Aufgabe besteht darin, Abweichungen von ihrem gewohnten Tagesablauf mit ihr zu besprechen, Erklärungen zu geben und sie anzuleiten. Ich muss dann oft entscheiden, was gut für sie ist. Um ehrlich zu sein, halte ich Ihre Vorladung für nicht hilfreich – nicht für Frau Luppa. Sie kann Ihnen, bei was auch immer, nicht helfen.«

»Sie sind der Fachmann.« Sie zwinkerte ihm zu, denn irgendwie war Funke ihr suspekt – und das ließ sie ihn auch den Rest der Vernehmung über spüren.

Kapitel 34

Montag, 19.15 Uhr

Noch immer wartete Arne auf eine Erklärung von Huss, dafür, woher er wusste, dass es sich bei dem in der Leiche versteckten Beweisstück um einen USB-Stick handelte.

»Entschuldigen Sie meine Annahme«, sagte der Musiker nach einer Weile des gegenseitigen Taxierens. »Natürlich könnte es sich ebenso gut um eine SD-Karte oder eine CD handeln, allerdings sind USB-Sticks heutzutage die gängigsten portablen Speichermedien, also nahm ich an, Sie meinten einen USB-Stick.«

»Eine gut gewählte Antwort.« Dazu schnippte Arne mit den Fingern. »Ich kannte das Musikstück vorher nicht, finde aber besonders die Stimmung zum Ende hin bedrückend.«

»Ja, da gebe ich Ihnen recht, es ist auch in einer meiner schwersten Stunden vollendet worden.«

»Können Sie das genauer beschreiben?«

»Ich habe nach einem passenden Abschiedsstück für meine Tochter gesucht und bin dabei auf ein älteres unvollendetes Projekt gestoßen. Es trug da schon den Namen ›Engelsinfonie‹, was ich irgendwie passend fand, weil es wie eine himmlische Komposition klingt. Stören Sie sich bitte nicht an dem Sinfonie-Begriff, denn streng genommen habe ich es nicht für ein Orchester konzipiert und es ist, wie gesagt, unvollendet. Aber Sinfonie hört sich einfach größer, gewaltiger, überirdischer an, wenn Sie verstehen, was ich meine. Immerhin war Manuela mein Engel und …« Er überlegte kurz. »Wahrscheinlich wissen Sie das mittlerweile, aber ich wurde früher stark von Prokofjews Musik aus ›Der feurige Engel‹ inspiriert.«

Nein, das hatte Arne bis dahin nicht gewusst, aber langsam wurde die Sache interessant, deshalb forderte er Huss auf, ihm mehr darüber zu erzählen.

»Meine Komposition ist nicht ganz so abwechslungsreich und düster wie sein Stück, aber eine gewisse Zerrissenheit sollte zum Ausdruck kommen«, erklärte Huss bereitwillig. »Ja, ich würde behaupten, das Thema ist aus einer tiefen Depression heraus entstanden. Meine Frau hat die ›Engelsinfonie‹ von Anfang an gehasst und später wollte ich sie auch nicht mehr hören. Eigentlich war es das völlig falsche Abschiedsstück für meine kleine Manuela. Heute ist mir das gleichgültig. Schlussendlich habe ich die Rechte nach meiner Scheidung an eine satanisch angehauchte Band verkauft, die daraus eine Art Rockopernlied gemacht hat. Ich brauchte das Geld und seitdem halte ich mich mit kleinen Auftragsarbeiten für andere Musiker über Wasser. Seit man sich im Internet für knapp einhundert Euro einen kompletten Track von Billiglöhnern in Bangladesch oder sonst wo zusammenstückeln lassen kann, bringt studierte Kunst nicht mehr viel ein. Kennen Sie eigentlich Prokofjews Oper?«

»Zwangsläufig musste ich mich damit beschäftigen. So bin ich auch auf Sie gekommen.«

»Dann wissen Sie auch, dass es sich bei der Hauptfigur um eine seelisch kranke Frau handelt. Renata verliebt sich in einen Engel und verfolgt bis zu ihrem Tode eine Vision, die unerreichbar für sie bleibt. Das war damals mein Leitmotiv beim Komponieren. Die Suche nach einem Ideal, die nur tragisch enden kann. Verstehen Sie?«

»Nein, tut mir leid, ich bin in künstlerischen Dingen ein schlechter Gesprächspartner.«

Huss nickte mit mildem Blick und winkte ab. »Damit wollte ich ausdrücken, dass am Ende doch alles den Bach runtergeht.«

Danach blieb es eine Weile ruhig in dem Raum, in dem sonst höchstwahrscheinlich Töne und Klänge erschallten. Still für sich dachte Arne über das Gesagte nach. Bei Christian Huss ergab sich ein seltsames Bild. Er lebte allein, war desillusioniert und dazu offenbar verschuldet.

»Warum haben Sie eigentlich als Chefdirigent aufgehört?«, fragte er schließlich. »Ich nehme doch stark an, dass die Bezahlung dieser Anstellung recht üppig ausfiel.«

Huss sah aus, als hätte er sich die Frage nie selbst gestellt, denn er dachte mit Falten auf der Stirn darüber nach. »Wissen Sie, das mit meiner Tochter und dazu der stetige Leistungsdruck haben mich irgendwann überfordert. Daher habe ich gekündigt. Ich habe mir eingebildet, als freischaffender Musiker könnte ich für meine Frau und mich sorgen, aber das war ein Trugschluss.« Er lachte freudlos auf. »Sehen Sie, das meinte ich eben: Ähnlich wie Renata bin ich bloß einer Vision hinterhergelaufen.«

Irgendwie klang das schlüssig, aber so richtig nahm Arne ihm die Begründung nicht ab. »Gab es Probleme mit dem dortigen Personal?«

»Nein, ich genoss ein hohes Ansehen und bin mit jedem ausgekommen. Wir haben alle professionell zusammengearbeitet. Nur so funktioniert es in der Oper.«

»Das freut mich, von Professionalität hat übrigens auch Ihr Nachfolger Vincent Ludwig gesprochen. Schön, wenn Sie beide sich in dem Punkt einig sind. Allerdings habe ich etliche andere Gespräche mit den Mitarbeitern geführt; dabei bekam ich eher den Eindruck, ich hätte es mit Einzelkämpfern statt mit einem Team zu tun. Na ja, vielleicht habe ich mir das auch nur eingebildet.«

»Wahrscheinlich. Sind wir dann fertig?«

Arne faltete die Hände und beugte sich vor. »Haben Sie vor, Urlaub zu machen?«

»Bitte?«

»Fahren Sie demnächst weg? Entfernen Sie sich länger von Ihrem Lebensmittelpunkt?«

»Ich bin also verdächtig?«

»Ich weiß nicht, es beunruhigt mich, dass momentan alle Fäden zu Ihnen führen. Finden Sie das nicht merkwürdig?«

Huss war nicht glücklich über diese Feststellung und ersparte sich eine Antwort. Stattdessen nahm er einen Stift in die Hand, riss ein Blatt von einem Notizblock ab und schrieb seine Handynummer darauf. »Sie können mich jederzeit telefonisch erreichen.«

Arne erhob sich, nahm den Zettel entgegen und grüßte zum Abschied, an der Wohnungstür hielt er aber noch einmal inne. »Eine Sache wäre da noch, der Tod Ihrer Tochter Manuela. Können Sie mir helfen? Die Akte gibt darüber leider keine Auskunft, aber wen haben Sie damals verdächtigt, sie ertränkt zu haben?«

»Wie ich schon sagte, ich habe mich geirrt, es war ein Unfall.«

»Unbestreitbar.« Arne wedelte mit der Hand, als wäre es tatsächlich unbedeutend. »Aber ich bin trotzdem neugierig.«

»Es gab da in der Nachbarschaft einen gewissen Uli.« Er deutete Richtung Hauptstraße. »Den Nachnamen habe ich vergessen. Der war damals achtzehn oder neunzehn und lebte bei einer Pflegefamilie, die inzwischen weggezogen ist.«

»Uli«, wiederholte Arne.

»Ja, der stammte wohl aus dem Heim, der hat andauernd die Schulkinder angesprochen. Aber ich wiederhole mich gern, es gab keinerlei Beweise dafür, dass er irgendwas mit Manuelas Tod zu tun gehabt hat.«

Kapitel 35

Montag, 20.10 Uhr

»Wer ist da?«, fragte Mandy Luppa über die Wechselsprechanlage.

»Hier ist Daniel, lässt du mich rein?«

Mandy stockte der Atem. Wenn ihr Betreuer um diese Uhrzeit auftauchte, bedeutete das in der Regel nichts Gutes.

»Was ist los, warum machst du nicht auf?«, drängte Funke. »Komm schon, ich muss etwas mit dir klären.«

Sie konnte sich nicht erinnern, in letzter Zeit etwas falsch gemacht zu haben. Das war gewöhnlich der Hauptgrund für seine Besuche.

Wie ferngesteuert drückte sie auf den Türöffner. Das Brummen im Hörer ging wie ein Stromschlag durch ihren Körper. Gleich würde er vor ihr stehen und dann erschauderte sie jedes Mal.

»Ich dachte schon, du willst mich in der Kälte erfrieren lassen«, sagte er statt einer Begrüßung.

Ohne um Erlaubnis zu fragen, trat er ein. Er hängte seinen Mantel und seinen Schal an den Kleiderhaken, als würde er hier wohnen. Sogar die Schuhe zog er aus und stellte sie akkurat neben ihre, die sie nach der Arbeit einfach fallen gelassen hatte.

»Ich bin nur etwas überrascht über Ihren Besuch, Herr Funke«, antwortete sie und hielt den Kopf gesenkt.

Er trat auf sie zu und hob ihr Kinn. Mit dem Daumen streichelte er ihre Wange.

»Nicht doch, Mandy, ich bin doch kein Fremder, oder?«

»Nein, das sind Sie nicht.«

»Warum lächelst du dann nicht? Freust du dich nicht, mich zu sehen?«

»Doch.« Sie zwang sich zu einem Lächeln.

»Na also.«

Er ließ ihr Gesicht los, ging in die Küche, schaute in den Kühlschrank, ohne etwas daraus zu nehmen. Aus einem Hängeschrank nahm er sich ein Glas, in das er Mineralwasser goss.

»Ich war eben bei der Polizei.«

Mandy blieb stumm im Türrahmen stehen und pulte mit den Fingernägeln den feinen Dreck aus dem Türschloss.

»Um ehrlich zu sein«, redete er weiter, nachdem er einen Schluck getrunken hatte, »wollten sie mit dir reden.«

»Ich habe nichts gemacht«, verteidigte sie sich.

Er stellte das Glas polternd neben die Spüle, kam dann auf sie zu, bis er ganz dicht vor ihr stand. »Ist das der Dank dafür, dass ich das mit deinem Geld geregelt und dir einen Job besorgt habe? Du belügst mich?«

»Bitte, Herr Funke«, schluchzte sie jetzt. »Ich habe der Polizei nichts gesagt.«

Er griff nach einer ihrer Haarsträhnen und wickelte sie um seinen Finger. »Warum belügst du mich? Ich helfe dir bei Behörden und sorge dafür, dass du in dieser schönen Wohnung leben kannst. Warum, Mandy?«

Sie schluckte. Sie wollte sich von ihm entfernen, aber dafür war sie zu schwach. »Es ging doch nur um mein Kind.«

»So, um dein Kind …« Er lachte. »Warum fängst du immer wieder damit an? So macht unsere Zusammenarbeit keinen Sinn. So kann ich dir nicht helfen.«

»Bitte, ich habe Radionachrichten gehört, da war die Rede von einem Kind …«

»Was hast du den Bullen noch erzählt?«

»Nichts.«

Sein Griff in ihre Haare wurde fester, seine Stimme schneidender. »Wirklich nichts?«

»Ich schwöre es, Herr Funke, ich habe nichts weiter erzählt. Der Kommissar hat mir ohnehin nicht geglaubt und mich weggeschickt.«

»Komisch, warum ruft mich dann seine Kollegin an und stellt mir dumme Fragen?« Er leckte sich die Lippen, betrachtete sie eine Weile schweigend. »Na gut, ich glaube dir. Gib mir einen Kuss.«

Sie machte es schnell und kurz. Nur eine flüchtige Berührung ihrer Lippen. Dabei schloss sie die Augen.

»Was denn, ist das alles?«, kam es spöttisch von ihm.

Er ließ sie stehen, suchte ihr Schlafzimmer auf. Dort öffnete er den Schrank, den sie nach seinen Vorgaben ausgestattet hatte und für dessen Inhalt sie sich schämte. Sie ging ihm nicht hinterher. Er klimperte mit den Ketten.

»Komm her!«, rief er irgendwann.

Sie gehorchte.

Er stellte sein Handy lautlos, damit seine Frau ihn nicht störte. Danach legte er es auf das Nachtschränkchen neben die Handschellen und den Dildo. Er hatte den größten gewählt. Dann begann er, sein Hemd aufzuknöpfen und seine Gürtelschnalle zu lösen.

»Zieh dich aus.«

»Ich habe meine Tage.«

Er lachte bloß über ihren kläglichen Versuch.

»Umso besser.«

Trotz des Schmerzes, der sie Minuten später durchfuhr, unterdrückte sie es zu weinen. Ihre Tränen hätten ihn nur noch mehr bei seinem abartigen Treiben befeuert.

Kapitel 36

Montag, 20.15 Uhr

Inzwischen war Arne seit knapp vierzehn Stunden auf den Beinen. Bevor er jedoch Feierabend machen konnte, schaute er noch einmal auf der Dienststelle vorbei. Inge war inzwischen gegangen und hatte ihm einen ellenlangen Notizzettel sowie ihre ausgedruckten Rechercheergebnisse hingelegt.

»Anscheinend lief deine Vernehmung noch schlechter als meine«, redete er laut, denn über ihre handschriftliche Mitteilung musste er ein bisschen schmunzeln.

Funke ist ein Arsch, stand darauf. Immerhin wollte sie den Job im K11 nicht hinschmeißen, denn der Zettel schloss mit den Worten: Bis morgen!

Im ersten Moment las sich ihr Gruß für ihn wie eine Drohung, aber eigentlich war er froh, dass sie ihn unterstützte und die Vernehmung übernommen hatte.

Als er sich eine Zigarette anzünden wollte, klopfte es hinter ihm. Erschrocken ließ er Feuerzeug und Zigarettenschachtel fallen und schwang herum.

»Du bist noch da?«, fragte Bernhard, der mit tiefdunklen Augenringen in der Tür stand.

»Das Gleiche könnte ich dich fragen.«

»Ich habe dich heute den ganzen Tag vermisst.«

»Ich war jedenfalls nicht faul, falls du mir das unterstellst.«

Mit den Händen rudernd, beschwichtigte sein Chef. »Nein, ich mache mir Sorgen. Das Mädchen ist seit über einunddreißig Stunden verschwunden.«

»Machst du dir Sorgen um sie oder um deinen Posten, weil das Staatsministerium unzufrieden mit unserer Arbeit ist?«

»Ach, Scheiße, die im SMI haben doch keine Ahnung von richtiger Polizeiarbeit! Man könnte aber den Verdacht schöpfen, dass die mir absichtlich einen leibhaftigen Unglücksbringer wie dich zugeteilt haben. Stell dir mal vor, du bist erst den zweiten Tag da und schon kann ich mich vor unbequemen Nachfragen nicht mehr retten. Bis eben habe ich telefoniert und musste mich rechtfertigen. Das ist doch nicht normal.«

Beim letzten Satz wurde er laut. Anscheinend gab er tatsächlich Arne die Schuld.

»Geh nach Hause und ruh dich aus«, sagte Arne.

»Bist du mit den Zahlen weitergekommen?«

Arne überlegte, wie er es ausdrücken sollte. Aktuell waren die Zahlen für ihn von nebensächlicher Bedeutung. Sie lenkten ihn nur ab, denn streng genommen ließen sie keinen direkten Bezug zum Täter erkennen, das hatte der Mörder bei seiner Planung wohl bedacht. Entsprechend konzentrierte Arne sich auf alternative Ermittlungsansätze. Natürlich wusste er, dass das Beghilos-Alphabet noch wichtig werden konnte.

»Ich mache Fortschritte.«

Bernhard gab sich damit nicht zufrieden, aber er nickte trotzdem, als würde ihn das für den Moment beruhigen. »Wenn du etwas brauchst, sag mir Bescheid, okay?«

So schnell änderte sein Chef also seine Einstellung ihm gegenüber.

»Ich komme zurecht«, erwiderte Arne und unterdrückte sein Erstaunen.

Genau wie Bernhard wollte er die letzten beiden Tage am liebsten aus dem Kalender streichen. Als er wieder allein im Zimmer war, überflog er die vorhandenen Unterlagen. Die Auswertung von Annalena Winzers Telefonaten war da, und Inge hatte ihm eine detaillierte Liste der vergangenen Wochen hinzugelegt. Einige wenige Personen hatte sie markiert und Bemerkungen danebengeschrieben. Personen, die es zu überprüfen galt, vor allem Männernamen, die bisher nicht in der Akte auftauchten. Interessant war auch eine gewählte Nummer, die Inge ebenfalls hervorgehoben hatte. Sie besagte, dass das Opfer vor vierzehn Tagen mit dem Ticketservice der Semperoper telefoniert hatte. Damit würde er sich morgen beschäftigen.

Auf der Suche nach einer Mitteilung bezüglich der Verkehrskameradaten vom Sonntag stieß er auf ein weiteres Verzeichnis, das Inge mithilfe des Melderegisters zusammengestellt hatte, nachdem er sie auf das gefundene Namensschild angesetzt hatte. Er überflog die Zeilen und stieß einen Pfiff aus. Seine neue Kollegin war wirklich fleißig gewesen. Demnach wohnten in und um Dresden etliche Leute mit dem Nachnamen Tännert und einem Vornamen, der mit dem Buchstaben U begann.

Bei einem Namen stoppte er plötzlich. Es gab einen Ulrich Tännert. Und Ulrich wird häufig mit Uli abgekürzt.

Kapitel 37

Montag, 23.45 Uhr

Der eine Gitterstab wackelte schon sehr. Ununterbrochen bewegte Liliana ihn hoch und runter, dazwischen rüttelte sie kräftig daran. Sie hatte keine Ahnung, wie er befestigt war, aber die Halterung musste doch irgendwann kaputtgehen. Zwischenzeitlich hatte sie es schon aufgegeben und war wieder in Tränen ausgebrochen. Dann kehrte jedoch ihr Mut zurück. Bis zu dem Zeitpunkt, als sie ein minimales Geräusch vernahm.

»Nein«, flüsterte sie.

Sofort als der Schlüssel im Türschloss klackte, legte sie sich hin und tat, als würde sie schlafen.

Doch der Mann öffnete den Deckel und durchschaute ihren Trick.

»Steh schon auf!«

Statt der Aufforderung nachzukommen, schlug sie nur die Augen auf.

»Na, los, hör auf zu zicken«, sagte er und hielt ihr erneut eine Plastikflasche mit Wasser hin.

Jetzt konnte sie nicht anders, als sich aufzurichten und nach dem Getränk zu greifen. Beim Trinken überlegte sie, einfach über das Gitter zu springen und durch die offen stehende Tür zu flüchten, aber bestimmt hatte er die Haustür abgeschlossen. Er schloss alles ab.

»Das reicht«, sagte er und riss ihr die Flasche vom Mund. »Zeig mir deinen Bauch.«

Diesmal zierte sie sich nicht. Die Zahlen waren ja noch alle da. Sie hatte gar nicht erst versucht, den Stift wegzuwischen.

»Fein«, lobte er sie. »Bist du hinter die Lösung gekommen?«

»Das Rätsel ist zu schwer.«

Sie rechnete damit, dass er mit der Hand ausholen und sie schlagen würde, aber stattdessen sagte er bloß: »Hm ...«

Dabei schaute er sie seltsam an – als würde es ihn sogar freuen, dass sie versagt hatte. Ja, sein Gesichtsausdruck erinnerte sie ein bisschen an den ihres Sportlehrers, der hämisch gefeixt hatte, weil sie beim Weitsprung von allen Schülern am kürzesten gesprungen war und für ihre Leistung eine Fünf erhalten hatte.

»Gut, entweder bist du dumm oder du gibst dir keine Mühe«, sagte er. »Dafür gibt es für dich heute Abfälle zu essen.«

»Nein, bitte nicht, ich habe großen Hunger.«

»Dann iss die Abfälle.«

»Nein, die will ich nicht.«

Jetzt grinste er. »Kein Problem, dann gibt es eben kein Essen für dich. So lange, bis du mir die Lösung nennst. Du weißt doch, Mama hält große Stücke auf dich. Du willst sie doch nicht enttäuschen, oder?«

Während sie sich über seine Worte wunderte, drückte er ihren Kopf nach unten, knallte den hochgeklappten Gitterdeckel auf das Bettgestell und versperrte das Schloss sorgfältig. Dann verließ er das Zimmer und murmelte dabei die Zahlen, die auf ihrem Bauch standen, wie einen Reim.

Zum Glück hatte er den einen Gitterstab nicht gesehen, der am oberen Rahmen leicht schief stand und einen Spalt erkennen ließ.

Kapitel 38

Dienstag, 6.30 Uhr

Nach einem Jahr des späten Aufstehens fiel es Arne unglaublich schwer, wieder regelmäßig den Weg zur Arbeit anzutreten. Ziemlich unausgeschlafen betrat er das Kommissariat. Seine Anti-Aging-Creme tat zwar ihr Bestes, aber je länger er sich am Morgen im Spiegel betrachtet hatte, umso mehr war er zu der Erkenntnis gekommen, dass er sein Alter vor niemandem mehr verheimlichen konnte. Vor allem die seltsamen Flecken im Gesicht nahmen zu. Um sie zu kaschieren, dachte er über einen Vollbart nach. Damit entfiele auch die Rasur. Aber mit Vollbart würde er vollends grau und obendrein wie ein Erzgebirger herumlaufen. Nee, dann doch lieber ein Dreitagebart, der etwas Schmuddeliges und gleichzeitig Verwegenes ausstrahlte.

Schlimmer als er sah nur Inge aus, die augenscheinlich überhaupt nicht geschlafen hatte. Zumindest, wenn man nach der Größe ihrer Augenringe und den rot unterlaufenen Augäpfeln ging. Oder sie hatte einfach wieder getrunken. Aus eigener Erfahrung wusste er, wie verlockend eine Weinflasche von der Tankstelle sein konnte, wenn man mit der Einsamkeit kämpfte. Und er wusste auch, was Alkohol dann binnen kürzester Zeit mit einem machte.

Da er sich ungern in fremde Angelegenheiten außerhalb der Arbeit einmischte, sprach er sie nicht darauf an, sondern machte nach der Begrüßung dort weiter, wo er gestern aufgehört hatte.

»Deine Recherchen im sächsischen Meldesystem hab ich mir gestern Abend noch angesehen.«

»Also bist du mit meinen Ergebnissen zufrieden?«, fragte Inge.

»Zufrieden bin ich erst, wenn wir wissen, wo Liliana steckt.«

Sie nippte an ihrer Tasse, in der ein so schwarzer Kaffee dampfte, dass Arne prompt an ein Raucherbein denken musste. Schlagartig verging ihm die Lust auf Kaffee und eine Zigarette.

»Jetzt mal ehrlich«, sagte Inge, nachdem sie einen Schluck getrunken hatte. »Glaubst du, das Kind lebt noch?«

»Spielt das eine Rolle?«, konterte er, obwohl die Frage natürlich berechtigt war. »Den Fall bearbeiten wir notfalls bis zum bitteren Ende.«

»Oh, ich wollte keinen falschen Eindruck von mir erwecken.«

»Du musst dich nicht entschuldigen. Der Fall geht mir auch gehörig an die Nieren, bloß lasse ich das nicht raushängen. Falls es mal anders wäre, sollte ich dringend über einen Abteilungswechsel nachdenken. Bis dahin ergründe ich die düstersten Verbrechen und die hässlichsten Seelen.«

Inges Augenbraue hüpfte bei der Bemerkung. Bestimmt befürchtete sie, er wolle sie so schnell wie möglich loswerden, aber dem war nicht so. Im Gegenteil, aktuell konnte er ihre Hilfe wirklich gut gebrauchen.

»Auf deinen Ausdrucken befindet sich ein Ulrich Tännert«, schwenkte er um.

»Ja, der Name ist mir auch aufgefallen. Deshalb habe ich mich sofort über ihn kundig gemacht. Er ist einunddreißig, wohnt allein in Dresden-Neustadt und arbeitet als Mechaniker für eine Autovermietung. Außerdem holt er in der Abendschule sein Abi nach.«

»Klingt nach einem unauffälligen Bürger.«

»Er war früher bei einer Pflegefamilie untergebracht, weil seine alleinerziehende Mutter mit ihm nicht mehr zurechtkam.«

»Ist das wahr? Mein Gott, so einen suche ich.«

»Na, dann kannst du dich ja gleich um ihn kümmern.« Inge reichte ihm einen Zettel mit einer Telefonnummer über den Tisch. Weil er zögerte, ahnte sie sofort, wer von ihnen beiden die Sache übernehmen sollte. »Vergiss es, noch mal vereinbare ich für dich keinen Termin! Gestern die Vernehmung von Daniel Funke hat mir schon alles abverlangt.«

»Worüber beklagst du dich denn? Bisher hat er sich nicht im Direktionsbüro über dich beschwert. Von daher lief es doch ganz gut.«

»Weiß nicht so recht, wie ich das beschreiben soll, ich habe einfach ein mieses Gefühl bei dem Typ.«

»Ich habe deine Einschätzung über ihn gelesen.« Neben ihrem Notizzettel hatte er das Vernehmungsprotokoll überflogen und ein paar interessante Details über Mandy Luppa entdeckt. Inge hatte allerdings vergessen, den Betreuer zu fragen, seit wann Luppa die »Engelsinfonie« summte und woher sie das Stück kannte. Aber das machte er ihr nicht zum Vorwurf.

»Du solltest dich trotzdem eingehender mit dem Mann befassen.«

»Später. Erst mal konzentrieren wir uns auf Tännert. Wir haben immerhin das Brustschild mit seinem Namen gefunden, ich will ihn umgehend auf der Dienststelle sehen.« Damit schnappte er sich die Akte von Manuela Huss und wollte gehen. »Und da wir schon zwei Computer haben, wäre ein zweiter Schreibtisch hilfreich.«

Prompt hielt sie ein Antragsformular hoch und reichte ihm dazu einen Kugelschreiber. »Ist schon ausgefüllt, fehlt nur noch deine Unterschrift.«

»Ach!« Er setzte einen Krakel darunter, der alles, nur nicht seinen Namen erkennen ließ. »Vergiss den Termin mit Ulrich Tännert nicht.«

»Ich kann ihn anrufen, aber so kurzfristig … Der Mann muss sicher arbeiten oder hat andere Verpflichtungen.«

»Dann holen wir ihn eben mit dem SEK ab. Wie sieht es mit dem Filmmaterial der Verkehrskameras aus?«

»Da gibt es bisher keine Rückmeldung von der Betreiberfirma, soll ich nachhaken?«

»Nein, das mache ich. Anscheinend haben die in den letzten Monaten vergessen, wie angefressen ich reagiere, wenn sie sich nicht melden. Du kannst aber im LKA anrufen. Und wenn du schon mal herumtelefonierst, besorg mir eine Eintrittskarte für den heutigen Opernabend.«

»Was denn, wirklich für heute?«

»Nein, nächstes Jahr … Natürlich heute! Hier hast du die Visitenkarte von diesem Leo. Der war ganz umgänglich«, log er und reichte ihr das Kärtchen. »Ich bin sicher, für die Polizei findet er noch ein Plätzchen.«

»Ich glaube kaum, dass der Freistaat die Kosten übernimmt.«

»Die stelle ich Bernhard in Rechnung. Er hat doch vollmundig getönt, wie gut das K11 in Sachen Haushaltsmittel dasteht.«

»Komisch, unser Büro hat man bei der Verteilung der Gelder wohl vergessen.«

»Alles der Reihe nach. Ich bin optimistisch, dass es bei uns bald ebenfalls finanziell bergauf gehen wird. Bis dahin gönne ich mir ein bisschen Kultur auf Abteilungskosten.«

Sie seufzte. »Soll es ein bestimmter Platz sein?«

»Ja, wo ich allein sitze!«

Kapitel 39

Dienstag, 12.35 Uhr

»Danke, dass Sie es zeitnah einrichten konnten«, begrüßte Arne den Kfz-Mechaniker Ulrich Tännert und führte ihn in die Kammer.

»Eigentlich wollte ich in der Mittagspause noch zu einem Termin bei meiner Bank, aber Ihre Kollegin meinte, es wäre wichtig, und Sie hätten geäußert, dass man mich notfalls mit einem Spezialeinsatzkommando herbringen würde. Ist das wahr? Ich meine, dürfen Sie das überhaupt?«

Arne zwang sich zu einem Lächeln und verdammte Inge innerlich. »Meine Kollegin drückt es gelegentlich überspitzt aus. Da entlang!«

Natürlich hätte er mit ihm auch in einen der Vernehmungsräume gehen können, wie sie Tännert bestimmt aus Fernsehkrimis kannte, aber in diesem speziellen Fall sollte er die Polizei ruhig für abgebrannt und Arne für einen Trottel halten. Am Schreibtisch bot er Tännert sogar eine Zigarette an, die dieser nicht ablehnte.

»Dürfen Sie denn hier rauchen?«, fragte er, nachdem er das Feuerzeug zurückgegeben hatte und Arne den Aschenbecher in ihre Mitte stellte.

»Nee, aber ich mache es trotzdem.«

»Sie sind keiner von den üblichen Bullen, oder?« Tännert grinste, als säßen sie in gemütlicher Runde bei einem Bier. Nicht einmal das Schimpfwort war ihm peinlich.

»Kommt darauf an, wie Sie das meinen.« Arne grinste zurück und musterte dabei sein Gegenüber.

Tännert hatte eine leicht schiefe Lippe, als hätte er irgendwann mal einen Fausthieb abbekommen. Ansonsten war sein Gesicht unauffällig. Er war kräftig gebaut. Nur vom Rädermontieren kam dieser Körper nicht. Vermutlich ging er regelmäßig ins Fitnessstudio.

»Sie leben allein?«, schaltete Arne um und tippte dabei das Vernehmungsprotokoll in den Computer.

»So halb und halb, ich habe eine Freundin, allerdings mit getrennten Wohnungen. Die meiste Zeit bin ich bei ihr. Sie hat ja auch einen kleinen Sohn, da ist das einfacher. Wegen Schule und so. Der ist aber nicht von mir, falls Sie das wissen wollen.«

»Wie lange kennen Sie sich schon?«

Er kratzte sich an der Stirn. »Circa ein Dreivierteljahr, vielleicht ein bisschen länger. Mit meiner damaligen Lebensgefährtin lief es nicht so gut.«

»Was war der Grund für die Trennung?«, fragte Arne außerhalb des Protokolls.

»Ich bin fremdgegangen.«

Angesichts dieser Ehrlichkeit nickte Arne anerkennend. Dann nahm er die Akte von Manuela Huss zur Hand, bei der damals die Mordkommission ermittelt hatte, jedoch im Ergebnis zu einem nicht natürlichen Todesfall durch Ertrinken gekommen war. Hinweise auf Fremdeinwirkung gab es nicht. Entsprechend war der Fall als tragisches Unglück abgelegt worden.

»Kennen Sie eine Familie Huss?«

Tännert wirkte verwundert über Arnes Frage und brauchte einen Moment, ehe er antwortete. »Sollte ich die kennen?«

»Sie haben vor etwa zwölf Jahren fast Tür an Tür gewohnt.«

»Vor zwölf Jahren?« Er runzelte die Stirn. »Da habe ich draußen auf dem Weißen Hirsch gelebt.«

Arne nickte. »Und, klingelt es bei Ihnen?«

Tännert schüttelte den Kopf. »Ich habe vier Jahre und ein paar Monate bei einer Pflegefamilie gelebt. Die Nachbarschaft habe ich allerdings nie richtig kennengelernt. Es hat mir dort auch nicht besonders gefallen, weil nichts los war für einen Halbwüchsigen. Verstehen Sie? Bis zur Disco war es weit. Meine Pflegeeltern waren aber in Ordnung.«

»Bei wem haben Sie gewohnt?«, fragte Arne, obwohl ihm die Daten vorlagen.

»Bei Frank und Christine Meyer. Ich hatte echt Glück, die waren schon etwas älter und vermögend. Ich hatte es gut bei ihnen. Vermutlich bin ich wegen den beiden nicht auf die schiefe Bahn geraten.«

»Hat man Sie früher Uli genannt?«

Wieder lachte Tännert und nahm einen Zug von seiner Zigarette. »So nennen meine Freunde und Kollegen mich heute noch. Ist ja ziemlich naheliegend bei meinem Namen.«

»Und Sie kennen weder einen Christian Huss noch seine Tochter Manuela?«

Tännert hörte für eine Weile auf zu rauchen, stierte stattdessen suchend im Raum umher, als wollte er um jeden Preis verhindern, dass sich ihre Blicke kreuzten. Dabei schaute er auch zum Whiteboard, an dem mehrere Fotos hingen und Namen standen. Auch seinen Namen las er offenbar dort.

»Was ist los?«, fragte deshalb Arne.

»Nichts, alles okay. Ich kenne diese Leute nicht.«

»Komisch, Christian Huss kennt Sie.« Das stimmte zwar nicht ganz, aber es war auch nicht gelogen. »Warum sind Sie überhaupt zu Pflegeeltern gekommen?«

»Weil mein Vater im Knast saß und meine Mutter mehrfach in die Klapsmühle musste.«

»Weshalb?«

»Weshalb?«, wiederholte Tännert verächtlich. »Da fragen Sie besser meine geisteskranke Mutter. Ich habe seitdem keinen Kontakt mehr zu ihr.«

»Was ist vorgefallen?«

»Mann, Sie können dämliche Fragen stellen«, wurde er ungehalten. »Sie hat sich immer eine Tochter gewünscht und keinen Jungen, das ist vorgefallen. Meine Mutter hat mir als Kleinkind ständig Mädchenkleider angezogen und ich musste mit rosafarbenen Pullis in die Schule. Sie hat auch nicht aufgehört, als mein Alter sie verprügelt hat. Dafür und wegen ein paar krummer Geschäfte ist er in den Bau gewandert, dieser Bastard. Anschließend war ich ihr komplett ausgeliefert. Reicht Ihnen das? Wenn nicht, dann wenden Sie sich bitte an meine Mutter. Soweit ich weiß, geht Sie immer noch regelmäßig zur Psychotherapie.«

Arne notierte sich die Aussage und ließ sich den Namen des Arztes geben.

»Sie ist bei einem gewissen Dr. Andreas Zeisig in Behandlung gewesen.«

»Interessant, dass Sie den Psychotherapeuten Ihrer Mutter kennen, obwohl Sie eben sagten, Sie hätten keinen Kontakt mehr zu ihr. An den Namen Huss können Sie sich dagegen nicht erinnern.«

»Noch einmal, warum sollte ich die Familie kennen?«

»Herr Huss hat vor elf Jahren seine Tochter unter tragischen Umständen verloren, und er ist fest davon überzeugt, Sie hätten etwas mit dem Tod des Mädchens zu tun.«

»Was für eine hirnverbrannte Geschichte!«, kam es belustigt. »Sie verwechseln mich garantiert mit jemandem.«

»Garantiert nicht. Eine Zeugin will Sie damals in der Nähe des Grundstücks gesehen haben, kurz bevor Manuela Huss ums Leben kam.«

»Wenn es so gewesen wäre, warum kommen Sie damit erst jetzt zu mir? Warum nach so vielen Jahren? Egal, was vorgefallen ist, ich habe damit nichts zu tun. Überhaupt, das ist alles verdammt lange her.«

»Mord verjährt nicht.«

Für einen Augenblick erstarrte Tännert, dann drückte er unwirsch seinen Zigarettenstummel neben den von Arne in den Aschenbecher. Er erhob sich. »Das muss ich mir nicht anhören.«

»Weiß Ihre Freundin, dass Sie vor einiger Zeit Probleme wegen Kinderpornografie hatten?«

Tännert ließ sich zurück auf den Stuhl fallen und hielt beschwichtigend die Hände nach vorn. »Hören Sie, es war nur ein einziges verdammtes Handyfoto, okay? Ich weiß nicht einmal, wie das Bild auf mein Gerät gekommen ist. Die Anzeige wurde mangels Beweisen eingestellt. Sie haben nichts gegen mich in der Hand.«

Arne deutete auf seinen Computer. »Kann sein, aber Sie sind trotzdem im polizeilichen System erfasst. Sie verstehen sicherlich, dass ich pädophile Neigungen nicht ausschließen kann, wenn ein achtjähriges Mädchen in Dresden spurlos verschwindet und ihre Mutter umgebracht wird.«

Wieder überlegte Tännert ein paar Sekunden, bis er verstand. »Sie denken echt, ich hätte das Mädchen entführt, von dem man in den Nachrichten hört?«

Arne nahm sich eine neue Zigarette, bot dem Zeugen diesmal jedoch keine an. Dann zog er wie beiläufig ein bereitgelegtes Foto von einem Stapel und schob es Tännert hin, der darauf ein Brustschild mit seinem Namen sah. »Das wurde in der Nähe des Tatorts gefunden.«

»Ja, und? Das gehört aber nicht mir.«

»Richtig, ich kann mir kaum vorstellen, dass ein Mörder und Entführer offen mit seinem Namen herumläuft. Andererseits wäre das auch ziemlich genial … Sie machen Abitur?«

»Was? Ja, ich …« Tännert schüttelte sich, wohl weil ihn der Themenwechsel verwirrte. »Es stimmt, ich hole mein Abitur nach. Will später mein eigenes Unternehmen gründen, mein eigener Chef sein, verstehen Sie?«

»Was sind Ihre Lieblingsfächer?«

»Was?«

»Sie haben doch bestimmt Lieblingsfächer.«

»Wirtschaft interessiert mich sehr und endlich kann ich auch mein Englisch wieder aufpolieren. Fremdsprachen kann man ja immer gebrauchen.«

»Und Mathematik, wie gut fallen da Ihre Noten aus?«

»Da stehe ich glatt auf eins.«

Kapitel 40

Dienstag, 13.55 Uhr

Nach der Vernehmung von Ulrich Tännert blieb Arne eine ganze Weile tatenlos im Wartebereich stehen und dachte über verschiedene Dinge nach. Am liebsten hätte er den Kfz-Mechaniker auf der Stelle in U-Haft genommen, aber beim derzeitigen Stand der Ermittlungen konnte er sich jeglichen Anruf bei Staatsanwalt und Bereitschaftsrichter sparen. Es gab schlicht und einfach keine Beweise, die einen Tatverdacht bei Tännert auch nur ansatzweise rechtfertigten. Arnes Bauchgefühl reichte da nicht, auch wenn eine Mutter, die sich zwanghaft gewünscht hatte, ihr Sohn wäre ein Mädchen, durchaus als Motiv für einen Mord an einer anderen Mutter und der Entführung von deren Tochter taugte.

»Du legst dir da was zurecht«, ärgerte sich Arne über sich selbst. Er fingerte bereits nach der Zigarettenschachtel, griff jedoch nicht hinein, da jederzeit ein Besucher auftauchen konnte.

Nach der Verabschiedung am Portal hatte er mit dem Smartphone schnell noch ein Foto von Tännert geschossen, als der sich kurz umgeblickt hatte. Dieses würde er der Spielwarenverkäuferin zeigen, die Liliana und den Wachmann gesehen hatte. Zuvor musste er sich mit Tännerts Mutter befassen. Die Sache mit der psychischen Erkrankung hielt er für beachtenswert. Es erinnerte ihn an die Renata im »Feurigen Engel«. Christian Huss hatte gestern erwähnt, dass die Hauptfigur auch an Wahnvorstellungen litt.

Zurück in der Kammer, rief er im Internet Wikipedia auf. In Vorbereitung auf die Vorstellung am Abend musste er noch einmal die Oper studieren. Prokofjews Werk spielte im Spätmittelalter und griff entsprechend kirchliche Zwänge und mittelalterliche Vorstellungen auf. Exorzismus spielte eine Rolle, und angesichts von Zauberei verwunderte es Arne auch nicht, dass in dem Stück Faust und Mephisto in Nebenrollen auftauchten. Schlussendlich wurde Renata von einem Inquisitor zum Tode verurteilt.

Arne dachte nach. Ging es bei dem Mord an Annalena Winzer um ein religiöses Motiv? Die Zahlen bei der Leiche deuteten jedoch eher auf eine rationale Einstellung des Täters hin. Zumindest konnte er bisher keinen Bezug zur Bibel oder zu anderen religiösen Schriften herstellen. Dafür stellte er fest, dass Renata die Heirat mit Ritter Ruprecht ablehnte. Zielte darauf das Taschenrechnerwort EHELOS ab?

»Ach, das ist scheiße.«

Als er genug von dem Text hatte, betrat Inge mit einem Stapel Arbeit das Büro und setzte sich neben ihn. Statt ihr vom Vernehmungsverlauf zu berichten oder sie nach ihren Ergebnissen zu fragen, ging er kommentarlos zum Whiteboard und schrieb unter Ulrich Tännert den Namen von dessen Mutter und den ihres Psychotherapeuten. Außerdem den Vermerk: psychisches Krankheitsbild?

»Neue Verdächtige?«, fragte Inge.

»Nur mehr Arbeit für uns.«

»Du sagst uns! Und ich habe schon befürchtet, es würde mehr auf mich allein zukommen.«

»Freu dich nicht zu früh«, bremste er ihre Hoffnungen und überblickte die bisherigen Stichpunkte an der Tafel daraufhin, ob er irgendein Schema erkannte.

Bisher sah er nur lose Enden und keine Zusammenhänge. Dabei fiel ihm jedoch auf, dass der Name Mandy Luppa an der Tafel fehlte.

»Warum behauptet sie, die vermisste Liliana sei ihr Kind?«

»Was?«, kam es von Inge.

»Ach, ich habe nur laut gedacht.« Er nahm einen Stift und schrieb Mandy Luppa neben Christian Huss, weil sie dessen »Engelsinfonie« kannte und es damit eine vage Verbindung zwischen den beiden Personen gab.

»Ich habe übrigens bei der Tickethotline der Semperoper angerufen«, sagte Inge. »Die Mitarbeiterin konnte sich natürlich nicht an ein Gespräch mit Annalena Winzer erinnern, aber mir wurde mitgeteilt, dass ihre VIP-Eintrittskarten persönlich abgeholt wurden.«

Arne schwang herum. »Von wem?«

Inge zuckte mit den Schultern. »Das habe ich Herrn Leo gefragt, als ich anschließend mit ihm telefoniert habe. Er wusste es ebenfalls nicht, wollte sich aber darum kümmern und uns Bescheid geben. Bei der Gelegenheit habe ich ihn auf die heutige Vorstellung angesprochen. Du hattest recht, er hatte zufällig noch zwei freie Plätze.«

»Ich brauche aber nur einen.«

»Wie praktisch.« Ihr darauffolgendes Lächeln gefiel ihm nicht. »Der andere ist nämlich für mich reserviert.«

»Das ist hoffentlich ein Scherz.«

»Soll ich irgendwas Bestimmtes anziehen?«

Er blähte die Backen auf, weil sie es absolut ernst meinte. Er stellte sich vor, wie er Arm in Arm mit der älteren Kollegin über einen roten Teppich schwebte. Beim Ausatmen schüttelte er entsetzt den Kopf. »Ist mir egal, Hauptsache, du hast überhaupt etwas an. Weißt du denn überhaupt, worum es in dieser Oper geht?«

»Noch nicht, aber ich habe mir die Romanvorlage der Oper gekauft.« Als hätte sie nur auf die Gelegenheit gewartet, platzierte sie das Buch auf dem Schreibtisch. »Es sind über vierhundert Seiten. Meinst du, das schaffe ich noch bis heute Abend?«

Im Geiste schlug er sich gegen die Stirn. Die Frau war erst den zweiten Tag hier und forderte ihn bereits heraus. Aber er hatte eine Scheidung überstanden, dann würde er mit einer vorlauten Trinkerin ja wohl spielend fertigwerden. Gerade als er ihr das Atemalkoholmessgerät unter die Nase halten und sie über Bernhards Anweisung aufklären wollte, streckte Inge den Arm aus und zeigte auf das Whiteboard.

»Mandy Luppa war übrigens bei diesem Psychotherapeuten.«

»Was?«, fragte er, weil er glaubte, sich verhört zu haben.

»Du hast mir den Auftrag gegeben, mich über Luppa zu erkundigen, und jetzt sage ich dir, dass sie bei Dr. Zeisig in Behandlung war.«

In Arnes Gehirn ratterte es. »Warum hast du das nicht gleich gesagt?«

»Wieso? Du erzählst mir ja auch nicht, wie es mit Ulrich Tännert gelaufen ist.«

»Ich ... hm, verstehe.« Er trat auf der Stelle hin und her und fügte der Übersicht an der Tafel gedanklich neue Hinweise hinzu. »Okay, Schwamm drüber, wir müssen Holger Winzer anrufen.«

»Wir oder ich?«

»Du.«

»Aha.« Statt nach dem Telefon zu greifen, stand Inge auf und nahm ihren Ledermantel über den Arm. »Ich habe jetzt einen Termin beim Personalrat.«

Konsterniert schaute er auf die Uhr. »Was denn, jetzt?«

»Ich will mich erkundigen, was in dieser Abteilung eigentlich meine konkreten Aufgaben sind.«

»So, so, dafür nimmst du deinen Mantel mit?«

»Ja, danach mache ich für heute Schluss, denn ich muss mir unbedingt noch eine passende Garderobe für unseren gemeinsamen Opernbesuch kaufen.«

Er prustete. »Du denkst doch nicht ernsthaft, dass wir beide gemeinsam dorthin gehen?«

»Wieso, weil du dich nicht mit einer trockenen Alkoholikerin in der Öffentlichkeit zeigen willst?«

»Ob du trocken bist oder nicht, ist mir gleichgültig. Es ist mehr …«

»Fein«, unterbrach sie ihn und ging davon. »Ich wollte das nur geklärt haben.«

Kapitel 41

Dienstag, 17.10 Uhr

Nicht mehr lange, hatte der Mann zu Liliana gesagt, bald würden sie gemeinsam zu ihrer Mutter fahren. Er hatte ihr ein neues Kleidchen versprochen. Ein gelbes. Sie brauchte es nicht anzuprobieren, es würde auch so passen und ihrer Mutter gefallen.

Liliana mochte aber kein Gelb, sie trug lieber Rot oder Rosa. Ihre Eltern wussten das, deshalb hätten sie ihr niemals ein gelbes Kleid gekauft. Wie konnte Gelb also ihrer Mutter gefallen?

Der Mann hatte sie eindeutig angelogen. Deshalb trat sie schon die ganze Zeit mit ihrem Fuß gegen den wackligen Gitterstab. Eigentlich war sie hundemüde, nachdem sie ständig von Albträumen aus dem Schlaf gerissen worden war. Einmal hatte sie sich so sehr erschrocken, dass sie sich fast eingepullert hätte. Der Mann hatte mit einem Taschenlampenlicht neben ihrem Gefängnis gestanden und sie durch das Gitter hindurch im Schlaf beobachtet. Als sie daraufhin vor Schreck geschrien hatte, hatte er geflüstert, sie solle sich beruhigen. Dann hatte er angefangen, ein Kinderlied zu singen, aber es klang nicht schön und sie hatte sich vor dem Text noch mehr gefürchtet. Es ging um Hänsel und Gretel und natürlich um das Pfefferkuchenhaus der Hexe.

Er wollte heute eher nach Hause kommen und ihr dann wieder vorsingen, falls sie das mochte. Liliana hatte gelogen, als er gefragt hatte, ob ihr das Vorsingen gefallen hatte. In Wahrheit wollte sie ihn weder sehen noch hören. Deshalb strengte sie sich an, endlich aus diesem viel zu kleinen Bett zu entkommen. Und tatsächlich, auf einmal bewegte sich der Gitterstab so heftig, dass sie ihn einen ganzen Zentimeter nach oben schieben konnte. Gleichzeitig konnte sie ihn am unteren Ende aushängen. Ihr Herz wummerte vor Glück, als der lose Stab ihren Fingern entglitt und zu Boden polterte. Für eine Achtjährige war sie echt schlau. Ihr Papa würde stolz auf sie sein, wenn sie ihm davon berichtete.

In Gedanken bei ihren Eltern, steckte sie einen Fuß durch die Öffnung, bis sie den Teppich mit den Zehen berührte, dann folgten das zweite Bein, ihr Hintern und der Oberkörper. Auch die Arme konnte sie befreien, aber plötzlich steckte ihr Kopf fest.

»O nein!«

Sie nahm ihre Hände zu Hilfe, aber ihr Kopf war einfach zu dick und die Metallstäbe pressten ihren Schädel zusammen. Wenn der Mann jetzt das Zimmer betrat und sie so sehen würde, würde er sie bestimmt verprügeln. Am schlimmsten war, dass sie nicht einmal zurück in das Bett kriechen konnte, stattdessen hing sie mit verdrehtem Hals im Gitter wie ein gefangenes Tier in einer Jagdfalle.

»Nein!«, schrie sie, weil sie kein Tier sein wollte.

Gleichzeitig strengte sie sich noch einmal richtig an und zerrte mit aller Kraft an den Stäben. Dann knackte etwas, und als sie die Augen aufschlug, war sie frei. Wobei, richtig frei war sie noch lange nicht, sie war lediglich nicht mehr in dem Bettchen eingesperrt.

Barfuß ging sie zur Zimmertür und betätigte die Klinke. Abgeschlossen.

Lilianas Herz schlug plötzlich noch heftiger. Sie eilte zum Fenster, das mit einer Art Lederbezug überspannt und am Rahmen verschraubt war. Sosehr sie mit den Fingernägeln über das Leder kratzte, sie konnte das Material nicht kaputt machen. Enttäuscht ging sie ein paar Schritte rückwärts, drehte sich im Kreis und schaute sich im Raum um. Bis auf das Bett, die Wände voller Zahlen, das verdunkelte Fenster und den losen Gitterstab gab es nichts. Nichts, das ihr weiterhalf oder womit sie das Türschloss aufbekam. Doch! Da war noch etwas. Schnell tippelte sie zurück zum Bett, kniete sich hin und zog einen Koffer hervor, den sie vorher nicht gesehen hatte.

Anders als die versperrte Tür schnappten die Riegel am Koffer auf. Sie klappte den Deckel nach oben und erschrak über die darin liegenden Köpfe. Es waren lauter Puppenköpfe, die sie entweder aus großen oder halb geöffneten Augen anstarrten. Lauter Köpfe, jedoch gab es keinen einzigen Körper dazu. Nicht einmal Puppenkleider befanden sich darin. Als sie genauer hinschaute, erkannte sie auf den Hinterköpfen mit Kugelschreiber geschriebene Zahlen. Es waren alles alte Puppen, die längst nicht so schön aussahen wie ihre Barbies, mit denen sie schon lange nicht mehr spielte. Angewidert wollte sie den Koffer zuklappen, als sie eine Uhr mit blauem Band entdeckte. Diese ergriff sie. Auf dem Ziffernblatt erkannte sie einen Pinguin. Weil ihr das Motiv gefiel und Hoffnung gab, band sie sich die Uhr um das Handgelenk und schob den Koffer wieder unter das Bett. Beim Aufstehen berührte sie den losen Stab und auf einmal kam ihr eine Idee.

Kapitel 42

Dienstag, 17.35 Uhr

Wiederholt leuchtete auf dem Display von Arnes Smartphone Inges Nummer auf. Abermals ignorierte er ihren Anruf. Falls sie dachte, er würde Lust auf eine weitere Grundsatzdiskussion mit ihr verspüren, hatte sie sich geschnitten.

Trockene Alkoholikerin! Als ob ihn das interessierte. Er kämpfte mit genug eigenen Problemen. Eins davon betrat soeben sein Büro.

»Wie ist der Stand der Ermittlungen?«, fragte Bernhard und wanderte wie ein kleiner General vor dem Whiteboard mit den Personenbildern und zahlreichen Stichworten auf und ab. Bei jedem Schritt knarrte das Holz unter dem zerschrammten Linoleumbelag. Im Gegensatz zu Arne schienen ihn die Geräusche des desolaten Fußbodens nicht zu stören.

»Ich mache täglich Fortschritte«, hielt Arne sich bedeckt.

»Wie sieht es mit einem Verdächtigen aus?«

Nachdem dein Tatvorwurf gegen Tilo Walther eine ziemliche Luftnummer gewesen ist, dachte Arne, verzichtete jedoch auf die Stichelei. Stattdessen blieb er bei der unerfreulichen Wahrheit. »Bisher Fehlanzeige.«

Sichtlich unzufrieden, tippte Bernhard auf das Porträt von Mandy Luppa. »Wer ist das hier?«

Da das Bild samt Namen erst kürzlich hinzugekommen war und dies Bernhard auffiel, schien der Kommissariatsleiter doch weitestgehend auf dem neusten Stand der Ermittlungen zu sein.

»Könnte eine Zeugin sein«, umschrieb es Arne. »Über sie muss ich erst noch ein paar Erkundigungen einholen, dann hefte ich sie entweder ab oder rücke sie in die Mitte der Tafel.«

»Das ist nicht sehr viel, was du mir hier anbietest.« Bernhard schwang herum, die Hände hielt er hinter dem Rücken. »Du weißt hoffentlich, wie dringend die Angelegenheit ist.«

»Ich weiß, dass ein kleines Mädchen seit fast dreiundfünfzig Stunden vermisst und entweder in der Gewalt eines Mörders oder bereits tot ist.«

Bernhard nickte und kam auf den Schreibtisch zu, wo Arne die Beine ausstreckte, als hätte er nichts zu tun, was allerdings ganz und gar nicht der Fall war. Er wollte bloß in Ruhe gelassen werden.

»Ich musste vorhin ein Telefonat mit dem Personalrat führen«, sagte Bernhard.

»Lass mich raten, es ging um Inge Allhammer.«

»Ich möchte nur sichergehen, dass du Frau Allhammer gut behandelst. Sie braucht unsere Unterstützung.«

»Sicher«, antwortete Arne einsilbig, weil er sich innerlich mächtig auf die Lippen beißen musste, schließlich hatten andere Leute innerhalb der Polizeidirektion für ihre Versetzung gesorgt. Jetzt schob man ihm also den Schwarzen Peter zu.

»Gut«, bekundete Bernhard. »Denn ich habe mich heute wiederholt bei der Polizeipräsidentin und dem Innenministerium für dich eingesetzt. Um ehrlich zu sein, die wollen einen anderen leitenden Ermittler sehen, aber ich habe denen versichert, dass du der richtige Mann für diesen Fall bist und Ergebnisse liefern wirst. Das ist doch so, oder?«

Sein Chef war verzweifelt, das konnte Arne deutlich heraushören. Natürlich genoss er jedes Wort aus Bernhards Mund mit Vorsicht, aber die Äußerung deutete schwer darauf hin, dass sich sein Vorgesetzter plötzlich an seinen ungeliebten Mitarbeiter klammerte. Für Häme oder eine offene Auseinandersetzung war es aktuell der falsche Moment. Das Leben eines Kindes stand auf dem Spiel.

»Ich gebe mein Bestes.« Arne konnte es sich nicht verkneifen, wie zum Beweis irgendein belangloses Werbeblättchen der Gewerkschaft anzuheben, was Bernhard aber nicht als solches erkannte, weil er als Leiter des K11 viel zu sehr unter Druck stand und vermutlich auch ungern in dieser erbärmlichen Kammer verweilte. Allein die Stresspickelchen auf seiner Nase zeugten von den Sorgen, die er mit sich herumschleppte.

»Dann ist ja alles bestens«, sagte er dennoch energisch und schaute auf seine Armbanduhr, wohl wissend, dass Arne längst über die tägliche Dienstzeit hinaus war und irgendwann Feierabend machen musste. »Was wirst du als Nächstes tun?«

»Mir eine Oper ansehen.« Jetzt warf auch Arne einen Blick auf die Uhr, denn bis zur Vorstellung blieb nicht mehr viel Zeit. »Da fällt mir ein, du hast nicht zufällig einen guten Anzug in deinem Spind hängen?«

Bernhard kniff skeptisch die Augen zusammen und ging wortlos davon.

»Stimmungskiller«, murmelte Arne, doch sogleich empfand er Bedauern für seinen Vorgesetzten. Als Abteilungsleiter stand er ständig unter Beobachtung und man forderte von ihm, andere Prioritäten zu setzen, als man von einem stinknormalen Sachbearbeiter wie Arne erwartete.

Einen Wimpernschlag später wischte er das Mitgefühl für seinen Chef beiseite und nahm sich seine To-do-Liste vor. Ein paar Stichpunkte waren darauf abgehakt. In den letzten Stunden hatte er sich noch einmal mit der alten Akte von Manuela Huss beschäftigt. Im Abschlussbericht ging man eindeutig von einem Unfall und Tod durch Ertrinken aus. Lediglich eine Sache war Arne aufgefallen: In einem Vermerk tauchte als Besonderheit das Fehlen von Manuelas Armbanduhr auf, was man jedoch damit begründete, das Mädchen habe sie wohl im Wasser verloren. Die Kripo hatte sich nicht die Mühe gemacht, den Goldfischteich zu entleeren und im Schlamm nach der Uhr zu suchen.

Auch wenn Arne nicht glaubte, dass ihn das weiterbrachte, hatte er sich diesen Umstand notiert. Danach hatte er zu Ulrich Tännerts Pflegeeltern recherchiert, jedoch nicht viele Informationen über das Ehepaar Meyer gefunden. Sie hatten Luftlinie sechzig Meter von der Huss-Villa entfernt gewohnt. Mehr Zusammenhänge gab es da eigentlich nicht.

Auch bei Tännerts Mutter war er nicht wirklich weitergekommen. Die Frau war zeitlebens ein Sozialfall gewesen und lebte inzwischen von einer kleinen Erwerbsunfähigkeitsrente. Lediglich die Sache mit dem Psychiater klang beachtenswert, zumal Mandy Luppa vor einiger Zeit in dieselbe Praxis gegangen war. Zufall oder nicht, Arne wollte dazu etwas überprüfen. Er nahm sein Handy auf und wählte Holger Winzers Nummer.

»Gibt es gute Neuigkeiten?«, fragte der Journalist auch sogleich, nachdem er das Gespräch angenommen hatte.

»Leider nein«, sagte Arne betrübt. »Ich rufe an, weil Sie mir helfen können. Ich bin der festen Überzeugung, dass der Täter Ihre Frau und Ihr Kind nicht willkürlich ausgesucht hat, sondern sehr genau wusste, wann und wo er zuschlagen musste. Können Sie mir folgen? Es muss im Vorfeld einen Kontakt zwischen dem Täter und Ihnen, Ihrer Frau oder sogar Liliana gegeben haben.«

»Darauf sprachen Sie mich bereits beim letzten Mal an, und ich kann Ihnen keine andere Antwort als beim letzten Mal geben: Ich kann es mir nicht erklären, wieso ausgerechnet die beiden.«

»Sie antworten für meinen Geschmack überhastet. Vielleicht haben Sie unbewusst jemandem zu viele Details über Ihre Familie preisgegeben. In einem Gespräch oder in einer Nachricht. Kommen Sie schon, wer wusste von den Einkaufsabsichten Ihrer Frau?«

»Es tut mir leid, ich kann es wirklich nicht sagen. Sie kennen mich, also wissen Sie auch, dass ich gegenüber anderen Menschen sehr zurückhaltend mit Aussagen bin, erst recht über mein Privatleben.«

In der Tat zählte Winzer zu der Sorte Reporter, die andere Leute spielend leicht, und ohne selbst etwas preiszugeben, zu Äußerungen verleiten konnte.

»Ihre Frau hat eine Eventagentur geleitet. Ich nehme an, dort muss man kommunikativ sein.«

»Ja, Sie haben recht, Annalena war deutlich gesprächiger als ich, aber selbst dann … Woher soll ich wissen, mit wem alles sie sich unterhalten hat?«

»Schon gut, denken Sie später bitte noch einmal in Ruhe nach. Eine andere Sache …« Arne räusperte sich. »Kann es sein, dass Sie oder Ihre Frau irgendwann einmal psychotherapeutische Hilfe in Anspruch genommen haben?«

»Bitte?«, kam es gekränkt.

»Verstehen Sie mich nicht falsch, ich würde das nicht fragen, wenn es nicht wichtig wäre.«

»Also gut …« Winzer zögerte, demnach lag ihm etwas auf der Zunge. »Es gab in der Vergangenheit ein paar Beziehungsprobleme zwischen uns. Eigentlich keine große Sache, aber irgendwann kam Annalena an einen Punkt, wo sie tatsächlich einen Psychotherapeuten aufgesucht hat. Es waren nur wenige Sitzungen, ich weiß auch gar nicht …«

Arnes Pulsschlag beschleunigte sich und deshalb konnte er sich nicht mehr zurückhalten. »Bei wem war Annalena in Behandlung?«

»Bei einem gewissen Dr. Zeisig.«

Kapitel 43

Dienstag, 18.45 Uhr

Mit dem Daumen schabte Liliana vorsichtig über eines der Enden des Metallstabs. Die Kanten waren scharf. Dank diesem Werkzeug hatte sie es geschafft, einen Schlitz in den Lederbezug zu schneiden. Nein, richtiges Leder war das nicht, sondern Kunststoff. Ihre Mitschüler hätten Plastik oder Folie gesagt, aber man nannte solches Material eindeutig Kunststoff. Lilianas Vater achtete darauf, dass sie die Dinge richtig benannte.

Jetzt schaute aus dem Bezug gelbe Wolle heraus. Das Zeug, das bei ihrem Großvater im Dachboden verbaut war. Dämmung, auch den Begriff kannte Liliana. Sie war schließlich kein kleines Kind mehr und schrieb deshalb in der Klasse auch die besten Noten – abgesehen vom Sport. Aber dort musste sie ja auch nichts schreiben.

Wieder hielt sie den Stab vor sich und bearbeitete damit das Hindernis vor dem Fenster. Diesmal bewegte sie ihn von links nach rechts und umgekehrt. Sie musste dabei auf Zehenspitzen stehen, weil das Fenster ziemlich hoch war für sie. Sobald sie ein Kreuz in den Bezug gerissen hatte, konnte sie das Füllmaterial herausziehen und durch die Öffnung kriechen.

Mit ihren kurzen Armen und den schmerzenden Händen arbeitete sie, so schnell sie konnte, und endlich gab es ein geräuschvolles Ratschen. In dem Kunststoffbezug befanden sich jetzt ein waagerechter und ein senkrechter Einschnitt. Hastig ließ sie den Stab fallen, griff nach der Dämmwolle und pflückte sie Büschel für Büschel auseinander. Tatsächlich stieß sie bald auf Glas. Die Fensterscheibe!

Doch statt Tageslicht, das eigentlich ins Zimmer hätte fallen müssen, war es noch immer finster.

Sie nahm den Stab wieder auf und hämmerte ihn gegen das Glas. Gleich beim ersten Stoß splitterte es. Sie holte noch zweimal aus und plötzlich war da ein hölzernes Klopfgeräusch. Sofort verstand sie, worum es sich handelte. Ein Fensterladen, wie sie es ebenfalls vom alten Haus ihres Großvaters kannte. Sie wusste auch, wie man einen solchen öffnete, aber dafür musste sie sich mächtig strecken.

»Autsch!«

Sie hatte sich an den Scherben geschnitten. Blut tropfte von ihren Fingerkuppen. Das war egal. Irgendwo in der Dunkelheit musste der Schließriegel sein. Mit einer Hand stocherte sie zwischen der Dämmung und dem zersplitterten Fensterglas herum, mit der anderen zog sie sich hoch.

Plötzlich vernahm sie hinter sich ein Geräusch. Als sie sich umschaute, war da nichts. Es war ganz still, bis auf ihren Atem, der stoßweise ging. Die fremde Uhr an ihrem Handgelenk funktionierte nicht, deshalb wusste sie nicht, wie spät es war, aber der Mann konnte jeden Moment zurückkehren und das Zimmer betreten.

Voller Verzweiflung suchte sie erneut nach dem Schließriegel. Schließlich ertastete sie ihn, umschloss ihn mit ihren blutigen Fingern und stieß die Fensterläden auf. Sofort wehte ihr kühle Abendluft entgegen. Draußen brannten bereits die Straßenlaternen. Autoscheinwerfer tauchten hinter Büschen auf und verschwanden.

»Hilfe!«, rief sie, aber niemand reagierte.

Wie sollte auch jemand? Nirgendwo waren Menschen zu sehen. Sogleich ermahnte sie sich, nicht einfach jemanden anzusprechen. Wenn sie Pech hatte, lief gerade der böse Mann vorbei.

Wieder bildete sie sich ein Geräusch in der Wohnung ein. Es klang wie das Klappern eines Schlüsselbundes. Ungeachtet der scharfen Kanten zog sie sich mit der Kraft der Verzweiflung durch die Öffnung im Fenster und schaute ins Freie. Vor dem Haus befanden sich ein Beet und Sträucher, und ein Weg aus steinernen Platten führte zwischen einer Hecke hindurch. Zum Glück befand sich die Wohnung im Erdgeschoss, aber vom Fenster aus war es immer noch zu hoch, um einfach hinunterzuklettern. Doch die Angst trieb sie an, sich auf das leicht feuchte Fensterbrett zu stellen. Ihre Füße rutschten ab, sie fiel und landete direkt in einem Strauch, dessen Zweige und Äste ihr ins Gesicht und die freien Stellen an den Armen schnitten. Schlimmer war jedoch der Schmerz hinter der Stirn, denn sie war gerade auf den Kopf gestürzt. Um sie herum drehte sich alles. Rotz und Tränen liefen ihr hinunter, aber sie kämpfte sich tapfer auf die Beine.

Sie schaute sich nicht ein einziges Mal um, sondern suchte in der Gegend nach einem markanten Gebäude, das ihr verriet, wo sie sich befand. Sobald sie einen Ort entdeckte, der ihr bekannt vorkam, würde sie den Weg nach Hause finden. Vom Sturz und der Flucht waren ihre Sinne jedoch wie benebelt. Erst unterwegs merkte sie, wie sehr ihr die Füße wehtaten, weil sie keine Schuhe trug. Und es war bitterkalt.

»Keinem fremden Menschen begegnen«, murmelte sie bei jedem Schritt vor sich her und rieb sich am Körper. Sie durfte keinem Fremden mehr vertrauen. »Mama und Papa suchen dich!«

Immer wenn ein Auto vorbeifuhr oder ein Mensch in Sichtweite kam, duckte sie sich oder änderte ihre Richtung. Doch irgendwann sah sie endlich ein Bauwerk, das ihre Eltern ihr schon so oft gezeigt hatten.

Das Blaue Wunder! Glücklich steuerte sie auf die Loschwitzer Brücke zu, die wegen ihres blauen Anstrichs so genannt wurde.

Plötzlich hörte sie hinter sich eine Männerstimme.

»Bleib stehen, Mädchen!«

Erschrocken fuhr Liliana herum. Da war der böse Mann! Wenige Meter hinter ihr.

»Nein!«, kreischte Liliana noch, stolperte vorwärts und dann passierte es …

Kapitel 44

Rückblick

Selten ging der Junge nach der Schule gern nach Hause. Heute musste er seinem Vater jedoch unbedingt von der Klassenarbeit erzählen. Unbemerkt von Katharina, die ihn doch bloß ausgeschimpft hätte, er solle seinen Vater nicht bei seinen Proben stören, und von Diana, die ihn an ihre Mutter verpetzt hätte, schlich er in das Musikzimmer, aus dem die Töne von Woche zu Woche zittriger kamen.

»Papa, ich habe als Einziger eine Eins in Mathe!«

Ohne sich vom Klavier umzudrehen, hob der Vater den linken Arm, zum Zeichen, sein Sohn solle sich gedulden. Mit der rechten Hand spielte er weiter auf dem Instrument, das für ihn die Welt bedeutete und dessen Klänge seine Seele zu streicheln vermochten. Seine Komposition musste endlich fertig werden, davon erzählte er immer beim Abendessen, der einzigen Zeit, wo sie noch zusammenkamen.

»Papa, ich bin aus der Schule zurück.«

Diesmal zeigte sein Vater keinerlei Reaktion, stattdessen beugte er sich noch tiefer über die Tasten, als wollte er mit Gewalt die exakten Töne aus dem Klavier zwingen. Es gelang ihm nicht, sogar ein Laie konnte hören, dass die Finger dem gefeierten Künstler nicht gehorchten. Doch eins musste man dem Musiker lassen, er gab sich von der Krankheit in seinen Gliedern nicht geschlagen, sondern machte mit stoischer Verbissenheit weiter. Bis zum letzten schiefen Ton …

»Du weißt, wie viel mir dieses Stück bedeutet«, sagte der Vater streng, als er endlich auf der Klavierbank herumfuhr.

»Es ist düster und traurig«, sprach der Junge aus, was sein Vater nicht hören wollte.

»Traurig«, wiederholte der stattdessen leise und nickte dabei enttäuscht, weil sein Sohn das Talent für die Musik nicht mitbekommen hatte. Einmal hatte er vor lauter Unzufriedenheit sogar davon gesprochen, ihm nichts zu vererben. Für nichts gibt es nichts, hatte er gemeint. »Wie könnte ein Stück über Engel traurig klingen?«

»Vielleicht, wenn die Engel weinen«, antwortete der Junge.

Sein Vater winkte ab. »Was ist denn so wichtig?«

Stolz hielt der Junge ihm die Klassenarbeit mit der Eins hin. »Ich bin der Beste, habe volle Punktzahl!«

»Mathe, so so …« Er warf nur einen flüchtigen strengen Blick auf das Papier. »Und wie steht es um deine Zensuren in Musik?«

»Da haben wir keine Noten bekommen«, log er, denn aktuell stand er auf einer glatten Drei. Selbst wenn er es bis zum Schuljahresende noch auf eine Zwei geschafft hätte, so hätte er damit vor den Augen seines Vaters nicht bestehen können.

»Geh und mach deine Hausaufgaben«, wies ihn der Vater an und wandte ihm im selben Moment den Rücken zu, um sich einem erneuten Versuch am Flügel zu widmen.

Der Junge verharrte noch eine Weile reglos im Raum. Obwohl sein Vater kaum drei Meter von ihm entfernt saß, fühlte er sich mutterseelenallein. Irgendwann verließ er das Zimmer mit gesenktem Kopf. Im Flur blieb er an der Treppe stehen, schaute die Stufen hinauf und fürchtete sich davor, zu seinem Zimmer zu gehen. Denn dabei musste er an Dianas Zimmer vorbei. Einige Holzstufen der Villa knarrten. Bis heute konnte sich der Junge nicht merken, welche es waren. Er wusste aber, dass Katharina seine Schritte hören würde. Ihr Gehör war ein hochsensibles Organ. Vermutlich konnte sie deshalb so gut singen.

»Höher«, vernahm er Katharinas Stimme aus Dianas Zimmer, während ihre Tochter eine Tonleiter nach der anderen trällerte. »Höher!«

Selbst an ihrem Geburtstag musste Diana üben. Aber angesichts der Tatsache, dass sie heute Morgen von seinem Vater eine teure Armbanduhr geschenkt bekommen hatte, war das eine zu verkraftende Gegenleistung. Mit ihren inzwischen zehn Jahren sang sie ohnehin schon mit dem Tonumfang einer Nachtigall und so melodiös wie eine Amsel – zumindest nach Meinung ihrer Mutter. Und sie besaß das eitle Gehabe eines Pfaus, fand der Junge. Pfaue stolzierten nicht nur selbstverliebt herum, sondern gaben auch noch so hässliche Laute von sich, dass man diese in Teilen Osteuropas sogar als Gesang des Teufels bezeichnete.

Obwohl der Junge gar keine Hausaufgaben zu erledigen hatte, wollte er sich in sein Zimmer einschließen und ein bisschen rechnen. Irgendwann würde er seinen Vater schon überzeugen, wie wichtig Mathematik im Leben war. Auf Zehenspitzen nahm er die Treppe. Eine Tür bewegte sich, doch statt Katharina oder Diana huschte bloß die grau getigerte Katze heraus. Kleopatra blieb auf halber Treppe hinab stehen und schaute den Jungen an, als wäre er ein Fremder in diesem Haus. Katharina hatte Kleopatra beim Einzug mitgebracht, und gleich am ersten Tag hatte sie den Jungen am Auge gekratzt, als er sie auf den Arm genommen hatte. Junge und Katze gingen sich seither aus dem Weg.

Als er in seinem Zimmer angekommen war, stellte er den Schulranzen ab und trat zum Hamsterterrarium, um das Futter aufzufüllen. Doch als er das Häuschen anhob, fehlte von Wursti, der um diese Uhrzeit immer eingekuschelt im Heu schlief, jede Spur. Schockiert ließ der Junge das Häuschen fallen. Wursti war viel zu klein und träge, um aus dem Terrarium zu klettern. Außerdem hätte ein Goldhamster unmöglich die glatten Glasscheiben bezwingen können.

Aus Sorge um sein geliebtes Haustier nahm der Junge all seinen Mut zusammen und ging in das Zimmer von Diana, wo Mutter und Tochter abrupt die Probe unterbrachen.

»Was fällt dir ein, du Bengel?«, schimpfte Katharina und trat dem Jungen drohend entgegen.

»Das hier ist Sperrzone für dich«, bekräftigte Diana, obwohl sie vermutlich nicht einmal wusste, was eine Sperrzone ist.

»Wursti ist verschwunden«, sagte der Junge.

»Na und?«, fragte Katharina. »Vielleicht hat Kleo ihn gefressen.«

Diana lachte hämisch.

Erschrocken schaute der Junge auf den Flur hinaus. Die Katze hatte tatsächlich fülliger ausgesehen als sonst.

DRITTER TEIL

Kapitel 45

Dienstag, 18.55 Uhr

An seinen letzten Opernbesuch konnte Arne sich nicht mehr erinnern und auch daran nicht, jemals im ersten Rang und direkt neben der Loge gesessen zu haben. Keine Ahnung, ob Inge irgendwelche Beziehungen hatte spielen lassen, um an diese komfortablen Plätze zu gelangen, oder ob Hans Leo, der die Tickets für sie reserviert hatte, damit bei der Kriminalpolizei Dresden einen guten Eindruck schinden wollte. Doch der Moment, nach dem das Orchester das Stimmen der Instrumente abgeschlossen hatte, kam Arne ziemlich bekannt vor. Er fühlte sich an den sonntäglichen Kirchgang mit seinen Eltern erinnert. Es waren die wenigen Minuten vor dem Gottesdienstbeginn, wenn im Saal eine nahezu sakrale Ruhe herrschte und nur noch vereinzelt gehustet oder getuschelt wurde. Dann hatte Arne immer ziemliche Panik bekommen, man könnte ihn ertappen, wenn er eines seiner mitgebrachten Bonbons so geräuschlos wie möglich aus dem Papier zu befreien versuchte. Das mit der Kirche hatte sich bei ihm mit dem Erwachsenwerden erledigt.

»Du hast echt starke Nerven«, flüsterte Inge.

»Warum, weil ich mit einer Kollegin hier bin?«, knurrte er, noch immer sauer, weil sie ihn ungefragt begleitete.

»Nein, weil du dich offenbar partout nicht umziehen wolltest.«

Inge trug ein eng anliegendes Abendkleid, das an den Ärmeln mit Pailletten bestickt war. In seiner Vorstellung hatte sie wie der knochige Tod im schwarzen Festtagsgewand ausgesehen, aber jetzt musste er zugeben, dass sie eine tadellose Figur machte. Zudem hatte sie ein Parfüm aufgetragen, dessen dezenter Duft ihn an Kastanienbäume erinnerte. Unauffällig schnüffelte Arne an seiner von ihr abgewandten Schulter am Jackett. Mist, er roch wie ein Zwölf-Stunden-Handwerker. Während sie sich echt Mühe bei ihrer Garderobe gegeben hatte, war er direkt vom Büro mit ihr zur Semperoper gefahren. Sie hatte ihn regelrecht vom Computer vertreiben müssen.

Erschrocken zuckte er zusammen, als sie sein Knie tätschelte.

»Keine Sorge, in drei Stunden hast du es überstanden«, flüsterte sie mit einem Grinsen.

Während das Licht im Saal ausging und der Dirigent vor sein Orchester trat, versank Arne vor Scham noch tiefer in seinem Sessel. Schaurige Musik ertönte. Mit dem Öffnen des Vorhangs war Arne bereits von den dramatischen Klängen gefesselt. Der erste Akt spielte in einer heruntergekommenen Herberge, in die Ritter Ruprecht einkehrte und in der er wenig später auf Renata traf, seine große Liebe. Während Arne die Sängerin Andrea Kriwitzki trotz der Kostümierung erkannte, musste er bei Ruprecht zweimal hinschauen, um den Mann in der modernen Lichtrüstung als Lennard Johannson zu identifizieren. Arne war erstaunt, welchen Stimmumfang der schmächtige Darsteller mitbrachte, der laut seinem Lebenslauf mit sechzehn Jahren mutterseelenallein von Schweden nach Deutschland gekommen war und anfangs als Straßenmusiker durch die halbe Republik getingelt war.

Arne begriff schnell, warum draußen auf dem Vorplatz noch immer Demonstranten ihre Spruchtafeln hochhielten, auf denen man die Freizügigkeit auf der Bühne anprangerte. Ein gewisser Sexismus bei der Darbietung ließ sich nicht leugnen. Während die Bühnengestaltung und die Kostüme teilweise äußerst neuzeitlich, ja regelrecht futuristisch wirkten, entsprach die Handlung dem Original. Ruprecht hört Renata hinter einer verschlossenen Tür schreien, stürzt zu ihr ins Zimmer und beruhigt die an Wahnvorstellungen leidende Frau, indem er sie zu Bett bringt. Sie erzählt ihm aus ihrer Kindheit und davon, wie sie einst den feurigen Engel namens Madiel gesehen hat. Und damit nimmt die Tragödie ihren Lauf …

Je länger das Stück ging, umso mehr kämpfte Arne mit der Müdigkeit. Ständig fielen ihm die Augen zu. Er riss sie jedes Mal auf, sobald Inge ihn mit dem Ellenbogen anstieß oder das Publikum klatschte.

»Wunderschön, nicht wahr?«, fragte sie mehrfach.

Dann nickte er stets und am Ende sagte er: »Etwas zäh für meinen Geschmack.«

»Kannst du dich eigentlich auch mal locker machen?«

»Ich hatte mir einfach mehr erhofft.«

Die ganze Zeit über wartete Arne darauf, dass die »Engelsinfonie« von Christian Huss einsetzte, aber die gehörte natürlich nicht zu der Oper. Irgendwie wünschte er sich von der Vorstellung neue Impulse im Mordfall, aber am Ende des zweiten Aktes wusste er eigentlich nicht mehr als zuvor.

Erst nach der Pause, in der er doch ein bisschen froh darüber war, jemanden an seiner Seite zu haben, mit dem er sich bei einem Glas Orangensaft unterhalten konnte, wurde es plötzlich für Arne interessant. Auf der Bühne präsentierte der Buchhändler namens Jakob Glock ein Buch über Kabbalistik. Dazu hielten die Komparsen Tafeln mit Buchstaben und Zahlen hoch. Mephistopheles und Doktor Faust vernichteten etliche Tafeln, sodass am Ende bloß noch die Zahlen in der Reihe 3-9-1-7-1-3-4 übrig blieben. Während wohl kaum jemand im Saal die geheime Botschaft entschlüsseln konnte, brauchte Arne nur wenige Sekunden, um die Zahlenfolge vor seinem geistigen Auge auf den Kopf zu stellen und abzulesen.

»Heilige«, murmelte er das Wort, das sich in der Oper auf Renata bezog.

»Was hast du gesagt?«, fragte Inge.

Konsterniert von seiner Entdeckung, deutete Arne stumm nach vorn. Eine Erklärung konnte er nicht mehr hinzufügen, denn plötzlich kam in seiner Reihe Unruhe auf. Arnes Sitznachbarn fühlten sich gestört, als Hans Leo mit einem der Platzanweiser neben ihm auftauchte. Leo beugte sich zu Arnes Ohr und flüsterte ihm eine Sache von höchster Dringlichkeit zu.

»Was?«, fragte Arne, als er die Nachricht hörte. »Wo?«

»Ihre Kollegen warten vor dem Eingang, um Sie direkt dorthin zu fahren.«

Weitere Erklärungen brauchte Arne nicht. Er erhob sich und verabschiedete sich von Inge. »Und wieder einmal zeigt sich, dass meine Kleiderwahl begründet war.«

»Weil dir die Oper von Anfang an nicht gefallen hat?«

»Nein, weil es bedauerlicherweise Arbeit gibt. Liliana ist nämlich aufgetaucht.«

»Mein Gott!«, stieß sie aus und schnappte sich ihre Handtasche. »Egal, wohin es geht, ich komme mit dir.«

Kapitel 46

Dienstag, 20.50 Uhr

Binnen weniger Minuten erreichten Arne und Inge in seinem Škoda den Unfallort. Ein Streifenwagen vom Revier Dresden-Mitte hatte sie von der Semperoper bis hierher gelotst, obwohl Arne den Weg auch allein gefunden hätte. Immerhin hatte er sich dank des Sondersignals das Warten an jeder roten Ampel erspart.

Auf der Loschwitzer Brücke herrschte dann auch ein ziemliches Verkehrschaos. Uniformierte sperrten den gesamten Bereich ab und ließen niemanden mehr passieren. Statt wie ein Irrer loszustürmen und als Beamter vom Kriminalkommissariat 11 sämtliche Entscheidungen an sich zu reißen, blieb Arne einen kurzen Moment neben seinem Wagen stehen und ließ die Umgebung auf sich wirken. Das Blaue Wunder war ein weithin bekanntes Bauwerk, das die Elbe überspannte und die Stadtteile Blasewitz und Loschwitz verband.

»Warum ausgerechnet auf dieser Brücke?«, fragte Arne niemanden Bestimmtes.

Er kam zu keinem Ergebnis, denn Inge unterbrach ihn. »Da hinten ist Bernhard Hoheneck.«

Erst als sie den Arm dorthin ausstreckte, erkannte Arne seinen Vorgesetzten, der von Revierkollegen und ein paar Zivilisten umringt war.

»Das gibt es doch nicht«, wunderte Arne sich und ging sofort zu ihm, um ihn von der Gruppe wegzuziehen und zur Rede zu stellen. »Wieso bist du vor mir hier?«

»Weil ich mit dem Leiter vom Referat 2 vereinbart hatte, dass mich das Führungs- und Lagezentrum als Allerersten verständigt, sobald Sachverhalte im Fall Winzer bekannt werden.«

»Du vertraust mir nicht.«

»Sagen wir, ich möchte zukünftig einfach besser informiert sein. Außerdem wohne ich unweit von hier, also hätte ich die Verkehrsbehinderung sowieso mitbekommen und mich erkundigt, was am Blauen Wunder los ist.«

Erst da erinnerte Arne sich, dass sein Chef im Randbereich des Weißen Hirsches wohnte. Im weitesten Sinne waren Bernhard Hoheneck und Christian Huss somit Nachbarn.

»Jetzt verstehe ich langsam, wieso du so schnell auf die Akte von Manuela Huss gekommen bist. Du kennst Christian Huss.«

»Nicht persönlich, sein Name taucht in der Akte auf. Wieso ist das wichtig?«

»Ach, nur so.« Arne wollte angesichts des schlimmen Ereignisses, das sich vor Ort zugetragen hatte, nicht weiter darauf eingehen. Noch dazu, wo Inge sich zu ihnen gesellte. Skeptisch musterte Bernhard zuerst sie in ihrem schicken Mantel und den eleganten Absatzschuhen und dann Arne.

»Als du vorhin deinen Opernbesuch erwähntest, sagtest du kein Wort, mit wem du hingehst.«

»Ich bat Arne, es geheim zu halten«, erwiderte Inge spitzfindig. »Gewöhnlich treffe ich mich nicht nach Feierabend mit Kollegen.«

»Aha, na, Sie beide sind sich anscheinend ziemlich ähnlich.«

»Du hast mich nicht nach meiner Begleitung gefragt, Bernhard«, kürzte Arne das Thema ab und deutete zu dem Bus, der die kleine Liliana frontal erwischt hatte und nun mit blinkenden Warnlichtern vor der Brücke stand. »Hast du das Mädchen noch gesehen?«

Bernhard schüttelte den Kopf. »Ein Rettungswagen hat sie umgehend ins Uniklinikum gebracht. Sie ist schwer verletzt, vor dem Bus ist Blut. Es stammt von dem Kind. Sie trug nur dünne Sachen und war barfuß unterwegs. Laut Notarzt war sie völlig erschöpft.«

Arne blickte Richtung Osten. Das Krankenhausgelände lag unweit von hier hinter dem Waldpark. Gleichzeitig fragte er sich, woher sie gekommen war und wohin sie gewollt hatte.

»Barfuß und erschöpft, sagst du?«, wiederholte er. »Dann ist sie womöglich kilometerweit geflüchtet.«

»Das arme Mädchen, wer weiß, was sie durchgemacht hat«, warf Inge ein.

»Spuren von Misshandlung?«, konzentrierte Arne sich auf das Wesentliche.

»Eine Schnittverletzung an der Hand«, antwortete Bernhard. »Niemand kann sagen, woher sie stammt.«

»Vielleicht ist sie durch ein Fenster gesprungen. Ich will, dass wir die Umgebung auf Blutspuren absuchen. Und haltet Ausschau nach kaputten Fenstern. Vielleicht finden wir heraus, wo sie hergekommen ist.«

»Ich schnapp mir ein paar Streifenbeamte«, sagte Inge.

»Wo ist der Busfahrer?«

»Steht dort hinten«, gab Bernhard ihm Auskunft. »Ein Rettungssanitäter redet noch mit ihm, aber dem Fahrer und den Fahrgästen geht es so weit gut.«

»Dann unterhalte ich mich jetzt mit ihm«, sagte Arne. Bevor er jedoch fortging, verteilte er weitere Aufgaben. »Ich will, dass Liliana rund um die Uhr im Krankenhaus bewacht wird.«

»Darum kümmere ich mich«, sagte Bernhard.

»Und der Kriminaldauerdienst soll umgehend einen Zeugenaufruf verbreiten. Falls das Mädchen länger herumgeirrt ist, wird jemand es gesehen haben. Dann bekommen wir eventuell einen Hinweis auf den Abgangsort. Inge, du erfasst sämtliche Namen der Fahrgäste und vermerkst, wer das Kind kurz vor dem Unfall bemerkt hat.«

»Wird gemacht«, bestätigte sie und wandte sich an Bernhard. »Leihen Sie mir einen Stift?«

Während sie das Opernticket aus ihrer Manteltasche kramte, reichte Bernhard ihr einen Kugelschreiber. Eifrig machte sie sich Notizen auf der Eintrittskarte.

»Außerdem will ich die Entfernung von hier bis zur Altmarkt-Galerie und der Semperoper wissen«, gab Arne wieder, was ihm durch den Kopf ging und Inge ebenfalls bereitwillig aufschrieb. »Und der Verkehrsunfalldienst soll mir eine saubere Skizze der Unfallstelle liefern. Nicht so ein unverständliches Ding, bei dem selbst ein Kryptologe an seine Grenzen stößt.«

Bevor einer der beiden anderen noch etwas sagen konnte, ließ Arne sie stehen.

»Sie haben den Bus gelenkt?«, sprach er Sekunden später den Fahrer an, obwohl sich der Sanitäter noch nach seiner Verfassung erkundigte.

»Die Kleine tauchte einfach aus dem Nichts auf«, stammelte der Fahrer.

»Was heißt aus dem Nichts?« Der Bus stand Richtung Innenstadt, das Kind musste vor ihm die breite Straße gequert haben. »Ist das Mädchen von rechts gekommen?«

»Ich weiß es nicht, es ging alles so schnell.«

»Hören Sie, das Kind hat sich nicht absichtlich vor den Bus geworfen, also denken Sie gefälligst nach. Jede Kleinigkeit ist wichtig für mich. Hat sich das Mädchen vor der Kollision umgeblickt? Wurde es verfolgt? Haben Sie jemanden gesehen, der es begleitet hat?«

»Verdammt, ich weiß es nicht«, jammerte der Busfahrer bloß.

»Wie lange fahren Sie schon für die Dresdner Verkehrsbetriebe?«

»Mehr als fünfzehn Jahre.«

»Demzufolge ist das garantiert nicht Ihr erster Unfall«, mutmaßte Arne, was der Fahrer auch sofort durch eine Kopfbewegung bestätigte. »Also reißen Sie sich zusammen und antworten Sie auf meine Fragen.«

»Hey, der Mann steht unter Schock«, mischte sich der Sanitäter ein, woraufhin Arne mit strengem Blick zu ihm herumschwang.

Irgendwo hupte ein Autofahrer, ein Reporter rief seinen Namen, aber das alles blendete Arne aus, denn hier ging es um ein Kind, das irgendwo zwischen Himmel und Hölle schwebte.

»Und Sie?«, sprach er den Sanitäter an. »Was haben Sie zu meinen Ermittlungen beizutragen?«

Zuerst ließ sich der Sanitäter nur zu einem mürrischen Kommentar hinreißen, doch da Arne ihn weiterhin auffordernd anschaute, lenkte er ein.

»Vielleicht habe ich da wirklich was für Sie.« Er zückte sein Smartphone und rief ein Foto auf, das er nach eigener Angabe während der medizinischen Erstversorgung gemacht hatte. »Das hier musste ich unbedingt festhalten, weil ich so etwas noch nie gesehen habe. Das hätte mir kein Mensch geglaubt.«

Auch wenn die Aufnahme Lilianas Kopf nicht zeigte, sondern nur einen Teil vom Oberkörper und den Bauch, wusste Arne, dass es sich um das Kind handelte. Jemand hatte mit schwarzem Filzstift Zahlen auf die Haut des Mädchens geschrieben.

»Gott, was für eine Scheiße«, stieß er aus, riss dem Rettungshelfer das Handy aus den Fingern und murmelte die Zahlenfolge vor sich her. »9-1-2-8…«

»Um ehrlich zu sein, konnten wir uns das nicht erklären«, redete neben ihm der Sanitäter.

»Das können die wenigsten«, sagte Arne wie beiläufig und verdrehte seinen Kopf, um einen anderen Blickwinkel auf die Zahlen zu bekommen und das daraus resultierende Wort lesen zu können. Eigentlich waren es sogar zwei Wörter – oder ein Wort und eine Abkürzung.

»Was bedeutet das?«

»Siebzig …«

»Was?«

Arne schaute gedankenverloren in die Luft und überlegte, was mit 084 gemeint war. »Und *HBO* …«

Kapitel 47

Mittwoch, 7.00 Uhr

Die Tatsache, dass das Mädchen entkommen war, hatte ihn die ganze Nacht kein Auge zutun lassen. Nun saß er in seiner Küche, schmierte sich in aller Ruhe Marmelade auf ein Brötchen und dachte weiter über die Geschehnisse nach. Würde die Polizei zu seinem Haus finden?

»Vielleicht«, redete er mit sich selbst, wie er es all die Jahre getan hatte, in denen er allein in dieser Wohnung hockte und dabei der Musik aus dem CD-Spieler lauschte.

Eine Nachbarin hatte sich gestern besorgt über die kaputte Fensterscheibe geäußert und ihn bei seiner Heimkehr darauf angesprochen. Er hatte die neugierige Dame beruhigt, dass der Schaden bei Renovierungsarbeiten entstanden sei. Einen ungeschickten Freund hatte er vorgeschoben, der den Teleskopstab der Malerrolle unkontrolliert geschwungen hatte. Bisher habe kein Glaser Zeit für die Reparatur gefunden, also hatte er die Scheibe bloß notdürftig mit Klebeband und einer Decke gesichert. Nun musste der Wind den Fensterladen aufgerissen und das provisorische Flickwerk gelöst haben. Er hatte sich bei der Frau artig für ihre Aufmerksamkeit bedankt und den Laden verschlossen. Von einem Mädchen war nicht die Rede gewesen.

Andernfalls wäre die Kriminalpolizei längst mit Blaulicht angerückt.

»So ist es doch, nicht wahr?«, redete er mit der jungen Frau auf einem der gerahmten Bilder neben dem Hängeschrank. »Nein, bei dir kamen sie auch erst eine Woche später. Da wimmelten auf deinem Körper schon die Maden, die Holzdielen waren nass und der gesamte Dachboden hat bestialisch gestunken.«

Mit düsteren Erinnerungen betrachtete er das Foto. Eigentlich hätte sein Leben ähnlich jämmerlich enden müssen: vielleicht nicht unbedingt mit einem Strick, aber mit einer Überdosis Schlaftabletten im Magen und dem Gesicht auf dem Parkett. Aber stattdessen hatte er einen guten Schulabschluss hingelegt, ein Studium als Jahrgangsbester abgeschlossen und einen anständigen Job bekommen. In all den Jahren hatte er sich fleißig einen Plan zurechtgelegt, wie er sich für die Erniedrigung und den Schmerz rächen konnte. Wie er endlich ein Ventil für seine unbändige Wut fand, die er im Alltag durch ein enormes Schauspieltalent und nicht zuletzt durch höchste Disziplin dämpfen musste, um bei seinen Arbeitskollegen und natürlich der Nachbarschaft nicht aufzufallen. Nur deshalb gab er den Biedermann.

»Arme Diana, die Therapiesitzungen haben dir weiß Gott nicht geholfen.«

Er kicherte, dann schob er den Rest des Brötchens in den Mund und merkte plötzlich, dass ihm der Bissen nicht mehr schmeckte. Sein Plan war gänzlich fehlgeschlagen. All die akribische Vorbereitung und das hohe Risiko waren umsonst gewesen. Er hatte einen Fehler gemacht. Er hatte ein achtjähriges Gör unterschätzt. Dabei hatte er doch beweisen wollen, dass sie ein dummes kleines Ding war. Jetzt war das Kinderbett kaputt und der Schallschutz beschädigt. Gedanklich winkte er ab. Vom zerstörten Fenster wollte er gar nicht erst anfangen.

Das war aktuell sein kleinstes Problem. Das Mädchen lag im Krankenhaus, zum Glück noch im Koma. Aber würde dieser Zustand anhalten? Und wenn sie dann doch aufwachte, woran würde sie sich erinnern? An das Zimmer mit den Zahlen? An den Mann, der ihre Mutter nach kurzer Gegenwehr bewusstlos in den Kofferraum gestopft hatte, während Liliana gefesselt im Fußraum gelegen hatte. An den Dreckskerl, der Kleopatra das Genick gebrochen hatte?

Er stieß sich vom Tisch ab und rannte in den Raum, in dem er vor wenigen Stunden noch ein Kind gefangen gehalten hatte.

Mit den Fingernägeln kratzte er über die Wände und dabei murmelte er ununterbrochen Zahlen.

»7-3-8-1-8 … Bi…bel …« Irgendwo stand das Wort, aber er fand es nicht gleich, also schrieb er es neu, gefolgt von einem weiteren. »BILLIG 9-1-7-7-1-8 … Bil…lig.«

Er raufte sich das Haar und hielt sich die Ohren zu, weil so viele Zahlen und Worte von verschiedenen Stimmen auf ihn einströmten. Die Stimmen, die ihm als Kind als Einzige Gesellschaft geleistet hatten.

»Verflucht!«, schrie er und hob einen Zeigefinger dicht vor sein Gesicht. Einen beschissenen Tag hatte er bloß noch Zeit. Ohne ein Kind, das Diana ähnlich sah, ergab seine Rache keinen Sinn.

Er musste sich ein anderes Kind holen.

Vorher brauchte er allerdings eine neue Katze.

Kapitel 48

Mittwoch, 8.40 Uhr

Am Morgen befand sich Arne auf der Bergstraße zwischen Hauptbahnhof und Technischer Universität. Er saß in seinem Škoda, hatte den Motor abgestellt und rauchte. Dabei beobachtete er die Privatparkplätze der Praxis für Psychotherapie. Endlich parkte der dunkle Mercedes-Geländewagen, auf den er seit knapp zwanzig Minuten wartete, vor dem Gebäude ein. Als der hochgewachsene und zugleich schmächtige Dr. Andreas Zeisig den Eingang erreichte, trat Arne an ihn heran. In seinem türkisfarbenen Kurzmantel, der engen Hose und vor allem den weißen Slippern sah der Arzt fast schon ein wenig feminin aus. Unisex, so bezeichnete man diesen Modestil wohl.

»Herr Dr. Zeisig, hätten Sie einen kurzen Moment?«

Zeisig schaute irritiert, vermutlich, weil Arne unangemeldet erschien. »Kennen wir uns?«

»Nein, und ich habe auch keinen Termin, aber ich habe den hier.« Flüchtig hielt er seinen Dienstausweis hoch. »Ich möchte mich mit Ihnen unterhalten.«

Zeisig wechselte seine Aktentasche von einer Hand in die andere, um auf seine Armbanduhr zu schauen. Augenscheinlich kein teures Modell. Demnach schien der Mann weniger eitel als die meisten Ärzte mit gut laufender eigener Praxis, mit denen Arne in seinen Berufsjahren zu tun gehabt hatte. Nach seiner Auffassung sagten Uhren viel über einen Menschen aus. Er selbst trug ein Fünfzig-Euro-Modell eines No-Name-Herstellers, der vor fünf oder sechs Jahren pleitegegangen war.

»Um neun Uhr habe ich den ersten Klienten«, sagte Zeisig und verzog die Mundwinkel. »Ist es denn so dringend?«

»Wenn es nicht dringend wäre, würde ich Sie nicht so früh belästigen. Sie haben sicherlich von der Toten unter der Semperoper gehört. Frau Annalena Winzer war Ihre Patientin.«

»Verstehe.« Zeisig wirkte kaum überrascht. Demnach hatte er Winzers Namen bereits erfahren. Er öffnete die Haustür und deutete mit ausgestrecktem Arm ins Treppenhaus. »Dann unterhalten wir uns besser in meinem Büro.«

Minuten später nahm Arne in einem gemütlichen Sessel Platz und betrachtete neben der Schwarz-Weiß-Fotografie der Dresdner Frauenkirche ein anderes opulentes Wandbild.

»›Der Wanderer über dem Nebelmeer‹«, nannte Arne den Namen des berühmten Gemäldes. »Von wem stammt es doch gleich?«

»Von Caspar David Friedrich, das Original hängt in der Hamburger Kunsthalle.« Zeisig nahm sich auf einmal die Zeit, ihnen beiden einen Kaffee aus einem Vollautomaten zu servieren. »Milch oder Zucker?«

»Viel Milch, viel Zucker.« Irgendwie war Arne fasziniert von dem Bild, zumal auch Kunstwerke einiges über einen Menschen verraten. »Warum haben Sie ausgerechnet dieses Motiv ausgewählt?«

Zeisig servierte den Kaffee, schien dabei nicht besonders glücklich über die Anwesenheit des Kriminalbeamten. Dennoch antwortete er höflich, nachdem er sich ebenfalls hingesetzt und die Beine übereinandergeschlagen hatte. »Das Bild lässt sich natürlich auf vielfältige Weise interpretieren. Mir sagt es, dass man die Dinge von oben betrachten muss, um sie in ihrer Gesamtheit erkennen zu können.«

Arne schnippte mit den Fingern. »Das erinnert mich an den Ausspruch eines wirklich weisen Mannes namens Armakuni: ›Manch einer stellte sich auf den Kopf, um einen anderen Blickwinkel zu bekommen.‹«

Zeisig nickte zwar, schien aber die Bedeutung ebenso wenig zu verstehen wie Arne. »Sie sind sicher nicht hier, um sich mit mir über Kunst oder Philosophie zu unterhalten.«

»Das ist Auslegungssache.« Arne wackelte mit dem Kopf. »Annalena Winzers Mörder hält sich vielleicht auch für einen Künstler oder Philosophen.«

»Wie darf ich das verstehen?«

»Ach, das sind bloß Gedankenspiele meinerseits. Ich habe mir Ihre Vita durchgelesen, demnach haben Sie an der medizinischen Fakultät Leipzig promoviert. Seit mehr als zwanzig Jahren sind Sie als Psychotherapeut tätig, davon seit zwölf Jahren mit eigener Praxis. Ihr Spezialgebiet ist die Paartherapie beziehungsweise Eheberatung.«

»Ich bevorzuge die Bezeichnung ›Coaching in Lebens- und Beziehungsproblemen‹.«

»Das klingt natürlich eleganter. Erhoffte sich Frau Winzer deswegen bei Ihnen Hilfe? Wegen Beziehungsproblemen?«

Zeisig trank vom Kaffee, stellte die Tasse ab und faltete danach die Hände. »Sie wissen, dass ich mich dazu ohne einen Beschluss nicht äußern darf.«

»Kommen Sie, Herr Zeisig, Annalena Winzers Tochter befand sich fast drei volle Tage in der Gewalt eines Wahnsinnigen und nun liegt die Kleine nach einem Unfall mit einem Bus im Krankenhaus. Die Rippenfraktur und den Pneumothorax konnte man sehr gut behandeln, dagegen bereitet den Ärzten das schwere Schädelhirntrauma große Sorge. Ich hätte gestern Abend gern mit Liliana geredet, ihre Hand gedrückt und ihr gute Besserung gewünscht, vielleicht sogar einen Teddy mitgebracht, aber das ging leider nicht, weil sie sich im Koma befindet. Die Mediziner geben ihr eine fünfzigprozentige Chance, dass sie es überlebt. Und Sie verweigern mir eine lächerlich kleine Auskunft. Möchten Sie nicht dazu beitragen, dass die Polizei das Schwein schnappt, das dafür verantwortlich ist?«

Nach einem Moment des Abwägens schaute Zeisig zur Wanduhr. Weil er wohl an seinen Termin dachte, wollte er die Sache jetzt doch schnellstmöglich hinter sich bringen.

»Ja, in Frau Winzers Ehe gab es gewisse Schwierigkeiten, ich würde aber nicht von unlösbaren Problemen sprechen, sondern davon, dass der Alltag die Eheleute auf eine Probe stellte. Frau Winzer wollte an ihrer Beziehung arbeiten und ihr Mann offenbar auch.«

»Ist einer der beiden fremdgegangen?«

Zeisig nickte schwach, ließ sich aber nicht darauf ein, wer von beiden, deshalb musste Arne eine Vermutung aufstellen.

»Gut, da ich bisher davon ausgehe, dass der Mörder sein Opfer sehr genau kannte, tippe ich auf eine Affäre von Annalena Winzer.«

»Bei ihr war es keine Affäre, sondern nach eigener Aussage lediglich ein gelegentliches Beisammensein mit einem Kunstkenner. Die beiden haben sich über ihre Eventagentur kennengelernt.«

»Ist es jemand gewesen, der in der Semperoper arbeitet?«

Zeisig stutzte. »Wie kommen Sie ausgerechnet auf die Oper?«

»Könnte doch mit dem Fundort der Leiche zu tun haben, oder finden Sie nicht?«

»Tut mir leid, dazu hat sie sich nicht geäußert«, blieb der Psychotherapeut eine Antwort schuldig. »Sie sagte nur, der Mann sei recht berühmt, deshalb wollte sie den Namen nicht preisgeben.«

»Und wusste Holger Winzer davon?«

»Ich denke nicht.«

Arne trank seinen Kaffee aus, bevor er auf eine zweite Patientin zu sprechen kam. »Reden wir über Mandy Luppa.«

Wieder sah Zeisig zur Uhr und machte Anstalten aufzustehen. »Muss das wirklich sein? Mein Patient wird gleich klingeln.«

»Weshalb war Frau Luppa bei Ihnen?«

»Spielt sie auch eine Rolle bei Ihren Mordermittlungen? Oder steht sie im Zusammenhang mit der Entführung von Liliana?«

»Wie kommen Sie darauf, dass Liliana entführt wurde?«

»Sie sprachen eben davon, dass sich das Mädchen …«

»… in der Gewalt eines Wahnsinnigen befand«, wiederholte Arne seine eigenen Worte. »Ja, ja … Da Sie es schon ansprechen, Mandy Luppa erzählt überall herum, ihr Kind sei ebenfalls vermisst. Sie hat aber nachweislich kein Kind. Also, was können Sie mir zu ihr sagen?«

»Na schön, aber danach lassen Sie mich bitte arbeiten: Frau Luppa war hier wegen Suchtproblemen und weil sie ihr Leben wieder in den Griff bekommen wollte. Leider kam sie nur zu vier Sitzungen, danach beendete sie die Therapie von sich aus. Was aus ihr geworden ist, weiß ich nicht.«

Es klingelte tatsächlich an der Praxistür, aber Arne ließ sich nicht aus der Ruhe bringen.

»Danke für Ihre Zeit«, sagte er und lächelte. »Übrigens Ihr Name …«

»Was ist damit?«, fragte Zeisig, der bereits aus dem Büro eilen und seinen Besucher hereinlassen wollte.

»Zeisig lässt sich mit dem Beghilos-Alphabet schreiben.«

»Wie bitte?«

»Es ist ein Taschenrechnerwort. Haben Sie früher in der Schule nie Ihren Nachnamen als Zahlenkette in einem Taschenrechner dargestellt?«

»Ja, natürlich, was Ihnen bei Ihrem Namen sicherlich nie gelungen sein dürfte. Es sei denn, Sie hatten in Ihrem Taschenrechner irgendwo ein T und ein R versteckt. Also warum ist das mit diesen Zahlenspielen so wichtig?«

»Ein verstecktes T und ein R für Stiller, sehr genial!« Jetzt erhob sich auch Arne und reichte dem Psychotherapeuten die Hand zur Verabschiedung. »Dann mache ich mich mal auf die Suche.«

Kapitel 49

Mittwoch, 9.30 Uhr

»Nein«, sagte Inge und seufzte noch dazu ins Telefon. »Herr Stiller ist noch nicht auf Arbeit. Seit er ein neues Büro hat, meidet er die Dienststelle, wann immer er kann.«

»Dann schicke ich ihm das Ergebnis eben per Mail«, sagte der LKA-Kollege vom Fachbereich 62 gleichgültig.

»Hat die Auswertung denn etwas gebracht?«

»Kann man so sagen. Wir haben das Drohschreiben zur Sicherheit mit zwei Verfahren behandelt. Zuerst mit Jod und später mit Ninhydrin. Dadurch konnten wir immerhin die latenten Fingerspuren von zwei Personen sichtbar machen.«

»Gibt es Übereinstimmung mit Mario Dellucci?«, wollte sie wissen, denn Arne hatte vom Opernintendanten die Vergleichsfingerabdrücke nehmen lassen.

»Ja, da haben wir einen Treffer.«

Damit hatten Arne und Inge insgeheim gerechnet, denn Dellucci hatte angegeben, das Papier angefasst zu haben. »Und die andere Dakty-Spur?«

»Tja, da gibt es einen wirklich erstklassigen Abdruck, aber leider keinen Treffer im AFIS.«

Er redete vom Automatisierten Fingerabdruckidentifizierungssystem.

»Sende die Unterlagen am besten an mein E-Mail-Postfach«, sagte Inge. »Ich lege meinem Kollegen die Ausdrucke dann sofort hin.«

»Einverstanden, viel Glück bei den weiteren Ermittlungen. Falls ihr noch andere mögliche Verursacher findet, schickt uns deren Fingerabdrücke und wir gleichen sie mit dem vorliegenden Material ab.«

Inge bedankte sich und stellte für sich Vermutungen an, durch wie viele Hände von Opernmitarbeitern der Brief gegangen war, bevor er das LKA erreicht hatte. Nun gut, sollte Arne sich um das Vergleichsmaterial kümmern, denn wie es aussah, war er ja der Außendienstmitarbeiter von ihnen beiden.

Als hätte sie etwas Ungehöriges gesagt und der Teufel jedes Wort verstanden, rief Arne an. Garantiert wollte er ihr noch mehr dringende Aufträge erteilen, dabei hatte sie in den vergangenen zwei Stunden mehr geschafft als andere Kollegen in einer ganzen Woche.

»Kommissariat 11, Büro von Herrn Stiller«, meldete sie sich förmlich.

»Lass den Quatsch, Inge«, brummte er sie an. »Dafür haben wir keine Zeit.«

Wiederholt fragte sie sich, ob ihr Chef grundsätzlich schlechte Laune hatte oder ob das den Umständen geschuldet war. Sie musste schließlich die meiste Zeit in der Kammer, wie er sie nannte, arbeiten, und mittlerweile hatte sie sich so sehr daran gewöhnt, dass sie sich sogar ein bisschen heimisch fühlte. Vielleicht lag es an der Schusterpalme, die sie im Supermarkt gekauft hatte und die kaum Licht brauchte und auch sonst ziemlich pflegeleicht war. Natürlich musste die schwarze Farbe an den Fensterscheiben verschwinden, und die Wände benötigten dringend einen frischen Anstrich, aber das hatte sie ja gleich am ersten Tag beantragt.

»Ich habe dir alles zum gestrigen Unfall geordnet und hingelegt«, teilte sie Arne mit, um ihm zu verdeutlichen, dass sie am Morgen nicht bloß faul auf ihrer ledrigen Haut gelegen hatte. »Bernhard hat sogar die Beziehungen zu seiner ehemaligen Verkehrsinspektion spielen lassen, damit wir ein blitzsauberes Unfallprotokoll bekommen. Liegt alles hier, einschließlich der Aussage eines älteren Mannes, dem das verwahrloste Mädchen aufgefallen war und der Liliana hinterhergerufen hat, sie solle warten. Er schwört hoch und heilig, dass Liliana von Osten kam und Richtung Innenstadt gelaufen ist. Er hat sie etliche Hundert Meter verfolgt, aber sie wollte einfach nicht stehen bleiben.«

»Gut, ja, das hilft uns …«, stammelte er, um sogleich zu seinem stabsmäßigen Ton zurückzukehren. »Aber das kann sie uns vielleicht selbst sagen. Deshalb rufe ich nämlich an. Liliana soll aus dem Koma erwacht sein.«

»Das Krankenhaus hat dich angerufen?«

»Nicht direkt. Die Info hat mir ein Kollege gegeben, der Liliana seit gestern bewacht. Und jetzt rufe ich dich an, weil ich mich mit dir im Klinikum treffen muss.«

»Wieso mit mir?«

»Weil ich mir kaum vorstellen kann, dass die Ärzte mich als Mann zu einem Mädchen lassen, das den Höllentrip ihres Lebens hinter sich hat. Mit einer Kollegin erscheine ich deutlich seriöser, also beeil dich. Ich bin in fünfzehn Minuten dort.«

»Gibt es im Kommissariat eigentlich keine anderen Mitarbeiter, die du herumkommandieren kannst?« Sie wartete keine Antwort ab, weil sie im Prinzip froh war, dass sie gebraucht wurde. Nur seine Art und Weise ging ihr gehörig gegen den Strich. »Wie soll ich denn überhaupt hingelangen? Ich habe keinen Führerschein, wie du weißt.«

»Dann nimm meinetwegen einen Hubschrauber, aber ich brauche dich bei Liliana. Höchstwahrscheinlich wurde ihr Vater längst verständigt. Wenn er vor uns eintrifft, bezweifle ich, dass wir noch die Chance bekommen, uns ungestört mit ihr zu unterhalten. Du weißt, wie irrational Eltern in solchen Situationen reagieren können. Ich will kein Risiko eingehen. Liliana kennt den Täter vermutlich als Einzige.«

Natürlich verstand sie die Dringlichkeit und wie viel von einer Aussage des kindlichen Opfers abhing, deshalb packte sie auch schon hastig ihre Sachen zusammen.

»Ich kann aber nicht behaupten, besonders viel Erfahrung bei der Befragung von Kindern zu haben«, warnte sie ihn.

»Ja, ja, das Reden sollst du auch mir überlassen. Du sollst mir hauptsächlich die penetranten Mediziner und vor allem ihren Vater vom Hals halten.« Weil er wohl selbst merkte, wie seine Äußerungen auf sie wirkten, lenkte er ein. »Keine Sorge, mir ist natürlich bewusst, dass es sich um eine schwer traumatisierte Achtjährige handelt, die weiß Gott mehr durchgemacht hat als jeder andere von uns.«

»Arne«, hielt sie ihn in der Leitung.

»Was ist?«

»Weil du gerade Lilianas Vater erwähntest, ich habe mich bei Mandy Luppas ehemaligen Mitarbeitern umgehört.«

»Ist das jetzt wichtig?«, unterbrach er sie.

»Nun, ich finde, du solltest wissen, dass Holger Winzer und Mandy Luppa sich mehrfach in ihrer Tierarztpraxis getroffen haben. Die Familie Winzer hatte damals einen Spitz, der an einer Bauchspeicheldrüsenentzündung litt.«

»Wann war das?«

»Etwa zu der Zeit, als Frau Winzer therapeutische Hilfe bei Dr. Zeisig in Anspruch genommen hat.«

Kurzzeitig herrschte Stille im Telefon. »Okay, reden wir später darüber.«

»Und noch etwas: Eine von Luppas Angestellten war sich sicher, dass da was zwischen ihrer Chefin und dem Journalisten lief.«

Kapitel 50

Mittwoch, 9.40 Uhr

»Hallo, Frau Luppa!«, kam es von hinten, als Mandy Luppa gerade die Hundezwinger kontrollierte.

Erschrocken wirbelte sie herum. »Mein Gott, haben Sie mich erschreckt!«

»Das wollte ich nicht, Entschuldigung! Schön, dass ich Sie heute wieder treffe.«

Sie stellte den Blecheimer mit den Knochen und Fleischresten neben sich auf den Boden. Hinter ihr jaulte der Irish Red Setter und drückte seinen Schädel gegen die Gitterstäbe, dass es schepperte.

»Ist etwas mit Fee?«, erkundigte sie sich nach der Katze, die der Mann vor anderthalb Wochen geholt hatte. Sein Name fiel ihr momentan nicht ein, aber er stand in den Unterlagen im Büro.

»Fee geht es blendend«, bekräftigte er. »Hier sehen Sie selbst!«

Er hielt ihr ein Handyfoto hin. Darauf erkannte sie eindeutig die getigerte Katze, die jemand einfach in einem Karton vor dem Tierheim ausgesetzt hatte. Auf dem Bild schmiegte sich das Tier in den Schoß eines Mädchens. Allerdings war der Kopf des

Kindes auf dem Foto abgeschnitten, man erkannte lediglich die Spitzen der schwarzen Haarsträhnen.

»Meine Nichte ist ganz vernarrt in das süße Kätzchen«, erklärte er.

»Offensichtlich fühlt sich auch Fee bei ihr wohl«, schätzte Mandy es ein.

»Ich kenne mich mit Tieren bestens aus. Das hatte ich Ihnen ja gesagt. Meine Eltern hatten früher auf ihrem Bauernhof eine ähnliche Hauskatze, wissen Sie?«

»Ja, das erwähnten Sie beim letzten Mal bereits. Weshalb sind Sie heute hier?«

Im ersten Moment wirkte der Mann immer unnahbar und pedantisch, was sich vor allem dadurch ausdrückte, dass er mehrfach an seinem Mantelkragen und den Hemdärmeln herumzupfte, damit ja alles korrekt saß. Anfangs dachte Mandy, er sei irgendwie nervös, aber das Gegenteil war der Fall, er war selbstbewusst und bestimmend. Sobald er lächelte, strahlte er etwas Gewinnendes aus. Wie ein echter Tierfreund eben.

»Ich möchte gern eine zweite Katze aufnehmen, sozusagen als Gesellschaft für Fee.«

»Das kommt überraschend.«

»Haben Sie eine da mit ähnlicher Fellfärbung?«

»Bestimmt, wir können sie uns ansehen.«

»Wunderbar, ich würde sie gleich heute mitnehmen.« Er deutete zu seinem geparkten Wagen. »Eine Transportbox habe ich dabei.«

»Finden Sie nicht, Sie überstürzen das ein bisschen?«

»Nein, wieso? Fee und ich haben uns auch auf Anhieb verstanden. Falls die neue Katze ein Problemfall sein sollte, umso besser. Ich liebe Herausforderungen, und für solche Tiere findet sich in aller Regel schwerlich ein Besitzer, oder wie ist Ihre Erfahrung als Tierpflegerin?«

Mandy nickte und ging mit ihm zu den Käfigen, wo derzeit sechsunddreißig Hauskatzen auf ein neues Zuhause warteten. Auf dem Weg dorthin summte der Mann eine Melodie. Er unterbrach sich, als sie ihn von der Seite anschaute.

»Ist irgendwas?«

»Nein«, beeilte sie sich zu sagen und überspielte ihre Unsicherheit mit einem Lächeln. »Wie wäre es mit der dort?«

Die Katze, auf die sie zeigte, war deutlich älter als diejenige, die er sich beim letzten Mal ausgesucht hatte, aber er schien zufrieden mit ihrem Vorschlag.

»Perfekt«, sagte er. »Sie hat so ein leichtes Grinsen, wie eine Grinsekatze. Wie heißt sie?«

»Mona.«

»Mona, wie Mona Lisa. Hach, wie dumm von mir! Sie grinst nicht, sie lächelt wie die berühmte Dame auf Leonardo da Vincis Gemälde.«

»Deshalb trägt sie den Namen.«

Mandy schloss den Käfig auf, damit er sich der Katze nähern konnte. Mona war ein pflegeleichtes, liebes Tier, deshalb verwunderte es Mandy nicht, dass sie sich von dem Fremden bereitwillig streicheln ließ und sogar schnurrte.

»Demnächst müssen Sie die beiden unbedingt bei mir besuchen und sich nach ihrem Wohlbefinden erkundigen«, sagte er. »Das ist doch so üblich bei Tierheimen, nicht wahr?«

»Bisher habe ich es nicht geschafft. Meine Arbeitskollegin ist krank.«

»Kein Wunder, bei diesem Herbstwetter holt man sich leicht einen Schnupfen. Ob wir dieses Jahr zeitig Schnee bekommen?«

Sie zuckte mit den Schultern. »Ich verspreche, bald nach den Katzen zu sehen.«

Er zwinkerte ihr zu. »Machen Sie die Papiere fertig.«

»Okay, wie war gleich Ihr Name?«

»Tännert. Ulrich Tännert.«

Normalerweise dauerte die Vermittlung eines Heimtiers Stunden oder sogar Tage, aber in diesem Fall fuhr der Mann nach weniger als zwanzig Minuten vom Hof. Mandy überlegte, ob sie das Richtige getan hatte, denn bei der Melodie hatte sie schon ein komisches Gefühl verspürt. Sie fragte sich, ob sie den Kommissar anrufen und von dem Mann erzählen sollte. Aber Daniel hatte ihr die Visitenkarte des Kommissars weggenommen und in der Telefonliste ihres Handys nachgesehen, ob sich darunter die Nummer einer Polizeidienststelle befand.

»Kein Wort zur Polizei«, hatte er sie ermahnt. »Oder du bekommst keine Tabletten mehr. Du weißt schon, die Dinger, mit denen es dir besser geht. Und wir beide wollen doch, dass es dir besser geht, oder nicht?«

Das hatte sie bejaht. Ohne die Tabletten hätte sie ihrem Leben vermutlich längst ein Ende gesetzt.

Kapitel 51

Mittwoch, 10.15 Uhr

Mit einer Zigarette zwischen den Fingern lief Arne ungeduldig vor dem Krankenhaus hin und her. Immer wieder schaute er zur Bushaltestelle an der Blasewitzer Straße, denn dort würde Inge unweigerlich aussteigen, wenn sie die Linie nahe der Direktion nahm.

»Mit ihrem Mundwerk ist die Dame eindeutig schneller als mit ihren Beinen«, murmelte er; dann vernahm er plötzlich seinen Namen.

»Hier steckst du, wir suchen dich schon die ganze Zeit!«

Überrascht schwang er herum. Nicht nur Inge kam ihm entgegen, sondern auch ihr gemeinsamer Kommissariatsleiter.

»Was macht er denn hier?«, wollte Arne wissen, dabei stellte er die Frage absichtlich an Inge, weil er wusste, wie sehr das Bernhard auf die Palme brachte.

»Du sagtest, ich soll herkommen«, antwortete sie. »Hier bin ich, samt meinem Chauffeur. Herr Hoheneck war so freundlich.«

»Als Frau Allhammer mir von deinem Anruf erzählt hat, konnte ich sie unmöglich zu Fuß gehen lassen«, erklärte

Bernhard. »Also habe ich sie hergefahren. Und übrigens, du brauchst nicht so zu tun, als wäre ich nicht anwesend.«

»Solltest du aber eigentlich nicht sein, denn ich kann mich nicht erinnern, dass du dich früher um Sachverhalte mit Kindern gerissen hättest.«

»Tja, und du solltest dich damit abfinden, dass sich während deiner Abwesenheit nicht nur personell einiges verändert hat«, konterte Bernhard und schaute abwechselnd zu Arne und Inge, weil die neue Kollegin die Auseinandersetzung wohl besser nicht mitbekommen hätte. »Ich mache mir ernsthaft Sorgen um die Kleine. Hat sie schon was gesagt?«

»Nicht zu mir«, gab Arne wahrheitsgemäß Auskunft, denn bisher hatte er sich noch keine offizielle Bestätigung eines Arztes eingeholt. »Ich weiß nur, dass Holger Winzer kurz vor mir eingetroffen ist und sofort zu ihr durfte. Das wird keine einfache Sache, deshalb bin ich gereizt.«

»Was den Drohbrief gegen Mario Dellucci angeht, ist das LKA übrigens fündig geworden«, informierte Inge ihn. »Wir haben den Fingerabdruck einer fremden Person. Jetzt müssen wir diese nur noch finden.«

Beim Ausfüllen des Untersuchungsantrags hatte Arne noch im Stillen darum gebetet, einen Treffer zu landen, den man zuordnen konnte, aber in der Praxis stellte sich die Beweisführung immer als schwieriger heraus. Deshalb ließ er sich davon nicht entmutigen, sondern hatte für den Fall eines Teilerfolgs vorgesorgt.

»Das ist endlich eine gute Neuigkeit.« Er griff in seinen Mantel und hielt kurz darauf ein durchsichtiges Tütchen hoch. »Dann kann ich den ja zur Untersuchung ins LKA bringen.«

»Was denn, ist da etwa ein neues Musikstück drauf?«, fragte sie, als sie den darin befindlichen USB-Stick betrachtete.

»Die enthaltenen Daten interessieren mich nicht. Entscheidend ist nur, dass wir auf dem Gehäuse einen sauberen Fingerabdruck von Christian Huss finden.«

»Wieso ausgerechnet Christian Huss?«, wollte Bernhard wissen. »Und wie bist du überhaupt an das Ding herangekommen?«

»Habe ich bei seiner Befragung mitgehen lassen.«

»Arne, so arbeiten wir nicht!«

»Du nicht. Du hast ja auch verlernt, wie man komplizierte Mordfälle aufklärt.«

»Hier«, mischte Inge sich ein, wohl um die Situation zu entschärfen. Aus ihrer Handtasche zog sie eine Akte. »Um die hattest du gebeten.«

»Was ist denn das für eine Akte?«, kam es nach dem Vorwurf ziemlich zerknirscht von Bernhard.

»Bloß ein alter Verkehrsunfall«, sagte Arne, der ihr die Mappe aus den Händen nahm und einen flüchtigen Blick hinein auf das Deckblatt warf.

»Aha, und geht es ein bisschen genauer?«, brummte Bernhard. »Ich halte deine Geheimniskrämerei für reichlich überzogen.«

»Unfallverursacher war damals ein gewisser Dr. Andreas Zeisig.«

»Was willst du denn von dem?«

»Nun, ich will einfach mehr über ihn wissen.« Arne hob eine Augenbraue. »Kennst du ihn zufällig?«

»An den Namen kann ich mich nicht erinnern. Aber ich möchte trotzdem gern wissen, was das mit dem aktuellen Fall zu tun hat.«

Arne klemmte die Akte unter den Arm und hob das Kinn. »Wenn ich mir darüber selbst im Klaren bin, erfährst du es als Erster, einverstanden?« Damit gab er Inge ein Zeichen und stiefelte los.

»Machen Sie sich nichts draus«, wandte sie sich an Bernhard, der ebenfalls folgte. »Mir erzählt er auch nicht alles.«

Auf der Intensivstation begegneten sie als Erstes Lilianas Vater, der kalkweiß wie ein Geist durch die Gänge wandelte.

»Herr Winzer«, sprach Arne ihn an, doch der Journalist reagierte nicht. Von dem einst so stolzen und selbstbewussten Mann fehlte jegliche Spur, und das lag nicht nur an den tiefdunklen Augenringen, dem wilden Bartwuchs und dem ungewaschenen Hemdkragen. »Herr Winzer, ich bin es, Arne Stiller.«

»Sie sagte, er hat die Katze getötet ...« Er stammelte den Satz bloß.

Sogleich erinnerte Arne sich an die Leichenschau in der Rechtsmedizin, bei der Dr. Schweitzer Katzenhaare entdeckt hatte. Vielleicht ergab sich jetzt endlich ein Zusammenhang. Doch dazu brauchte es konkrete Angaben von Liliana.

»Wie geht es ihr?«, fragte er behutsam.

»Sie hat eine Art Muskelkrampf bekommen und will nicht mit mir reden.«

»Das verstehe ich, sie braucht Zeit.«

»Nein, Sie verstehen gar nichts! Sie erkennt mich nicht mehr. Und jetzt hat die behandelnde Psychologin gemeint, ich sollte besser gehen, man würde mich anrufen, wenn Lili stabiler ist.«

»Meine Kollegin ist auf traumatisierte Kinder spezialisiert«, log Arne, weil er glaubte, dass das den Familienvater beruhigen könnte, aber Inge spielte nicht mit.

»Als spezialisiert würde ich das nicht bezeichnen«, blieb sie im Gegensatz zu ihm bei der Wahrheit. »Ich habe nur einen erwachsenen Sohn, der sich kaum noch bei seiner Mutter blicken lässt.«

»Wie dem auch sei«, übernahm Arne wieder, bevor Winzer sich sammeln konnte. »Wir müssen mit Liliana reden. Sie kennt als Einzige den Täter, also brauchen wir dringend ihre Aussage, auch wenn sie ein Kind ist.«

»Sie ist aber nicht mehr mein Kind«, redete Winzer und stierte umher, als würde er mit den Wänden reden. »Ich habe meine Familie verloren …«

»Was erzählen Sie denn da für einen Unfug?«, fuhr Inge ihn an, aber er bekam das offenbar gar nicht mehr mit, denn er trat zwischen ihnen hindurch und machte kurze, schwunglose Schritte hin zum Ausgang. Sie rief ihm hinterher. »Bei allem Verständnis für Ihre Trauer, aber Sie sollten jetzt nicht aufgeben, Ihrer Tochter zuliebe.«

»… alles verloren«, hörte Arne ihn noch reden, bevor er entschwand.

»Das hast du ja prima hinbekommen.« Damit suchte er in Inge eine Schuldige.

»Wieso, weil ich ihn in seinem Schmerz nicht auch noch anlügen wollte?«

»Manchmal ist eine Lüge die einzig richtige Entscheidung, die wir treffen können.«

»Sagt wer, Armakuni?«

Auch Bernhard schüttelte über Arnes Verhalten nur den Kopf, woraufhin der sich einen weiteren Kommentar ersparte und mit dem Daumen den Flur entlang zeigte. »Na los, geh ihm hinterher und bring ihn zur Vernunft. Wir brauchen ihn noch.«

Inge rollte mit den Augen, stiefelte dem Vater aber letztlich anstandslos hinterher.

Genervt boxte Arne gegen die Unfallakte. »Wie ich die hiesigen Ärzte kenne, wird man uns auch nicht zu Liliana lassen.«

»Ich versuche, das mit dem Oberarzt zu klären«, bot Bernhard an. »Okay?«

Arne nickte bloß und überdachte die nächsten Schritte.

Kapitel 52

Mittwoch, 11.25 Uhr

Mit seinem Geländewagen fuhr er durch die Randbezirke von Dresden. Auf einer Stadtkarte hatte er sich Grundschulen, Einkaufszentren und öffentliche Plätze markiert. Obwohl er hier geboren war und sich entsprechend in der Stadt auskannte, merkte er schnell, wie viele Örtlichkeiten er nie zuvor gesehen hatte. Doch für Sightseeing interessierte er sich heute ohnehin nicht. Er beobachtete gezielt Mütter mit ihren Töchtern. Selbstverständlich hatte er sich auch auf dem Krankenhausgelände umgesehen, schon allein, weil er wissen musste, wie das Befinden seines entlaufenen Kindchens war. Es ging dem Mädchen wohl nicht so gut. Egal in welchem Zustand Liliana aus dem Koma erwachte, er musste sich dringend um Ersatz für sie kümmern, wobei es keinen gleichwertigen Ersatz für sie gab. Das Kind musste lange schwarze Haare haben, durfte nicht zu dick und vor allem nicht zu alt sein. Auf die Augenfarbe legte er keinen Wert mehr, und auch sonst war er nicht mehr allzu wählerisch. Liliana Winzer war perfekt gewesen, sie hatte sogar die gleiche Nasen- und Lippenform wie seine Stiefschwester. Und ein bisschen hochnäsig wie Diana hatte die Achtjährige auch gesprochen. Rein von der Wahrscheinlichkeit her standen seine Chancen gut, dass das nächste Kind ebenfalls rehbraune Augen besaß. Aber dafür musste er überhaupt erst einmal eine Mutter mit ihrer Tochter finden, die er mitten am Tag unbemerkt überwältigen konnte.

Als er schon aufgeben wollte, entdeckte er sie schließlich in Bühlau an der Schwimmhalle: eine Mutter, die mit ihrer Tochter über den Parkplatz schlenderte. Der Ort war nahezu optimal für sein Vorhaben, denn die Halle befand sich auf einem alten Straßenbahngelände, und die Frau hatte ihren Wagen etwas versteckt zwischen den Gebäuden geparkt, unmittelbar an einem Stadtwald.

Jetzt musste er nur noch die Umgebung beobachten und bei passender Gelegenheit zuschlagen.

»Ihr beiden haltet so süß Händchen«, sagte er zu sich selbst.

Bis zum Eingang waren es einige Meter, deshalb achtete die Mutter darauf, dass ihr Kind eine Wollmütze aufsetzte und sich einen Schal umband. Dazu trug das Mädchen einen unauffälligen blauen Anorak. Die Mutter war keine Schönheit, verglichen mit Annalena Winzer, und es spielte auch keine Rolle mehr, ob sie jemals in psychologischer Betreuung gewesen war. Das Kleid, das in seinem Kofferraum lag, sollte ihr passen. Rein von ihrer Körperstatur her würde sie ihm nichts entgegenzusetzen haben. Sie war eher schmächtig, hatte hagere Wangen. Drahtig, so stellte er sie sich nackt vor. Wenn sie hier regelmäßig schwimmen ging, war sie vermutlich sportlich und entsprechend akrobatisch, aber das stellte für ihn kein Problem dar. Er konnte kompromisslos, schnell und überaus brutal zuschlagen. Zuletzt hatte er das bei Annalena bewiesen. Auch diesmal würde er die Fremde dazu bringen, sich sein Kleidungsgeschenk anzuziehen, und dann würde er sie auffordern, sich umzudrehen, damit er den Reißverschluss am Rücken schließen konnte. Bei Annalena hatte es perfekt funktioniert. Was Mütter nicht alles taten, sobald man das Leben ihrer Kinder bedrohte! Willenlos war sie vor seinem Messer herstolziert. In hohen Schuhen, die Stufen der Wendeltreppe in die Katakomben hinab. Dort hatte er ein letztes Mal den richtigen Sitz des Kleides geprüft. Dabei hatte er ihr den Strick von hinten um den Hals gelegt.

All das spielte er gedanklich durch, während er im Auto saß und wartete, bis die beiden verschwunden waren. Er schaute auf seine Uhr, rechnete für sich aus, wie lange das Schwimmen dauern würde. Schlussendlich lag er mit seiner Schätzung gar nicht einmal so schlecht.

Nach einer Stunde und sieben Minuten tauchten die beiden mit nassen Haaren auf und liefen zum Wagen der Mutter. Ein alter Suzuki, neben dem jetzt sein Geländewagen stand. Er hatte alles vorbereitet. Er packte die mauzende Katze am Fell, wickelte sie in eine Jacke ein, sodass nur noch der Kopf herausschaute, und trat aus seinem Versteck. Dann näherte er sich der Frau und dem Kind unbemerkt.

»Hallo Sie!«, rief er nur Sekunden später.

Beide drehten sich um, die Mutter zog ihre Tochter zu sich.

»Was ist?«, fragte die Frau, weil er nicht weitersprach, stattdessen wie ein Angetrunkener auf sie zukam.

Dabei wollte er gar nicht bedrohlich wirken, sondern lediglich ein wenig abgehetzt. Er hatte sich extra das Gewand eines Geistlichen angezogen – einen schwarzen Talar.

»Ich habe eben dieses angefahrene Kätzchen am Straßenrand gefunden«, erklärte er, als er kaum mehr als zwei Meter von den beiden entfernt stehen blieb.

»Oh, wie süß!«, säuselte das Kind, woraufhin er ihm ein Lächeln schenkte.

»Jetzt wollte ich in der Schwimmhalle einen Tierarzt oder die Polizei verständigen lassen.« Mit der freien Hand klopfte er gegen sein Gewand. »Ausgerechnet heute habe ich kein Handy mit. Haben Sie zufällig ein Mobiltelefon dabei?«

»Ja, sicher«, sagte die Mutter, ließ ihre Tochter los und kramte in der Sporttasche mit den Handtüchern und Badeanzügen.

»Ich glaube, dieses kleine Gottesgeschöpf hat sich ein Bein gebrochen«, redete er weiter, um das Gespräch am Laufen zu halten, während er die Katze heimlich kniff, damit sie elendig miaute. »Steht Ihr Wagen hier in der Nähe, dann könnten wir die Katze auf dem Sitz absetzen.«

»Ich weiß nicht …« Sie hatte ihr Handy gefunden.

»Schlimm, wenn es ein Autofahrer war, der einfach abgehauen ist.«

»Das arme Kätzchen«, kam es wieder von dem Kind, dessen Alter er auf acht Jahre schätzte. Sie zeigte auf den Suzuki. »Unser Auto steht dort.«

»Wie alt bist du denn, mein Liebes?«

»Acht«, kam es stolz. »Aber in zwei Monaten werde ich neun.«

»Mit acht kannst du bestimmt auf die Katze aufpassen.« Er drückte dem Mädchen das Tier samt der Jacke in die Arme. »Vorsichtig! Setz dich ruhig schon mal mit ihr ins Auto.«

Das tat die Kleine, nachdem ihre Mutter den Wagen entriegelt hatte. Das Mädchen musste nicht mit ansehen, wie er ihre Mutter hinter seinen Geländewagen lockte.

Kapitel 53

Mittwoch, 12.25 Uhr

Nach dem Besuch im Krankenhaus war Arne noch weitaus angespannter als am Morgen. Pausenlos griff er zur Zigarette. Um Liliana stand es schlecht, das hatte Bernhard immerhin herausbekommen, bevor er sich wegen dringender Angelegenheiten verabschiedet hatte. Aktuell konnten sie in der Klinik nichts ausrichten. Zwar war Liliana aus dem Koma aufgewacht, aber ihre physischen Werte waren in einem desolaten Zustand. Ihr Herz-Kreislauf-System arbeitete nicht zufriedenstellend, musste sogar mit starken Medikamenten aufrechterhalten werden. Die Polizei durfte keinesfalls mit dem Mädchen reden. Heute nicht und vermutlich auch nicht in absehbarer Zeit.

»Scheiße, dieser Job geht an die Substanz«, sagte Arne laut vor sich hin, um sich Luft zu machen. Er trat seine Kippe aus und öffnete die Tür in die Semperoper.

So oft wie in den letzten Tagen war er zuvor in seinem gesamten Leben nicht hier gewesen. Wieder vernahm er die düsteren Klänge des »Feurigen Engels«, als er nach einem kurzen Gespräch mit einem Angestellten am Portal durch einen Seiteneingang den Saal betrat. Im ersten Moment wirkte die

Stimmung seltsam bedrückend auf ihn, weil, anders als bei den Abendvorstellungen, sämtliche Sitzreihen leer waren.

Ob er sich damit Freunde machte oder nicht, war ihm gleichgültig, als er mitten in die Probe für die Oper platzte. Dank seines überraschenden Auftauchens bekam er mit, wie der Chefdirigent unwirsch unterbrach und eine Violinistin anfauchte, dass sie den Einsatz verpasst habe. Einer der Blechbläser musste sich ebenfalls ein paar deftige Kommentare gefallen lassen, weil er das Tempo verschleppt habe. So gesehen kam Arne den beiden Musikern zu Hilfe, indem er von der Mitte des Saals aus lautstark klatschte.

»Herr Stiller!«, rief Vincent Ludwig, der auf seinem Dirigentenpult herumgefahren war und über die Brüstung spähte. »Was verschafft uns heute die Ehre?«

»Ich wollte eigentlich zu Herrn Dellucci, aber mir wurde gesagt, dass er heute später eintrifft.«

»Gleitende Arbeitszeiten sind in unserem Haus üblich. Tut mir leid, dass Sie umsonst hergekommen sind.«

»Ja, das ist etwas bedauerlich, wo ich doch Fortschritte mache.«

»Wie dürfen wir das verstehen?«

Auch wenn die volle Aufmerksamkeit der Sänger und Orchestermusiker auf Arne gerichtet und er es nicht gewohnt war, vor so viel Publikum zu sprechen, nutzte er die einmalige Gelegenheit, die sich ihm bot. »Ich rede von dem Drohschreiben gegen Herrn Dellucci. Ich stehe kurz davor, jemanden aus Ihrem Kreis festzunehmen. Mir fehlen lediglich ein paar letzte Angaben des Intendanten.«

Das war zwar eine glatte Lüge, aber die plötzliche Unruhe verdeutlichte ihm, wie wirkungsvoll seine Aussage einschlug. Sämtliche Anwesenden tuschelten plötzlich mit ihren Nachbarn. Allen voran Ritter Ruprecht, alias Lennard Johannson; er flüsterte seiner Renata etwas ins Ohr, ehe er wie ein trotziger Junge von der Bühne verschwand.

»Wie gesagt, versuchen Sie es später noch einmal«, sagte Ludwig und wandte sich wieder der Bühne zu.

Arne trat nach vorn. »Vielleicht dürfte ich Sie stattdessen kurz sprechen, Herr Ludwig?«

Ludwig fuhr abermals herum, zeigte auf sich selbst und strich sich dann fahrig durch das ohnehin schon zerzauste Haar. Anders als bei der Aufführung, die Arne sich mit Inge angesehen hatte, trug er heute keinen Frack, sondern Jeans und ein legeres Hemd. »Meinetwegen, wir machen Pause.«

Es folgte eine spürbare Erleichterung beim Ensemble. Sänger und Musiker verließen ihre Plätze. Ludwig legte die Arme auf die Brüstung und wartete gar nicht erst ab, dass Arne sein Anliegen vortrug.

»Sie sorgen derzeit für mächtig Wirbel«, sagte er hörbar missgestimmt.

»Sie meinen, weil meine Anwesenheit einige Leute nervös macht?«

»Ich meine, die Sache mit dem Drohschreiben hat sich inzwischen herumgesprochen und nun gibt jeder dem anderen die Schuld. Sie können sich vorstellen, wie negativ sich das auf die Leistung der Künstler auswirkt.«

»Von der Seite habe ich das noch gar nicht betrachtet.«

Ludwig schnaubte. »Jetzt hat sich schon der erste Sänger krankgemeldet, Ruben Menasse, der den Faust spielt.«

Arne rief sich das Bild des kräftigen Baritons vor Augen. »Welch ein Glück für mich, dass ich mich bereits mit Herrn Menasse unterhalten habe. Er und Lennard Johannson verstehen sich nicht besonders gut. Ich nehme an, da läuft etwas zwischen den beiden und Herrn Dellucci in verschiedene Richtungen.«

»Das geht mich nichts an«, erwiderte Ludwig, was aber definitiv gelogen war, wie Arne in seinem Gesicht lesen konnte.

Mit einem Lächeln schob Arne das Thema beiseite. »Aber darüber wollte ich sowieso nicht mit Ihnen sprechen …«

»Hören Sie, die Sache mit den Drogen lässt mir keine Ruhe«, ging Ludwig unerwartet in die Offensive. »Nach unserem letzten Gespräch habe ich über Ihre Fragen nachgedacht. Ja, ich hatte vor Jahren ein kleines Problem, aber das war in einer schwierigen Lebensphase, als ich glaubte, meinem Beruf als Dirigent nicht gerecht werden zu können. Ich dachte, ich könnte dem Publikum nicht das bieten, was es von der Semperoper erwartet. Verstehen Sie, mein Anspruch und meine Fähigkeiten kollidierten miteinander, so möchte ich es beschreiben. Aber diese Sinnkrise habe ich längst überwunden.«

Er erzählte noch mehr zu seiner persönlichen Entwicklung und Arne ließ ihn ausreden.

»Sind Sie fertig?«, fragte er irgendwann.

»Ich dachte, das wollten Sie hören.«

»Ihre Ehrlichkeit werde ich positiv in meinen Akten vermerken. Eine andere Sache interessiert mich aktuell deutlich mehr: Christian Huss.«

»Nicht schon wieder!«

»Gibt es eigentlich irgendwelche Beweise für Ihre Anschuldigungen gegen ihn?«

»Beweise?« Ludwig wirkte genervt von dem Plagiatsthema. »Fragen Sie doch mal Katharina Sorokin, die alte Diva. Sie hat mit den Gerüchten angefangen, woraufhin ich Musikstücke von Christian mit Werken anderer Künstler verglichen habe. Da gab es etliche Übereinstimmungen. Leider reichten meine Entdeckungen nicht aus, um Christian eindeutig des Diebstahls geistigen Eigentums zu überführen. Inzwischen interessiert mich das nicht mehr. Mit Mario Dellucci habe ich mich in zahlreichen Gesprächen über seinen ehemaligen Chefdirigenten unterhalten. Er hat mir jedenfalls recht gegeben, das ist eine Art Genugtuung für mich.«

»Apropos Herr Dellucci! Wissen Sie zufällig, wo ich ihn antreffen kann?«

Ludwig brauchte einen Moment, bis er verstand. »Sie meinen jetzt?«

Arne nickte.

»Ich nehme an, er ist zu Hause.«

»Gut, dann werde ich ihn dort besuchen.«

Kapitel 54

Mittwoch, 13.00 Uhr

Er war ganz und gar nicht zufrieden mit seiner Auswahl. Das Mädchen mit dem Namen Antonia hatte deutlich mehr Makel als von ihm ursprünglich eingeschätzt. Ihr linker Fuß zeigte eine leichte Fehlstellung nach innen und ihre Zähne waren gräulich verfärbt – vermutlich von früherer Antibiotikaeinnahme. Eine Sekretärin hatte einmal darüber geredet, nachdem sie mit ihrem Kind beim Zahnarzt gewesen war und der Mediziner als Ursache für graue Zähne eben Antibiotika genannt hatte.

Außerdem heulte Antonia die ganze Zeit. Die Matratze des Bettchens, das er gestern noch mitten in der Nacht repariert hatte, stank jetzt fürchterlich nach Urin, weil sie sich eingepullert hatte. Kaum zu glauben, dass sie fast neun war.

Als er sie aufgefordert hatte, ihr Hemdchen hochzuziehen, damit er ein Zahlenrätsel auf ihren Bauch schreiben konnte, hatte sie die Arme bockig um ihren Oberkörper geschlungen und mit den Beinen gestrampelt. Ihm war nichts anderes übrig geblieben, als sie mehrfach mit der flachen Hand zu schlagen. Das hatte geholfen. Irgendwann hatte sie sich nicht mehr gegen den Stift und die Zahlen gewehrt.

»Deine Mutter ist eine undankbare Schlampe, die dich im Stich gelassen hat!«, hatte er sie angeschrien. »Verstehst du, was eine Schlampe ist? Ein Flittchen, ein mieses Stück Scheiße!«

Dass ihre Mutter in ihrem eigenen Blut hinter der Schwimmhalle lag, hatte er Antonia bisher verschwiegen. Die Frau war genauso störrisch gewesen wie ihr Gör. Sie hatte ihm doch tatsächlich ihren Ellenbogen in die Rippen gerammt, als er ihr während des Anrufs beim Tierarzt das Tuch mit dem Chloroform ins Gesicht gedrückt hatte. Urplötzlich hatte sie auch noch ein K.-o.-Spray in der Hand gehalten. Da hatte er rotgesehen. Er hatte sie am Hinterkopf gepackt und mit der Schläfe gegen die C-Säule des Geländewagens gehämmert. Jetzt befand sich eine Delle in der Karosserie, aber um diese zu erkennen, bedurfte es des richtigen Lichteinfalls.

Den Schaden am Wagen konnte man später reparieren. Der Schädel von Antonias Mutter würde dagegen nie wieder heil werden. Bei dem einen Stoß war es nämlich nicht geblieben. Nachdem sie zu Boden gegangen war, hatte er ihr blind vor Wut noch mehrmals gegen Stirn, Kinn und Kehlkopf getreten. Irgendwann hatte sie nur noch still dagelegen, weder geröchelt noch gezuckt. Aufgrund des vielen Bluts hatte er ihren Körper ins Gebüsch gezogen statt ihn in den Kofferraum zu legen.

»Verflucht!«, zürnte er, weil seine sorgfältige Planung gründlich schieflief und das Mädchen die ganze Zeit jammerte. »Würdest du gefälligst deinen Mund halten und das Rätsel lösen, das ich dir gegeben habe?«

»Ich will zu meiner Mama und meinem Papa.«

Einen Papa gab es auch noch. Er wohnte in Neustadt, zumindest wenn er und die Kindsmutter noch zusammenlebten. Heutzutage konnte man das ja nie wissen. Dauernd trennten sich Eltern, er konnte ein Lied davon singen. Vorsorglich hatte er den Ausweis der Toten eingesteckt. Bald würden die

Radiosender von einer weiteren vermissten Mutter mit ihrer Tochter berichten.

»Ich muss jetzt zur Arbeit«, sagte er und spähte durch die Gitterstäbe. »Wenn ich wiederkomme, möchte ich von dir die Lösung wissen, kapiert?«

»Nein, das kann ich nicht!«, protestierte die Kleine.

»So, du kannst das also nicht. Dann werde ich das Licht ausschalten, wenn ich gehe, und es ist ganz fürchterlich dunkel hier drin. Du weißt doch hoffentlich, was im Dunkeln passiert: Dann kommen die Monster aus dem Boden und den Wänden.«

Jetzt weinte sie noch heftiger, winkelte die Beine noch stärker an und schlug sich die Hände vors Gesicht. »Nein, nein, nein! Mama, Mama …«

Nein, dieser Balg würde das Rätsel auf seinem Bauch noch weniger lösen können als Liliana. Selbst wenn er einfache Zahlen nehmen würde. »So wird das nichts! Deine Mutter wird dich niemals mehr als ihre geliebte Tochter erkennen. Hörst du? Sie wird dich auslachen und mich gleich mit.«

Verärgert erhob er sich und ging zur Tür. Dort verharrte seine Hand über dem Lichtschalter. Für einige Augenblicke stellte er sich vor, wie er zurück zum Bett rannte und willkürlich mit den Fäusten auf das Kind einschlug, damit es endlich Ruhe gab. Doch er durfte jetzt unter keinen Umständen die Nerven verlieren. Deshalb atmete er einmal tief durch, nahm Haltung an und schaltete die Deckenlampe nicht aus, sondern schloss einfach die Tür hinter sich. Das Kind hatte auch so genügend Angst. Und das eigentliche Ungeheuer erwartete sie erst morgen.

Kapitel 55

Mittwoch, 13.10 Uhr

Obwohl sie seit mehr als zwei Stunden im Wartebereich der Intensivstation ausharrte, konnte Inge den typischen Geruch nach Desinfektions- und Reinigungsmitteln noch immer kaum ertragen. Als Kind war sie häufig krank gewesen und hatte viele Medikamente nehmen müssen. Kein Wunder, dass sie abhängig geworden war, dachte sie sich. Und in den Zeiten ihrer Alkoholexzesse, während derer sie sich und ihre Umwelt gehasst hatte, war sie insgesamt drei Mal in der Notaufnahme gelandet. Drei Mal hatten die Ärzte sie zurück ins Leben geholt, wie einen Zombie, dessen Herz eigentlich längst nicht mehr schlug, der sich aber beharrlich weigerte, zu sterben. Ein viertes Mal wollte sie sich trotzdem nicht auf ihren Schutzengel verlassen. Auf einen Schutzengel, den es zweifellos gab, der aber sicherlich Besseres zu tun hatte, als einer Trinkerin zuzusehen, die noch Gas gab, wenn das Ende der Strecke längst erreicht war.

»Ein Engel«, murmelte sie vor sich hin beim Gedanken an die Oper und ihren neuen Kollegen, der alles andere als ein Engel war.

»Haben Sie etwas gesagt?«, fragte Holger Winzer, den sie zum Bleiben im Klinikum überredet hatte, denn falls sich doch noch die Gelegenheit ergab, wenigstens ein oder zwei Minuten mit Liliana zu reden, wollte sie ihn nicht allein an das Bettchen des Mädchens treten lassen.

Auf seine Frage hin schüttelte sie bloß den Kopf, als wäre nichts gewesen. Schließlich bemerkte sie, dass Winzer sie auffordernd anblickte, als erwartete er irgendeine positive Bemerkung von ihr. Weil nichts dergleichen von ihr kam, versank er wieder in Trauer. In all ihren Dienstjahren hatte sie viele Menschen ähnlich niedergeschlagen, sogar regelrecht verzweifelt erlebt. So bedauerlich es war, dadurch ergaben sich für die Polizei auch Möglichkeiten. Obwohl sie sich nicht für eine Fachfrau für Vernehmungstechniken hielt, nutzte sie den Moment, um Winzer zu überraschen.

»Mandy Luppa«, sagte sie, woraufhin Winzer sofort aufschaute und ihm der Mund ein wenig offen stehen blieb.

»Von wem reden Sie?«, fragte er, nachdem er sich gesammelt hatte.

»Sie wissen, von wem ich rede.«

Jetzt drehte er sich sogar zum Fenster, weil er ihr wohl angesichts dieses Vorwurfs nicht länger ins Gesicht blicken konnte. »Keine Ahnung, was Sie bezwecken, aber ich glaube kaum, dass dafür …«

»Was? Der richtige Zeitpunkt ist?« Sie stellte sich ihm in den Weg, weil er sich erhoben hatte und im Begriff war, den Wartebereich zu verlassen. »Sie und Mandy Luppa kannten sich sehr wohl, hatten sogar eine innige Beziehung.«

»Sie irren sich …«

»Und wissen Sie was? Ich habe mich die ganze Zeit gefragt, weshalb Frau Luppa behauptet hat, Liliana sei ihre leibliche Tochter. Inzwischen weiß ich es …«

Winzer trat mit einem großen Schritt auf sie zu und seine Mimik wurde hart. Dazu hob er mahnend den Zeigefinger.

»Vorsicht, überlegen Sie sich gut, was Sie als Nächstes von sich geben.«

Obwohl Inge von seiner Offensive kurzzeitig tatsächlich erschrocken war, ließ sie sich nicht einschüchtern. Die Stelle beim K11 war möglicherweise ihre letzte Chance, die wollte sie nicht leichtfertig aufs Spiel setzen, indem sie sich versteckte. »Was wollen Sie tun, wenn ich Ihnen sage, dass Sie eine Affäre mit Mandy Luppa hatten und sie in ein tiefes seelisches Loch gefallen ist, nachdem sie merkte, dass Sie es nicht ernst mit der Beziehung meinten?«

Winzers Trübsal war plötzlich verschwunden, stattdessen mahlten seine Schneidezähne wie bei einem hungrigen Wolf aufeinander. »Sie kleine, verrückte Spinnerin«, presste er zwischen seinen Zähnen hervor und streckte den Arm zur Seite. »Meine Tochter liegt fünf Zimmer von hier entfernt und ringt mit dem Tod. Und Sie stehen vor mir und behaupten, ich hätte meine Frau während unserer Ehe betrogen?«

»Nicht nur das, Mandy Luppa war von Ihnen schwanger – und sie hat das Kind auf Ihr Drängen hin abtreiben lassen.« Bei diesem Vorwurf fiel Winzers aggressiver Gesichtsausdruck schlagartig in sich zusammen, er ließ den Arm sinken, mit dem er eben noch die Drohgebärde vollführte, und trat wie ängstlich einen Schritt zurück. Doch Inge dachte nicht daran, ihn jetzt zu schonen. »Und als sie erfuhr, dass Ihre Frau plötzlich selbst ein Kind erwartete, verlor sie den Verstand. Denn Sie hatten von da an kein Interesse mehr an der Tierärztin, weil Ihnen Ihre zukünftige Familie wichtiger war. Sie haben Mandy Luppa fallen lassen, was sie ihrerseits weder verstanden hat noch wahrhaben wollte.«

»Ich …«, stammelte Winzer, und zugleich bedeckte er seine Augen mit der flachen Hand, weil er sich anscheinend dafür schämte.

Sein Verhalten bestätigte Inge, dass alles, was sie eben zu ihm gesagt hatte, stimmte. Jedoch kam sie nicht mehr dazu, nachzubohren, weil Lilianas behandelnde Ärztin plötzlich auftauchte.

»Herr Winzer, ich muss Sie sprechen.«

Obwohl die Ärztin beherrscht vor ihnen stand und um eine neutrale Mimik bemüht war, sprach ihr Auftauchen für Inge eine eindeutige Sprache. Etwas Schlimmes war passiert. Das empfand wohl auch Winzer, denn sofort füllten sich seine Augen mit Tränen.

»Was ist mit Lili?«

»Wir sollten dazu in mein Zimmer gehen.«

»Nein, ich will es hier und jetzt erfahren.«

»Liliana ist vor zwanzig Minuten verstorben.«

Die folgenden Sekunden durchlebte Inge nur noch wie in einer Art Rückblende. Winzer stürzte panisch davon, brach aber nach wenigen Metern zusammen. Während sich zwei Krankenschwestern um ihn kümmerten, redete die Ärztin auf sie ein.

»… persönlichen Sachen, worum die Polizei gebeten hat.«

»Wie bitte?«, fragte Inge und stierte auf die Schale mit ein paar wenigen Kleidungsstücken.

»Einer Ihrer Kollegen sagte, Lilianas Habseligkeiten werden dringend benötigt. Ich habe alles mit Handschuhen angefasst. Bitte, nehmen Sie die Sachen! Ich muss mich jetzt um den Mann kümmern.«

»Ja, gut, ich …«

Inges Blick fiel auf einen Gegenstand, der sie jäh zurück in die Gegenwart holte.

Kapitel 56

Mittwoch, 14.20 Uhr

Arnes Glück hielt sich heute wahrlich in Grenzen. Er traf Mario Dellucci weder in der Oper noch in dessen luxuriöser Eigentumswohnung an, die sich inmitten der Altstadt zwischen lauter profanen Herrschaftsbauten befand. Der Opernintendant ging auch nicht an sein Handy. Aber davon ließ Arne sich nicht abschrecken. Wenn er eines sein konnte, dann hartnäckig – oder stur, wie einige Bekannte seine Charaktereigenschaft beschrieben hätten. Spätestens zur Abendvorstellung würde sich Dellucci in der Oper einfinden. Dann würde der Mann sich Zeit für ihn nehmen müssen. Bis dahin wartete noch genügend Arbeit auf Arne. Als Nächstes sollte er Huss einen Besuch abstatten, der entgegen Arnes Aufforderung, für die Kripo erreichbar zu sein, auch nicht mehr an sein Telefon ging.

»Wird wieder ein harter und langer Tag für dich«, redete er vor sich hin, nachdem er ein letztes Mal an Delluccis Haustür geklingelt hatte. Er schaute gedankenverloren in Richtung Altmarkt-Galerie, wo dieser Fall angefangen hatte, schüttelte sich und ging zurück zu seinem Wagen. »Das ist alles brillanter Mist, Arneklein.«

Arneklein, so hatte seine Mutter ihn früher oft genannt. Keine Ahnung, warum ihm das ausgerechnet jetzt einfiel. Vermutlich ging ihm Lilianas Schicksal näher, als er sich eingestehen wollte. Für ihre Eltern war sie definitiv ein kleiner Engel gewesen. Wie wohl jedes Kind für seine Eltern.

Als er den Wagen entriegelte, klingelte sein Mobiltelefon.

»Ja«, meldete er sich kurz angebunden.

»Hier ist noch mal Samuel vom LKA …«

»Was ist los, Samuel, hast du Neuigkeiten für mich?«

»Nun ja«, druckste der IT-Fachmann herum. »Vielleicht ja, am besten hören wir uns das gemeinsam an.«

»Was soll ich mir anhören?«

»Eine zweite Tonspur.«

Arne brauchte einen Moment, um zu begreifen, wovon der Kollege redete. »Du sprichst von dem USB-Stick, den wir im Körper der Toten gefunden haben?«

»Ja, es geht um die MP3-Datei. Ich weiß nicht, warum ich das nicht gleich entdeckt habe. Die Melodie ist nur ein Teil des Inhalts. Wie gesagt, es gibt eine zweite Tonspur mit weiteren Tönen.«

»Das konnte dir nicht zwei Stunden eher einfallen?«, fragte Arne, weil er bereits am Vormittag in der Neuländer Straße einen Spurenträger abgegeben hatte.

»Was?«, drang es aus dem Hörer.

»Nicht so wichtig. Bin schon auf dem Weg.«

Damit beendete er das Telefonat, um zwanzig Minuten später das Dezernat 31 zu betreten, wo Samuel bereits mit laufender Technik auf ihn wartete.

»Es handelt sich um eine sogenannte Mehrkanal-Audiospur«, erklärte Samuel.

»Aha«, sagte Arne, nachdem er Platz genommen hatte. Er konnte nur Vermutungen anstellen, was der IT-Fachmann damit meinte. »Mehrere Spuren, mehrere Kanäle. Und das soll mir was sagen?«

»Hör es dir an.« Samuel stellte die Lautsprecher ein und startete die Wiedergabe. Es ertönte die »Engelsinfonie«.

»Ja, die kenne ich schon.«

»Das ist die Melodie, die man bei oberflächlicher akustischer Wahrnehmung hören soll. Aber konzentrier dich mal auf die Hintergrundgeräusche.«

Mit viel Fantasie konnte er irgendwelche Störgeräusche wahrnehmen. »Ich kapiere es nicht.«

»Früher wurden Audiodateien entweder in Mono oder Stereo aufgenommen. Inzwischen gibt es Technik, die weitaus mehr Kanäle aufzeichnen und wiedergeben kann. Warte, ich nehme beim Hauptkanal die Lautstärke etwas heraus, dann verstehst du es besser.«

Er stoppte die Wiedergabe, veränderte mittels Software ein paar Parameter und startete die Audiodatei erneut. Nunmehr hörte man das Originalstück kaum noch, es spielte bestenfalls als sanftes Rauschen aus den Lautsprechern. Dafür verstand Arne die eigentlichen Hintergrundgeräusche jetzt deutlicher, wenngleich er nicht erkannte, was die Töne darstellen sollten. Er schloss die Augen und konzentrierte sich noch stärker.

»Das ist aber ein ziemliches Durcheinander.«

»Na ja, ein gewisser Rhythmus lässt sich erkennen«, sagte Samuel und wackelte dazu mit dem Kopf.

Arne klopfte sich gegen sein rechtes Ohr. »Ich hätte mir die Ohren waschen sollen, dann würde ich vielleicht auch was verstehen. Für mich klingt das wie Signale aus dem Weltall.«

»Mal sehen, ob ich es besser hinbekomme.« Abermals veränderte Samuel ein paar Einstellungen im Tonprogramm in der Hoffnung, die Qualität noch weiter zu verbessern. »Mit etwas mehr Zeit kann ich vielleicht die Spur komplett trennen und sämtliche überflüssigen Geräusche herausfiltern. Ich dachte nur, ich informiere dich gleich, falls du damit etwas anfangen kannst. Immerhin bist du der Kryptologe von uns beiden.«

Arne wusste zwar, dass man Botschaften auch mittels Akustik verschlüsseln kann, aber dieser Fachbereich bedurfte gesonderter Kenntnisse. Angesichts der Tatsache, dass Inge ihn auf seinem Handy anrief und er das Gespräch annehmen wollte, ersparte er sich zudem eine Erklärung. Stattdessen erhob er sich.

»Separier die Spur und schick mir eine Datei. Sobald ich Zeit habe, höre ich mir das an.«

»Ich verspreche, etwas mehr aus dem Audio herauszuholen, einverstanden?«

Arne nickte und meldete sich am Handy.

»Wir haben ein Problem«, sagte Inge ohne Umschweife. »Liliana ist tot.«

»Was?«

»Sie ist vor über einer Stunde gestorben. Herzversagen.«

Arne stürzte ins Freie, weil er frische Luft brauchte. Gleichzeitig fingerte er mit der freien Hand nach seiner Zigarettenschachtel. »Aber die Ärzte …«

»Die Ärzte konnten nichts mehr für sie tun. Am Ende ging alles ganz schnell. Ihr Organismus war einfach zu schwach.«

»Verfluchter Mist! Warum passiert das ausgerechnet in diesem beschissenen Fall?«

Statt in sein Selbstmitleid einzustimmen, blieb sie kühl und objektiv. »Da ist noch etwas …«

»Was denn noch?«, reagierte Arne barsch.

»Liliana hatte bei dem Unfall eine Armbanduhr dabei.«

»Ja, na und?«

»Es ist nicht ihre. Um genau zu sein, handelt es sich um ein älteres Modell. Die Uhr hat ein blaues Armband und auf dem Ziffernblatt ist ein Pinguin als Motiv.«

Sofort fiel Arne der Eintrag in Manuela Huss' Akte ein. Inge kannte ihn ebenfalls, deshalb erzählte sie ihm das mit der Uhr.

»Schick mir ein Foto und danach ab zur Untersuchung damit.«

»Schon geschehen, ein Danke wäre angebracht …«

Er legte ohne ein weiteres Wort auf. Angesichts der Tatsache, dass er ein Kind nicht hatte retten können, fühlte er nur noch Leere.

Kapitel 57

Mittwoch, 17.55 Uhr

An diesem Mittwochabend hatte Arne keine Eintrittskarte, zumindest keine, die von der Oper ausgestellt war. Stattdessen hielt er dem Mann am Einlass einfach seinen Dienstausweis hin.

»Aber bitte nicht abreißen«, machte er einen kleinen Scherz, um sich sofort wieder den Ernst der Lage zu vergegenwärtigen. »Herr Dellucci erwartet mich.«

Das stimmte zwar nicht, aber der verunsicherte Angestellte führte ihn prompt zu seinem Chef – natürlich nicht, ohne Arnes nichtabendliche Garderobe misstrauisch zu beäugen. Wahrscheinlich war das auch der Grund, warum er es eilig hatte, mit ihm an den gut gekleideten übrigen Menschen vorbeizukommen.

»Danke, den Rest schaffe ich allein«, sagte Arne irgendwann, als er Dellucci bereits aus einiger Distanz entdeckte.

Der Intendant unterhielt sich sichtlich erheitert mit vier Personen. Man trank aus Champagnergläsern, klopfte sich gegenseitig auf die Schultern und lachte gemeinsam.

»Guten Abend, Herr Dellucci«, platzte Arne in die Runde.

»Herr Stiller, was führt Sie zu mir?«

»Hat man Ihnen nicht gesagt, dass ich Sie heute schon den ganzen Tag vergeblich suche?«

»Tut mir leid, ich kann mich nicht erinnern, dass jemand mich dahin gehend verständigt hätte.«

»Und ich dachte schon, Sie verstecken sich vor der Polizei.«

»Darf ich vorstellen?«, wandte sich Dellucci an seine Gesprächspartner. »Herr Oberkommissar Stiller.«

Man begrüßte sich knapp.

»Mario ist ein vielbeschäftigter Mensch«, verteidigte eine ältere Dame mit opulentem Vorbau und breiter Taille den Intendanten.

»Und Sie sind?«, fragte Arne.

Mit leicht pikiertem Blick warf die Frau eine Haarsträhne ihrer Perücke zurück und spitzte die teuflisch rot bemalten Lippen. »Ich bin Katharina Sorokin, bestimmt haben Sie bereits von mir gehört.«

Tatsächlich erinnerte Arne sich an das letzte Gespräch mit Vincent Ludwig, als der Name im Zusammenhang mit Christian Huss gefallen war. »Jetzt, wo Sie es sagen …«

»Früher habe ich als Berühmtheit in diesem Haus gesungen. Und ich möchte behaupten, es waren die besten Darbietungen, die man in dieser Stadt je erlebt hat.«

»Meine Liebe«, säuselte Dellucci mit einem gekünstelten Lächeln und einem Hüsteln. »Sie sind zu streng mit unserem aktuellen Ensemble.«

Auch die übrigen Gäste, die in der Gruppe standen, lachten nur scheinbar belustigt über die Bemerkung der Dame.

Sie trug eindeutig eine Perücke, dachte Arne über sie, bevor er die Diva erneut ansprach. »Tut mir leid; als Sie hier aufgetreten sind, war ich wohl noch nicht auf der Welt.«

»Also …«, empörte sie sich und auch die anderen stießen entrüstete Laute aus, aber Arne hatte kein Interesse, sich weiter mit unwichtigen Leuten zu unterhalten.

Für Dellucci dagegen schien die Sache längst nicht beendet, denn er ergriff Partei für den ehemaligen Star. »Katharina Sorokin gilt tatsächlich als eine unserer herausragendsten Künstlerinnen.«

»Ein Jahrhunderttalent, möchte ich anfügen«, sagte die Diva und schenkte Dellucci ein anerkennendes, wenngleich dezentes Nicken. »Und so alt, wie Sie es darstellen, Herr Kommissar, bin ich längst nicht, auch wenn morgen mein Geburtstag ansteht.«

»Ein großer Tag«, sagte Dellucci und hob sein Glas, woraufhin die anderen es ihm gleichtaten.

»Ich würde gern auf Ihre Gesundheit anstoßen, aber leider habe ich kein Glas«, sagte Arne und sprach wahllos einen Mann aus der Gruppe an. »Warum gehen Sie nicht und holen mir etwas Alkoholfreies zu trinken, während ich mich mit Herr Dellucci unter vier Augen unterhalte?«

Er fing sich erstaunte Blicke ein, lediglich die Sorokin ließ sich zu einem arroganten Zischlaut hinreißen, ehe sie mit einem Opernprogramm wedelte und zur Verabschiedung ihren Handrücken präsentierte. Dellucci hauchte einen Kuss darauf, dann schaute er zu, wie sich seine Gesprächspartner entfernten.

»Sie sind ein unangenehmer Mensch, Herr Stiller, wenn ich das anmerken darf.«

»Und Sie haben mich belogen, als ich Sie fragte, ob Sie die Familie Winzer kennen würden. Ich habe nämlich Fotos von Ihnen und Annalena Winzer gesehen.«

»Wo haben Sie die her?«, echauffierte sich Dellucci, wobei er sich gleichzeitig den Kragen lüftete, weil ihm das Hemd wohl zu eng wurde.

Wenn er so direkt danach fragte, stimmte es wohl, also konnte Arne mit seiner Finte weitermachen, denn bisher beruhte die Behauptung nur auf Inges Erkundungen und der Aussage des Psychotherapeuten, dass Annalena Winzer eine Affäre gehabt habe. Demnach kam am ehesten Mario Dellucci als derjenige infrage, mit dem sich Lilianas Mutter gelegentlich getroffen hatte.

»Von ihrem Mann natürlich«, log Arne.

»Er hat seiner Frau hinterherspioniert?«

»Holger Winzer ist nicht ohne Grund einer der besten Journalisten der Stadt.«

»Er ist ein Klatschreporter, der mir und der Oper schaden will.«

»Könnte er diesen Drohbrief geschrieben haben? Ich meine, wenn das meine Frau gewesen wäre, ich weiß nicht …« Arne erinnerte sich daran, wie es gewesen war, als er von Natalias Affäre erfahren hatte und wie er da ausgerastet war. Noch am selben Abend hatte er alle gemeinsamen Fotos entsorgt und ihre Kosmetikartikel gleich mit. »Ich fürchte, ich wäre bereit, dem Mann die Knochen zu brechen.«

»Hören Sie, Herr Stiller, es war nur ein Abendessen. Da ist nichts passiert zwischen Frau Winzer und mir. Sie brauchte jemanden zum Reden.«

»Ein Abendessen …«

Dellucci leerte hastig sein Glas und schaute sich dann um, ob sie beobachtet wurden. »Na gut, es waren insgesamt drei Essen, aber ich schwöre es Ihnen, Frau Winzer und ich hatten kein Verhältnis.«

»Für mich klingt es aber danach.«

»Ich bin homosexuell, verdammt! Reicht Ihnen das als Alibi?«

Jetzt fühlte Arne sich unvorhergesehen in die Defensive gedrängt, denn das hatte er zu keiner Zeit geahnt, zumal Mario Dellucci rein von seiner optischen Erscheinung her eine Persönlichkeit darstellte, der die Frauen scharenweise zuflogen. Soweit Arne sich erinnern konnte, zeigte Dellucci sich in der Öffentlichkeit gern mit hübschen Frauen, was jetzt natürlich in einem ganz anderen Licht gesehen werden musste.

»Sie sind schwul?«, rutschte es Arne heraus.

Woraufhin Dellucci sich zu ihm beugte und flüsterte: »Es wäre mir sehr recht, wenn Sie das vertraulich behandeln. Was glauben Sie, was ein schwuler Opernintendant für Aufsehen erregen würde?«

»Warum um alles in der Welt sollte Annalena Winzer sich dann ausgerechnet mit Ihnen treffen?«

»Also das …!« Dellucci klang ernsthaft entrüstet. »Wir kannten uns geschäftlich, denn wie Sie sicher wissen, hat Frau Winzers Eventagentur diverse Dienstleistungen für die Oper übernommen.«

»In meiner Gegenwart dürfen Sie sie gern Annalena nennen. Wie ein Geschäftsessen sah das auf den Fotos, die ich kenne, jedenfalls nicht aus. Ich meine die Kerzen. Und lagen da nicht auch irgendwo Blumen?«

Ins Schwarze getroffen, dachte Arne, als Dellucci seufzte und betreten die Lippen verzog.

»Es gibt Menschen, die brauchen jemanden zum Reden, vor allem, wenn man plötzlich an allem im Leben zweifelt. Sie sollten es auch mal probieren, sich in einem vertraulichen Gespräch einer geeigneten Person zu öffnen. Sie scheinen mir nämlich ein nicht verarbeitetes Problem zu haben. Warum sonst platzen Sie ständig in Gesellschaften und brüskieren jeden mit irgendwelchen Behauptungen.«

»Behauptungen, pah! Das muss ich mir von einem Lügner nicht sagen lassen. Sie, Herr Dellucci, werden …«

Weiter kam er nicht, denn der Schrei der Diva erfüllte das gesamte Foyer. Als Arne sich umblickte, sah er noch, wie die Frau auf dem Granitboden zusammensackte. Dann brach ringsum Entsetzen aus.

Kapitel 58

Rückblick

Inzwischen war der Junge sechzehn. Während er in der Schule nach wie vor gute Noten schrieb, für die sich in seinem Umfeld jedoch niemand interessierte, war sein einst so begnadeter Vater längst nicht mehr fähig, Klavier zu spielen.

»Ich will zu ihm«, sagte der Junge und machte einen Schritt auf die geschlossene Tür zu, doch Katharina, die von Jahr zu Jahr mehr in die Breite ging, versperrte ihm vehement den Weg.

»Er will dich nicht sehen.«

»Warum ist dann Diana bei ihm?«

»Weil Diana ihn, im Gegensatz zu dir, nicht zusätzlich aufregt.«

»Das ist nicht wahr!«, wurde er schließlich laut.

»Schrei nicht so herum«, herrschte Katharina ihn an und stieß ihn sogar ein Stück zurück. »Du machst ihn damit noch kränker, als er ohnehin schon ist.«

Seit einem Jahr oder länger schubste sie ihn herum, manchmal fasste sie ihn grob am Arm oder erhob sogar die Hand gegen ihn. Bisher hatte sie es nicht gewagt, ihn zu schlagen, aber der Junge wusste, dass es nur eine Frage der Zeit war, bis das passierte. Erst recht jetzt, wo sein Vater pflegebedürftig in seinem Arbeitszimmer lag. Katharina hatte veranlasst, dass man hier unten im Erdgeschoss ein Bett für ihn aufgebaut hatte. Angeblich auf seinen Wunsch hin, in der Nähe seines Klaviers, seiner übrigen Instrumente und der Noten zu sein. Aber der Junge vermutete, dass sie den Kranken einfach nicht im Schlafzimmer haben wollte, weil er in der Nacht ständig aufwachte und nach Medizin verlangte. So blieb ihr sein Stöhnen erspart und auch den Geruch von Schweiß und Urin musste sie dann nicht ertragen.

»Ich will auf der Stelle mit meinem Vater sprechen«, beharrte er und wollte an Katharina vorbeitreten, aber sie presste ihren Rücken gegen das Türblatt.

»Du kleiner Stinker«, sagte sie in schneidendem Tonfall. »Willst du, dass ich die Polizei rufe?«

»Spinnst du?«

Sie riss die Augen weit auf. »Wie redest du denn mit deiner Mutter?«

»Du bist nicht meine Mutter!«

»Na warte!« Kurz bevor Katharina die Beherrschung verlor, ging hinter ihr die Tür auf.

»Was macht ihr denn hier?«, kam es von Diana, die aus dem Zimmer trat und leise die Tür hinter sich schloss. »Er will schlafen.«

Sofort setzte Katharina ein Lächeln auf und streichelte die blassen Wangen ihrer Tochter. »Es ist nichts, meine Kleine, dein Stiefbruder will nicht verstehen, wie schlecht es eurem Vater geht.«

Bevor der Junge auch nur einen einzigen Satz zu seiner Verteidigung vorbringen konnte, hielt Diana ihrer Mutter einen Goldring mit einem winzigen Edelstein hin.

»Den hat er mir geschenkt«, sagte sie stolz.

»Oh, wie wundervoll!«, jauchzte Katharina. »Den hast du dir verdient, weil du immer so lieb zu ihm bist. Irgendwann wird er auf deinen Finger passen und dich schmücken wie eine Prinzessin.«

Aber der Junge hatte den Ring bereits erkannt. Zuerst hatte sein Vater dem Mädchen eine Uhr und jetzt auch noch den Ring geschenkt. Vor Wut packte er Dianas Hand so fest, dass ihre Knöchel knackten.

»Gib ihn her!«, schrie er sie an. »Der gehörte meiner Mutter!«

»Nein, er hat ihn mir geschenkt!«, kreischte Diana mit schmerzverzerrter Miene.

»O Gott, du Teufel!«, stimmte Katharina ein und warf sich zwischen die Kinder. »Was bist du nur für ein garstiger Junge und ein Dieb dazu!«

»Ich bin kein Dieb!«

Noch immer versuchte er verzweifelt, ihr den Ring zu entreißen. Während sie miteinander rangen und sich gegenseitig anblafften, drang ein furchtbares Stöhnen aus dem Arbeitszimmer. Sein Vater schimpfte mit brüchiger Stimme.

»Merkst du endlich, wie du deinen Vater ins Unglück stürzt?«, nahm Katharina das zum Anlass, ihn erneut zu beschuldigen. »Wegen dir geht es ihm schlecht.«

Inzwischen hielt Diana den Ring so fest in der Faust, dass er keine Chance hatte, ihn ohne Gewalt zu bekommen. Weinend rannte der Junge die Treppe hinauf in sein Zimmer. Dort warf er die Tür hinter sich zu und jammerte bitterlich. Zuerst vergrub er sein Gesicht in der Bettdecke, dann sprang er auf und schleuderte sämtliche Gegenstände durch den Raum. Dabei krachte ein Sportpokal mitten in das Terrarium, in dem sich schon seit zwei Jahren kein Hamster mehr befand, seit Wursti spurlos verschwunden war. Klirrend zerbrach das Glas, und auf dem Boden verteilten sich lauter Scherben, in die der Junge in seiner Raserei hineintrat.

Weil er sich nicht beruhigen konnte und alles voller Blut war, rief Katharina die Polizei. Rettungssanitäter und Polizeibeamte schleiften ihn aus dem Haus und zwangen ihn in den Krankenwagen. Die Anzeige wegen versuchten Diebstahls eines wertvollen Rings gegen ihn wurde zwar eingestellt, aber die vermeintliche Tat hatte zur Folge, dass er fortan als »psychisch auffällig« galt.

Kapitel 59

Mittwoch, 18.15 Uhr

Der Vorsaal der Semperoper war erfüllt von Hysterie. Mehrere Gäste, den Stimmen nach zumeist Frauen, kreischten vor Angst und Entsetzen. Irgendwo ging ein Glas zu Bruch. Die Scherben klirrten hell beim Aufprall auf dem Boden. Bevor Arne begriff, was das Chaos ausgelöst hatte, kam Hans Leo herbeigeeilt, um dem Intendanten Bericht zu erstatten.

»Herr Dellucci, es sind grausige Fotos aufgetaucht. Überall! Wir können uns das nicht erklären.«

»Was redest du da?«, herrschte Dellucci ihn an, aber Arne begriff sofort, was ringsum geschah, als der Mitarbeiter ihnen den Stapel Flyer in seinen Händen entgegenhielt.

Noch bevor Leo etwas dazu sagen konnte, hatte Arne sich eines der Blättchen geschnappt und schlug es auf. Nichts. Er nahm einen weiteren Flyer vom Stapel. Wieder nichts. Erst beim dritten Mal hatte er Glück – oder Pech angesichts der erschreckenden Abbildung.

»Mist!«, konnte er nur sagen, als er das lose eingelegte Foto erkannte. Neben ihm stimmte Dellucci vornehmer ein, wenngleich mit der gleichen Bestürzung in der Stimme.

»*Dio non voglia!*« Er griff sich an die Stirn. »Gott bewahre!«

In dem gefalteten Werbeblatt, das die Opernaufführung in kurzen Worten beschrieb und Bilder des Ensembles zeigte, lag die Kopie eines Fotos. Es zeigte eine tote Frau, die zwischen Laub und Buschwerk im Gras lag. Ihr Gesicht war kaum noch als solches zu erkennen, die brünetten Haare waren dreckig und von Blut besudelt.

Gewöhnlich konnten Arne solche Aufnahmen nicht schockieren, dafür hatte er in seinem Leben zu viele Leichen und Tatortfotografien gesehen, aber in diesem Fall war das Bild nicht bei einer polizeilichen Untersuchung entstanden. Außerdem kursierte es seit einigen Minuten in der schockierten Öffentlichkeit.

»Wir müssen alle Fotografien einsammeln«, sagte Arne.

»Stoppt das augenblicklich!«, wies Dellucci seinen Assistenten an.

»Wir tun unser Möglichstes«, rechtfertigte sich Leo, der mehr hilflos als entschlossen dastand. Mit einer ausladenden Geste zeigte er im Foyer herum. »Es sind mehrere dieser Fotos aufgetaucht.«

»Sie und Sie«, kommandierte daraufhin Arne zwei Angestellte, die mit auf dem Rücken verschränkten Armen an einer der Türen zum Saal standen. »Bewegen Sie sich schon und sehen Sie zu, dass Sie den Gästen sämtliche Prospekte abnehmen. Kein einziges Werbeblatt darf das Gebäude verlassen, ist das klar?« Er sah die beiden Angesprochenen so scharf an, dass sie sich augenblicklich in Bewegung setzten. »Und Sie reißen sich gefälligst zusammen und machen Ihren restlichen Mitarbeitern Beine«, nahm er sich jetzt Leo zur Brust, dem der Mund offen stehen blieb. »Es kommt niemand mehr rein oder raus, bis wir alle Anwesenden kontrolliert haben.«

»Aber das ist unmöglich.«

»Mach, was er sagt«, entschied Dellucci und deutete zu der Gruppe von Leuten, die sich um die gestürzte Diva versammelten. »Und kümmere dich um Frau Sorokin, sie ist ohnmächtig geworden.«

»Irgendwoher müssen die Bilder ja gekommen sein«, sagte Arne und wedelte mit dem Prospekt, den er sichergestellt hatte und in dem sich eines der Fotos befand. Als der Assistent davonging, griff Arne nach seinem Mobiltelefon. »Ich verständige jetzt meine Kollegen. Wir werden jeden kontrollieren und befragen müssen. Die heutige Vorstellung kann nicht stattfinden!«

»Das können Sie nicht machen. Die Leute haben dafür bezahlt.«

Aber Arne hatte sein Handy schon am Ohr. »Ich kann und werde. Sehen Sie nicht, wie entsetzt Ihre Gäste sind?«

Doch sein Telefonat unterblieb, weil Dellucci ihm resolut das Handy vom Ohr riss. »Verstehen Sie bitte, welchen Schaden Sie anrichten.«

»Was soll ich verstehen?« Arne hielt ihm das Foto der toten Frau direkt vor die Augen. »Dass Ihnen das hier egal ist? Sehen Sie das Kleid, das man ihr wie eine Decke auf den Leib gelegt hat? Es ist schwarz-rot, wie bei früheren Inszenierungen des ›Feurigen Engels‹. Wir sprachen darüber. Sie selbst haben es mir bestätigt.«

Erst jetzt schien Dellucci zu begreifen, was die Aufnahme zeigte. Er musste zu der gleichen Einschätzung kommen wie Arne, nämlich dass es derselbe Täter war, der auch Annalena Winzer umgebracht hatte. Obwohl Arne bisher keine Zahlenbotschaften wie beim ersten Opfer erkennen konnte.

Auch wenn Dellucci geknickt wirkte, nahm er Haltung an und betrachtete das Durcheinander und die Betroffenheit der Gäste. »Sie haben vollkommen recht, wir sagen die Vorstellung ab.«

»Eine Frage noch, bevor Sie sich darum kümmern, denn darüber wollte ich mich eigentlich mit Ihnen unterhalten:

In der Aufführung werden in einem Akt Tafeln mit Zahlen hochgehalten …«

»Ja, aber warum ist das jetzt wichtig? Eben haben Sie mir noch eingeschärft, wie dringend die dramatische Situation hier aufgelöst werden muss.«

»Die Zahlen ergeben das Wort *Heilige*, und ich muss unbedingt wissen, wer dafür verantwortlich ist.«

»Was? Sie sprechen von einer Art Geheimschrift in meinem Stück? Davon weiß ich nichts.«

»Wie bitte, Sie haben keine Ahnung, was auf Ihrer eigenen Bühne passiert? Das Buch, das der Buchhändler Jakob Glock aufschlägt, enthält eine Botschaft. Also wer hat das entschieden?«

»Ich nehme an, unsere Chefdramaturgin Julia Constanze Eulitz.«

»Wissen Sie es oder nehmen Sie es an?«

»Da muss ich mich erst erkundigen, vorher würde ich gern dieses Chaos beenden.«

Weil Delluccis Auskunft keine neue Erkenntnis brachte und er in der Folge notgedrungen die eine und andere Nachfrage von herbeieilenden Gästen beantworten musste, klatschte Arne sich missgestimmt mit dem Prospekt in die flache Hand. »Ja, tun Sie das.«

Als der Intendant gegangen war, betrachtete er das Foto noch einmal genau. Sosehr er die Augen auch zusammenkniff, er konnte nirgendwo auf der Haut Zahlen entdecken.

»Mist!«

Er konzentrierte sich auf seinen bevorstehenden Anruf. Als er das Display zum Leben erweckte, leuchtete ihm die Nachricht entgegen, dass er einen Anruf von Mandy Luppa verpasst hatte.

Kapitel 60

Mittwoch, 22.25 Uhr

Nach schier endlosen zeitaufwendigen und zum Teil zähen Befragungen hatte Arne die Semperoper komplett räumen lassen. Das hatte ihm neben jeder Menge Unmut etliche Anrufe von besorgten Vorgesetzten eingebracht. Sogar ein Landtagsabgeordneter hatte sich bei ihm gemeldet. Das lag zwei Stunden zurück. Insgesamt hatten sie mehr als fünfhundert Besucher namentlich erfasst, dazu siebzehn Fotos sichergestellt, die jemand heimlich in die Prospekte eingelegt hatte. Die Opernleitung konnte sich nicht erklären, wie derjenige es geschafft hatte, die Flyer zu präparieren, wobei Leo ausgesagt hatte, dass die Kartons nach Erhalt von der Druckerei üblicherweise nicht in ein Lager oder Büro eingeschlossen, sondern für das Personal zugänglich in Schubfächern innerhalb der Garderobe verstaut wurden, damit sie ständig griffbereit waren.

Alle Fotos zeigten dasselbe Motiv. Inzwischen zweifelte die Kripo nicht mehr daran, dass es sich bei der Toten auf dem Bild um Nadja Seidel handelte. Die neunundzwanzigjährige Kindergärtnerin und ihre Tochter Antonia wurden seit dem Nachmittag vom Ehemann und Familienvater vermisst. Leider gab das Foto keinen eindeutigen Hinweis auf den

Leichenfundort. Die Tote konnte in einem Stadtwald, aber auch genauso gut am Straßenrand der A17 liegen. Entsprechend vertraute Arne darauf, dass ein Spaziergänger mit Hund bald eine entsetzliche Entdeckung im Unterholz machen würde. Die Leiche war vom Täter vermutlich nicht verscharrt worden, überhaupt deutete die Zurschaustellung objektiv auf eine überhastet geplante Handlung hin. Zwar gab es erneut ein Kleid, das rein optisch mit der als Beweismittel gesicherten Bekleidung von Annalena Winzer übereinstimmte und demzufolge zweifelsfrei als verbindendes Symbol zwischen den Verbrechen diente, aber anders als bei der Journalistenehefrau trug das zweite Opfer den Stoff nicht direkt auf der Haut. Für Arne stand damit fest: Entweder verlor der Mörder nach Lilianas Flucht langsam die Beherrschung oder er geriet aus irgendeinem Grund unter Zeitdruck. Hinzu kam das Fehlen der Zahlen, wobei die Aufnahme die Hand nur partiell zeigte. Gut möglich, dass die Polizei an der Leiche später Zahlenbotschaften finden würde.

Während Kriminalbeamte sowohl den verzweifelten Ehemann als auch Verwandte vernahmen und parallel dazu die Fahndungs- und Suchmaßnahmen des Streifendienstes liefen, fuhr Arne zu Mandy Luppa. Eigentlich wollte er nur noch tot in sein Bett fallen, aber sie hatte ihn bestimmt nicht ohne Grund angerufen. Noch im Opernhaus hatte er mehrmals versucht, sie zurückzurufen, aber sie war nicht an ihr Handy gegangen.

Als er gegenüber Luppas Wohnhaus parkte, sah er einen Mann aus der Haustür treten.

»Das ist doch …«, sagte er vor sich hin, als er den Berufsbetreuer Daniel Funke erkannte.

Sein Bild hing am Rand des Whiteboards, neben dem Porträtfoto von Luppa. Arne schaute auf die Uhr, weil er sich wunderte, was Funke um diese Zeit hier wollte. Im ersten Moment wollte er ihm hinterhereilen, aber eigentlich hatte er nichts mit ihm zu bereden. Immerhin hatte Luppa angerufen, also sollte er sich auch mit ihr allein unterhalten. Deshalb schaute er bloß zu, wie der Betreuer in seinen Familienvan einstieg. Als die Luft rein war, verließ er seinen Škoda und klingelte bei Luppa. Zu seinem Erstaunen öffnete sie, ohne sich zu erkundigen, wer zu ihr wollte.

»Sie sind es«, kam es erstaunt von ihr, als sie ihn an der Wohnungstür empfing, gefolgt von der Erklärung: »Ich dachte, es wäre jemand anders.«

»Zufällig Herr Funke? Ich habe ihn eben gehen sehen.« Arne bemerkte ihr verweintes Gesicht, das sie mit ihrem Hemdärmel abzuwischen versuchte. Zudem zitterten ihre Hände und sie zupfte fahrig an den Schlaufen ihrer Jeans. »Er scheint ein wirklich fürsorglicher Mann zu sein, wenn er zu so später Stunde noch nach Ihnen sieht.«

»Wie bitte?«

»Es ist bald dreiundzwanzig Uhr, ziemlich spät für einen Anstandsbesuch.«

»Ach so, ja, Entschuldigung! Er brauchte dringend Unterlagen von mir.«

»Unterlagen ... selbstverständlich, etwas in der Art habe ich mir schon gedacht«, bekundete Arne entgegen seiner Einschätzung. »Darf ich reinkommen?«

Sofort trat Luppa zurück und schob die Tür ein Stück weiter zu. Gleichzeitig kratzte sie mit den Fingernägeln über den Holzrahmen. »Warum wollen Sie das?«

»Weil Sie mich angerufen haben.«

»Nein, habe ich nicht, da müssen Sie sich irren ...«

»Tatsächlich?« Arne lächelte müde und nahm sein Telefon zur Hand. »Warum steht dann Ihre Nummer in meiner Anrufliste?«

»Dann muss ich mich verwählt haben, entschuldigen Sie.«

»Warum entschuldigen Sie sich andauernd?«

»Ich ...«

»Außerdem können Sie sich nur verwählen, wenn Sie mich zuvor angerufen oder meine Nummer eingespeichert haben. Und das haben Sie garantiert nicht.«

»Nein, wirklich …«

Das dauerte Arne zu lange, deshalb stemmte er sich von außen gegen die Wohnungstür und verschaffte sich Zutritt. »Halten Sie mich für einen Trottel? Ich sehe doch, dass es Ihnen nicht gut geht. Also was ist da zwischen Ihnen und Funke vorgefallen?«

»Nichts, wirklich.«

»Ach ja?« Arne schaute sich im Flur um und warf einen kriminalistischen Blick in die Küche und ins Wohnzimmer. Keine Anzeichen einer Auseinandersetzung. Dafür roch es, als wäre jemand nach dem Duschen aus dem Bad getreten. »Warum haben Sie mich angerufen?«

»Ich habe mir eingebildet, ich müsste Ihnen noch etwas zu meinem verschwundenen Kind erzählen. Inzwischen bin ich zur Vernunft gekommen.«

»Schwachsinn!« Er machte einen schnellen Schritt auf sie zu. »Deshalb haben Sie garantiert nicht angerufen. Sagen Sie mir endlich die Wahrheit, es ist offensichtlich, dass hier etwas nicht stimmt. Ihr Gesicht ist ganz gerötet und Sie haben geweint. Hat Ihr Betreuer Sie geschlagen oder Ihnen gedroht?«

»Herr Funke ist ein guter Mensch, das würde er nie tun.«

Arne presste die Lippen aufeinander und schaute Luppa ernst an. Sie tat ihm leid. Sie hatte Angst, das konnte er in ihren Augen lesen, aber das lag nicht an seiner Anwesenheit.

»Gut, wie Sie wollen«, sagte er. »Reden wir über Ihr Kind – über das Kind, das Sie abgetrieben haben.«

»Nein!«, kam es erstickt aus ihrer Kehle, und sie presste die Hände gegen ihre Ohren, aber Arne machte weiter. Erst recht, weil er die Fesselmale an ihren Handgelenken bemerkte, als sie die Arme hochnahm und die Ärmel ein Stück Haut freigaben.

»Sie hatten eine Affäre mit Holger Winzer und Sie sind schwanger von ihm gewesen. Streiten Sie es nicht ab und hören Sie auf, mich zu belügen.«

»Ich belüge Sie nicht«, sagte sie, schluchzte und hielt sich den Bauch, als hätte sie noch ein Baby darin. »Seine Frau hat mir mein Kind gestohlen! Sie hat Constanze ausgetragen und mir nicht gegeben.«

Constanze! Wieder dieser Name für ein Ungeborenes. Sie reimte sich ihre eigene Wahrheit zusammen, das verstand Arne jetzt. Er verstand auch, dass Luppa zeitweilig wie eine andere Person agierte. »Mussten Sie sich deshalb in psychotherapeutische Behandlung begeben?«

»Warum tun Sie das? Warum quälen Sie mich so?«

»Antworten Sie mir? Waren Sie jemals bei Dr. Zeisig?«

»Ja, verdammt, und dort habe ich den Mann gesehen.«

Arne stutzte. »Welchen Mann?«

»Der die Melodie gesummt hat.«

Arne ahnte zwar, dass sie von der »Engelsinfonie« redete, aber er wollte es von ihr hören. »Welche Melodie?«

»Ich darf nicht mit der Polizei reden!«

Allmählich bekam Arne eine Vorstellung, was hier los war. »Ist es das, was Funke von Ihnen verlangt hat?«

Zaghaft nickte sie.

Kapitel 61

Donnerstag, 6.55 Uhr

Am nächsten Morgen betrat Arne zerknirscht und unzufrieden mit dem gestrigen Tag die Dienststelle. Alles gute Zureden und sämtliche Appelle hatten bei Mandy Luppa nichts mehr bewirkt, nachdem ihr versehentlich die Sache mit dem Mann und der Melodie herausgerutscht war. Weshalb sie am Abend auf Arnes Nummer angerufen hatte, war sie ihm auch schuldig geblieben. Auf die Striemen an ihren Handgelenken angesprochen, hatte sie schließlich komplett dichtgemacht und ihn aufgefordert, ihre Wohnung zu verlassen. Bei seiner Verabschiedung hatte er sie ein letztes Mal gebeten, ihn anzurufen, sobald sie bereit war, über alles zu sprechen.

»Was auch immer *alles* bedeuten mag«, redete Arne vor sich hin, als er die Kammer aufschloss.

Während er den Blick schweifen ließ und sich einmal mehr über die Tristesse seines Arbeitsplatzes ärgerte, fiel ihm die neue Akte auf, die geradezu auffordernd am Schreibtischrand lag. Zuerst glaubte er, Inge habe sie spätabends an dieser Stelle abgelegt, aber als er Bernhards Handschrift erkannte, wusste er, dass sein Chef hier gewesen war.

»Das gibt es doch nicht!«

Laut dem vorliegenden Dokument hatten Suchkräfte tatsächlich in der letzten Nacht eine Frauenleiche gefunden, nachdem ein Wachschutzmitarbeiter bei seinem Rundgang auf diese gestoßen war und den Notruf gewählt hatte. Es handelte sich eindeutig um die Tote auf den Fotos in den Opernprospekten: Nadja Seidel.

Aufmerksam studierte Arne den Vorgang zur Leiche. Viel Papier war bisher nicht zusammengekommen, aber das war nicht unüblich, wenn es an einem Fundort kaum Spuren gab und der aufnehmende Beamte in den späten Nachtstunden gerufen wurde. Demnach hatte die Tote hinter der Schwimmhalle Bühlau gelegen. Der Stadtteil Bühlau grenzt an den Weißen Hirsch, dachte Arne still für sich und blätterte um. Gemäß der Spurenlage war anzunehmen, dass der Fundort gleichzeitig der Tatort war. Ihr Mörder hatte Seidel vom Parkplatz zum angrenzenden Dickicht geschleift. Es gab Abrieb von den Sohlen von Sneakers. Ob das Opfer da schon tot gewesen war, darüber würde die Obduktion Gewissheit bringen.

»Demnach lag ich mit meiner Vermutung eines Stadtwalds richtig.«

Zufälligerweise war der Wachschutzmitarbeiter, nach eigener Aussage, nur ins Gebüsch getreten, um seine Notdurft zu verrichten. Die Zeugenaussage las sich entsprechend kurios, weil jeder Zeuge sich in so einem Fall irgendwie für den Fund und die Auffindesituation schämte. Arne interessierten solche Befindlichkeiten kein bisschen, stattdessen ärgerte er sich darüber, dass Kommissar Zufall ihm einmal mehr die Show gestohlen hatte.

»Nein, Bernhard hat mir reingegrätscht«, fand er einen Schuldigen und suchte postwendend das Büro seines Vorgesetzten auf.

»Ich sehe, du hast meinen Vorgang schon entdeckt«, sagte Bernhard, der gerade mit der allmorgendlichen Zeitungsschau beschäftigt war.

»Das ist mein Fall«, stellte Arne klar. »Also warum wurde ich gestern Abend nicht verständigt und warum mischst du dich ein?«

Bernhard legte die *Sächsische Zeitung* beiseite und zuckte wie gespielt mit den Schultern. »Du hattest keine Rufbereitschaft und ich wollte dir einfach eine Pause gönnen. Du sahst gestern ziemlich fertig aus. Da dachte ich, du bräuchtest mal wieder mehr Zeit für JALTA SINN und so.«

Arne schenkte ihm ein saures Lächeln. »Danke für dein Verständnis, aber das ist völlig überflüssig. Seit wann übernimmst du derartige Leichenfunde?«

»Was ist denn mit dir los, Arne? Du selbst hast mir doch vorgeworfen, ich hätte keine Ahnung mehr von Außeneinsätzen. Wenn ich dir dann Arbeit abnehme, passt es dir auch nicht.«

»Aber doch nicht bei dieser Leiche!«

»Soweit ich weiß, bin ich Leiter dieser Abteilung.«

»Laut Plan hatte Nathan Schuster Rufbereitschaft. Warum ist er nicht zur Schwimmhalle gefahren?«

»Nathan hat sich krankgemeldet.«

»Sieh an! Dir steht das Wasser bis zum Hals und dein bester Mitarbeiter meldet sich krank.«

Bernhard ging nicht darauf ein. »Da mich der KDD schon verständigt hatte, habe ich das gleich selbst übernommen. Anfangs war gar nicht klar, um wen es sich bei der Frau handelte, es hätte ebenso gut nicht Nadja Seidel sein können.«

»Sah die Tote so aus wie auf den Fotos in der Semperoper?«

»Ja, aber das habe ich erst festgestellt, als ich dort eingetroffen bin. Ich habe mich dann dazu entschieden, die Sache allein durchzuziehen. Du hättest auch keine andere Vorgehensweise bei der Tatortarbeit gewählt.«

»Du hättest dich trotzdem telefonisch mit mir abstimmen können.«

»Als dein Vorgesetzter kann ich das selbst einschätzen.«

Arne wedelte mit der Akte. »Einen Verantwortlichen vom Schwimmhallenbetrieb hast du in der Nacht anscheinend auch nicht kontaktiert.«

»Wozu? Wir haben die Leiche ja nicht in der Schwimmhalle gefunden. Außerdem bin ich davon ausgegangen, dass du die entsprechenden Befragungen am Tag gern selbst übernehmen willst. Deshalb habe ich dir die Akte hingelegt.«

»Darauf kannst du dich verlassen, dass ich die Befragungen übernehme«, bestätigte Arne barscher als beabsichtigt und zeigte wieder auf die Akte. »Wobei ja nicht viele Namen zusammengekommen sind.«

»Worüber regst du dich eigentlich auf?«

»Darüber, dass erneut ein kleines Mädchen verschwunden ist. Darüber, dass in deiner Akte keinerlei Aussagen von Dr. Schweitzer zur Leichenschau vermerkt sind, so wie ich das immer handhabe, wenn sie am Tatort eintrifft. Und warum kein Fährtensuchhund zum Einsatz kam, ist mir auch völlig schleierhaft.«

»Der Fährtensuchhund hatte sein Arbeitspensum an diesem Tag bereits überschritten und steht heute erst wieder ab elf Uhr zur Verfügung.«

»Und warum ist das nicht vermerkt?«

»Mein Gott, Arne, für Suchhunde gab es überhaupt keine Notwendigkeit. Der Täter hat das Kind nämlich mit einem Fahrzeug weggebracht.«

Für einen Augenblick verstummte Arne. »Woher weißt du das?«

»Na hör mal, du selbst hast doch den Namensanstecker von diesem Ulrich Tännert im Anlieferungsbereich der Altmarkt-Galerie gefunden und behauptet, der Täter hätte das Entführungsfahrzeug an keinem besseren Ort abstellen können.«

»Ich rede aber nicht von der Entführung an der Altmark-Galerie, sondern von der Schwimmhalle.«

»Ich war noch nicht fertig … Ein Zeuge aus der angrenzenden Gartenanlage hat einen verdächtigen Transporter am Nachmittag wegfahren sehen. Die Uhrzeit passt mit dem Todeszeitpunkt des Opfers zusammen. Ich habe die Angaben des Mannes auf Diktafon, eine Abschrift bekommst du in Kürze. Gefällt dir das besser?«

»Wie heißt der Zeuge?«

»Steht in meinem Bericht.«

Arne schüttelte den Kopf, denn er hatte den Vorgang aufmerksam durchgeblättert. »Hier drin steht nichts darüber.«

Bernhard kramte auf seinem Schreibtisch nach seinen Notizen und deutete zum Computer. »In dem Bericht, den ich gleich beenden werde. Es war mitten in der Nacht, als ich die Akte angefangen habe. Und während ich mich hinsetze und weiterschreibe, solltest du dich in der Zeit nach einem Transporter umhören.«

»Übrigens wolltest du zwei Mitarbeiter darauf ansetzen, die Verkehrskameras auszuwerten, nachdem uns das Videomaterial endlich zur Verfügung gestellt worden ist. Wie ist da eigentlich der Stand?«

Arne bekam keine Antwort mehr von seinem Chef, weil auf seinem Handy das LKA anrief und er nach dem Telefonat sofort aufbrechen musste.

Kapitel 62

Donnerstag, 8.10 Uhr

»Nein, ich warte nicht auf das Sondereinsatzkommando«, redete Arne in sein Telefon, froh darüber, dass Bernhard nicht zum Weißen Hirsch mitgekommen war, weil er am Einsatzort sonst als Vorgesetzter das Sagen gehabt hätte. »Ich brauche hier auch keine Verhandlungsgruppe, weil es nichts zu verhandeln gibt.«

»Sei vernünftig, Arne«, versuchte Bernhard, ihn von seiner gewohnt übervorsichtigen Einstellung zu überzeugen. »Wenn was schiefläuft, bist du geliefert. Dann kann ich nichts mehr für dich tun.«

Ja, wie beim letzten Mal, als ich deine Hilfe gebraucht hätte, erinnerte Arne sich an seine Suspendierung und gab den dunkel gekleideten Polizisten der Beweissicherungs- und Festnahmeeinheit per Handzeichen Anweisungen, damit sie sich für den anstehenden Zugriff auf dem Grundstück verteilten. Bevor er das Kommando gab, wollte Arne nur noch das Telefonat beenden.

Seltsamerweise war Bernhard bei der Festnahme von Tilo Walther, die sich nach der Beschuldigtenvernehmung des Abwassertechnikers als Luftnummer herausgestellt hatte, keineswegs so zögerlich gewesen. Im Gegenteil, da hatte er Arne noch mangelndes Engagement vorgeworfen. Aber so änderten sich die Sichtweisen. Bestimmt hatte man seinem Leiter von höherer Stelle klargemacht, dass er sich nach der volltönenden Pressekonferenz keinen weiteren Fehltritt erlauben durfte. Damit schien also angesichts der überaus medienwirksamen Verbrechen nicht nur Arnes Stuhl zu wackeln.

»Überleg doch mal«, sagte Arne. »Das LKA hat die Fingerabdrücke auf dem Drohschreiben hundertprozentig als die von Christian Huss identifiziert. Und im Gegensatz zu Tilo Walther hatte Huss auch ein Motiv, sich an Winzers Familie zu rächen, denn der Journalist hatte in einem Artikel den Vorwurf der Urheberrechtsverletzung gegen ihn erhoben. Und wenn ich die Kinderbilder von Manuela Huss und Liliana Winzer vergleiche, lässt sich bei oberflächlicher Betrachtung eine gewisse Ähnlichkeit der beiden nicht leugnen. Das gilt übrigens auch für Nadja Seidel und Annalena Winzer, zumindest in der Vorstellung des Täters. Bei solchen kaltblütigen Entführern sind rationale Einschätzungen zumeist komplett ausgeschaltet. Es spielt also keine Rolle, ob wir Übereinstimmungen bei den Opfern sehen und wie wir das einschätzen, unser Gesuchter hat sich seine eigene Welt und Vorstellung geschaffen. Serienmörder erkennen Zusammenhänge, die für uns niemals sichtbar werden. Wenn wir in den Kopf eines solchen Menschen eintauchen könnten, würden wir wahrscheinlich den Verstand verlieren. Wenn du mich fragst, hat Huss den Tod seiner Tochter und die Trennung von seiner Frau nie überwunden, deshalb verspürt er jetzt den zwanghaften Drang, ein Kind bei sich zu haben, das seiner Tochter ähnelt.«

Natürlich konnte Arne mit dieser These auch vollkommen danebenliegen, zumal er sich nicht für einen dieser glorreichen Fallanalytiker hielt, wie sie in den letzten Jahren das deutsche Fernsehen häufig präsentierte – Profiler, die vorgeblich bis in den dunkelsten Winkel der Seele eines Mörders schauen konnten. Aber im Laufe seiner Berufstätigkeit hatte er trotzdem viel über die Psyche von Kriminellen gelernt.

»Mag sein«, erwiderte Bernhard, der Arnes langer Rede ohne einen Mucks gefolgt war. »Ich will dich trotzdem vor einem Fehler bewahren.«

Arne vernahm die Worte, hörte seinem Chef aber nicht mehr richtig zu. Stattdessen betrachtete er die Villa. Im Erdgeschoss, wo Christian Huss lebte, waren die Fensterläden geschlossen. Der Musiker war ein seltsamer Kauz, der schon viel zu lange einsam in dem Haus wohnte, das einmal ihm gehört hatte und mit dem ihn jede Menge schmerzliche Erinnerungen verbanden. Bei seinem letzten Besuch hatte Arne sich ein wenig auf dem Grundstück umgesehen. Spielend leicht hatte er die Stelle gefunden, wo einmal ein Goldfischteich gewesen war. Auf dem sumpfigen Untergrund, aus dem mittlerweile meterhohe Gräser ragten, überall Unkraut wucherte und längst keine Fische mehr schwammen, konnte man die Steinumrandung des einstigen Tümpels noch immer erkennen.

»Okay, ich nehme deine Bedenken zur Kenntnis«, sagte er schließlich in sein Telefon. »Mag sein, dass ich gerade einen Fehler mache, aber ich will verhindern, dass ein weiteres Kind stirbt.«

Damit trennte er die Verbindung. Unter seinem Mantel drückte ihn die ballistische Schutzweste an allen Ecken und Enden. Über ein Jahr hatte sie unangetastet im Kleiderschrank der KPI gehangen und währenddessen hatte Arne tüchtig an Umfang zugelegt. Er hätte zwar keinen Konditionstest mehr überlebt, aber für die Festnahme eines Tatverdächtigen reichte seine Fitness garantiert noch.

»Wir sind in Position«, bestätigte der Zugführer der Beweissicherungs- und Festnahmeeinheit.

Zufrieden, aber dennoch angespannt nickte Arne. In wenigen Minuten würde sich herausstellen, ob er mit seinem

Verdacht richtiglag und ob sie ein achtjähriges Kind retteten. Alle bisherigen Ermittlungen führten zu Christian Huss. Nach Lilianas Unfall hatte Inge ihm ein Ort-Zeit-Diagramm erstellt; demnach war es gut möglich, dass Winzers Tochter von hier geflüchtet war und es bis zum Blauen Wunder geschafft hatte.

»Herr Stiller, sind Sie das?«, kam es plötzlich von der Seite. Die Hauseigentümerin Maria von Loth war plötzlich aufgetaucht. Wie beim letzten Mal klemmte eine Zigarette zwischen ihren Lippen. Sie wischte sich eine graue Haarsträhne beiseite und hob eine Harke hoch, an deren Zacken Laub hing. »Was ist denn hier los?«

»Zur Seite!«, bestimmte Arne und zerrte die Neunundachtzigjährige aus dem Gefahrenbereich. »Haben Sie Herrn Huss heute schon gesehen?«

»Was?«

»Beantworten Sie einfach meine Frage.«

»Nein, mit Christian habe ich zuletzt gestern oder vorgestern gesprochen. Wir haben uns über Lärm aus seiner Wohnung unterhalten. Die anderen Mieter haben sich beschwert. Er war ziemlich angefressen …«

»Haben Sie einen Schlüssel für seine Wohnung?«

»Für seine Wohnung?«

»Sie sind doch die Vermieterin.«

»Sicher, ich …«

Ihre Einwände gegen das Betreten der fremden Wohnung blieben ungehört. Arne gab dem Zugführer ein Zeichen, der daraufhin Kommandos in sein Funkgerät sprach und sich mit kompromisslosem Auftreten von Frau Loth den Wohnungsschlüssel aushändigen ließ. Kurz darauf stürmten mehrere gut geschützte und mit Langwaffen ausgestattete Beamte die Räumlichkeiten von Christian Huss.

»Zielperson nicht festgestellt«, hörte Arne die Durchsage aus seinem Funkgerät. »Stehen vor einer verschlossenen Zimmertür.«

»Aufbrechen!«, bestimmte Arne, während er selbst in die Wohnung eilte. Dort huschte eine verängstigte Katze an ihm vorbei und verschwand im Hausflur.

Kurz blickte er dem Tier hinterher und erinnerte sich an die Katzenhaare, die man bei der ersten Leiche gefunden hatte. Sekunden später warf er einen Blick in ein Kinderzimmer.

Kapitel 63

Donnerstag, 10.50 Uhr

»Herr Stiller?«, sprach Dr. Schweitzer ihn an. »Haben Sie mir überhaupt zugehört?«

Gestört in seinen Gedanken, blinzelte Arne mehrfach, dann nahm er den OP-Saal in der Rechtsmedizin wieder wahr.

Während der Durchsuchung von Christian Huss' Wohnung hatte Dr. Schweitzer ihn angerufen und ihm von ihren Entdeckungen bei der Obduktion von Nadja Seidels Leiche berichtet. Nach Einsatzende an der Villa war er sofort zum rechtsmedizinischen Institut aufgebrochen, das er vor dreißig Minuten erreicht und wo er Dr. Schweitzer bei einer Besprechung gestört hatte.

73818

»Es heißt BIBEL«, murmelte Arne und stierte anschließend auf die blutleeren Handflächen, in deren Haut weitere Zahlen geritzt waren. Zahlen, die, im Gegensatz zu denen auf dem Bauch, kein Wort nach dem Beghilos-Alphabet ergaben. »Es ist wie bei Annalena Winzer.«

Diesmal hatte der Mörder sich jedoch nicht die Mühe gemacht, Zahlen auf den Fußsohlen seines Opfers zu hinterlassen. Wahrscheinlich hatte ihm dafür, wie bereits vermutet, einfach die Zeit gefehlt. Also hatte er sich schlicht und einfach über den Oberkörper der Frau gebeugt, die Jacke geöffnet, den Pullover hochgeschoben und ein Messer oder Skalpell angesetzt und das Wort BIBEL als Zahlenbotschaft hinterlassen. Wie Dr. Schweitzer, die neben Arne stand, eben bestätigt hatte, waren auch diese Ziffern post mortem in die Haut geschnitten worden.

»139 und 1316«, sagte er die Ziffern an den Händen auf und versuchte, sie gedanklich in eine andere Reihenfolge zu bringen, damit sie als Buchstaben vielleicht doch noch irgendeinen Sinn ergaben.

Vergeblich.

»Herr Stiller?«

»Ja, ich war …« Er unterbrach sich, denn plötzlich kam ihm eine Idee. »Gibt es hier zufällig eine Bibel?«

»Geht es Ihnen gut?«

Dass irgendwo in der Rechtsmedizin eine Bibel herumstand, war vielleicht nicht gänzlich abwegig, aber für die Ärztin, die nach Hunderten von Leichenschauen niemals eine Seele entdeckt hatte und somit garantiert auch nicht an Gott glaubte, war die Frage anscheinend geradezu irrwitzig.

Er schüttelte den Kopf, um zur Besinnung zu kommen. Der Stress und die immer neuen Enthüllungen machten ihn noch ganz wirr. »Um ehrlich zu sein, geht es mir überhaupt nicht gut. Dieser Fall …« Er zeigte auf den bis zur Hüfte abgedeckten Leichnam und winkte ab. »Vor zwei Stunden habe ich ein verstörendes Kinderzimmer gesehen. Dort stand ein Bettchen, aber die Bettwäsche war alt und roch modrig, als wäre sie jahrelang nicht gewechselt worden. Dort gab es auch Spielzeug: Puppen, ein Schaukelpferd … Aber alles war von einer dicken

Schicht Staub bedeckt. Und dann noch dieser eingerahmte Bibelvers an der Wand. Es war ein großer Rahmen, doch statt eines Bildes enthielt er nur in fetten Buchstaben geschriebenen Text … Warten Sie, ich habe ein Foto gemacht. Aus dem Kopf bekomme ich die Zeilen gar nicht mehr zusammen. Da war die Rede von einem Mutterleib und natürlich von Gott. Sind Sie eigentlich gläubig?« Er erwartete keine Antwort von ihr und bemerkte, dass er zwar in seine Jackentasche gegriffen, aber sein Handy nicht hervorgeholt hatte. Er fasste sich an die Stirn, um sich zu sammeln. »Kein Kind hätte sich in dem Zimmer wohlgefühlt. Ich bin mir nicht sicher, ob ich froh darüber bin, kein Kind in der Wohnung gefunden zu haben. Ich meine, wir haben gehofft, ein Kind retten zu können … Verstehen Sie?«

Nein, sie verstand nicht, sondern schaute ihn an, als erwartete sie eine plausible Erklärung, warum er ihr das alles erzählte. Doch eine Erklärung hätte er jetzt selbst gern erhalten. Eine Erklärung, warum jemand zwei Mädchen entführte und ihre Mütter tötete.

»Jedenfalls komme ich kaum noch zum Schlafen«, redete er weiter, weil sie stumm blieb und er das Gefühl hatte, etwas erzählen zu müssen. Er rieb sich die Augen, um die Müdigkeit zu vertreiben. Wieder betrachtete er den toten Körper von Nadja Seidel. Er schämte sich, weil die Polizei die Tochter der Toten bisher nicht gefunden hatte. Er schämte sich, weil Christian Huss trotz sämtlicher Fahndungsmaßnahmen noch frei herumlief. »Sie könnten mir bestimmt etwas verschreiben, das mir hilft. Auch wenn es nur meinen Appetit anregt. Ich esse zu wenig …«

»Und wahrscheinlich trinken Sie wieder«, verschonte sie ihn nicht mit dem Thema, das ihm ausgesprochen unangenehm war. Lieber hätte sie sich über seine Figur abfällig äußern sollen. Aber die Sache mit dem Alkohol …

»Nein, ich …« Er winkte ab und lächelte, weil er sich einbildete, dass sie ihren »Untersuchungsobjekten« von Tag zu Tag ähnlicher wurde: empfindungslos und kalt. »Schade, ich dachte, Sie hätten ein paar aufmunternde Worte für mich.«

»Tut mir leid, dass ich Sie dahin gehend enttäuschen muss«, sagte sie mit ihrem gewohnt distanzierten Unterton und präsentierte ihm ein Schmuckstück in einer Edelstahlschale. »Aber ich habe den hier.«

»Einen Goldring?«, fragte er unnötigerweise.

»Aus der Luftröhre der Toten.«

Es war ein Goldring, wie ihn sich Paare zur Hochzeit schenken, kein billiges Teil aus einem der zahlreichen Souvenirläden in der Innenstadt. In der Mitte befand sich ein winziger bläulicher Edelstein. Möglicherweise handelte es sich um einen Saphir. Arne war kein Schmuckexperte, er konnte nur Vermutungen anstellen.

Er hob den Ring mitsamt der Schale an, in der er sich befand. Anschließend suchte er nach einer Prägung im Inneren dieses Beweisstücks.

»Schade, kein Datum oder Name.« Wieder ging sein Blick zu den Händen der Leiche. Er sah keine Aufhellung der Haut am Ringfinger. »Ob er der Frau gehörte? Passt er zu ihrem Finger?«

»Wie ich eben sagte, ist der Täter äußerst brutal vorgegangen. Er hat ihr den Schädel zertrümmert. Darauf deuten nicht zuletzt massive Einblutungen im Gehirngewebe hin.« Sie zeigte auf den Ring. »Den hat er ihr anschließend gewaltsam in die Luftröhre geschoben. Vermutlich mit einem Ast, ich habe Grashalme und Reste von Baumrinde gefunden.«

Arne stellte sich das Szenario vor. Die Luftröhre des Menschen hat einen Durchmesser von etwa zwei Zentimetern und ist elastisch. Der Ring war kleiner, aber allein der Gedanke daran, ihn im Hals stecken zu haben, ließ ihn hart schlucken.

»Und was hat er zu bedeuten?« Es war eigentlich eine rhetorische Frage.

»Sie sind der Kommissar«, sagte sie prompt und entfernte sich vom Seziertisch. Dabei zog sie die Latexhandschuhe mit dem Geräusch schabenden Gummis von den Fingern und kehrte mit ihrem Smartphone in der Hand zurück. Sie tippte etwas in den Internetbrowser ein und reichte ihm das Gerät.

»Was soll ich damit?«, wunderte er sich.

»Sie haben doch nach einer Bibel gefragt. Eine Onlineausgabe wird es hoffentlich auch tun.«

Er klopfte sich gegen die Hosentasche, die sein eigenes Telefon ausbeulte. »Ich habe selbst eins, sogar mit Internetempfang.«

»Oh, ich dachte, Sie hätten noch ein altes Handy.«

»Wie kommen Sie darauf?«

»Es würde zu der altmodischen Kleidung passen, die Sie ständig tragen.«

»Altmodisch?« Während sie keine Miene verzog, hob Arne die Augenbrauen und schaute erstaunt an sich hinunter. Sogar Bernhard hatte seinen neuen Herrenmantel gelobt. »Bei dem Mantel habe ich mich von einer Frau beraten lassen.«

»Der Mantel ist gut. Ihr Hemdkragen ist jedoch ausgefranst. Außerdem ist der Stoff giftgrün.«

»Hm, meine Ex-Frau hat auch ständig …«

Jetzt legte sie den Kopf schief und er verstand: Sie wollte keinesfalls seine »Weibergeschichten« hören. Womöglich war seine Frau in die Arme eines anderen geflüchtet, weil er sich hatte gehen lassen. Andererseits, was wusste schon eine Ärztin, die so viel Mitempfinden besaß wie ein Skalpell, von Beziehungen.

»Bitte bleiben Sie möglichst auf seriösen Internetseiten.«

»Tss …«

Weil er das nicht mit ihr ausdiskutieren wollte, schluckte er seine Antwort hinunter und stöberte auf ihrem Smartphone in der Online-Bibel nach einem Kapitel 139 und den Versen 13 bis 16.

»Das gibt es doch nicht!«, rief er nur Sekunden später, als er den ersten angezeigten Treffer anklickte.

Dr. Schweitzer blickte ihn an, neugierig, was er wohl gefunden hatte. Doch das Klingeln von Arnes Handy verhinderte jegliche Erklärung.

»Wir haben Huss«, sagte Bernhard ohne Umschweife. »Eine Streife der Autobahnpolizei hat ihn auf der A17 kontrolliert und festgenommen. Also, wo steckst du?«

Kapitel 64

Rückblick

Die Kapelle auf dem Trinitatisfriedhof war bis zum letzten Platz besetzt. Einige Trauergäste mussten sogar draußen bleiben, wo ein Dutzend Musiker der Dresdner Philharmonie Kirchenlieder spielte. Das Sinfonieorchester der sächsischen Landeshauptstadt erwies damit einem ihrer größten Künstler die letzte Ehre. Damit man die Musik drinnen hörte und die außen Stehenden im Gegenzug die Ansprache mitbekamen, ließ man die Türen offen stehen.

Der Trauerredner, ein Geistlicher irgendeiner Kirche, trat vor die Versammelten. Zuvor verbeugte er sich andächtig vor dem Toten.

Unterdessen beobachtete der Junge die Zeremonie. Sie erschien ihm wie eine Szene aus einem der Schwarz-Weiß-Filme, die er in dem Kasten angesehen hatte, den sein Vater irgendwann gegen einen Farbfernseher getauscht hatte.

Er saß in der zweiten Reihe, ganz außen, so als würde er nicht zur Familie gehören. Dabei war es sein Vater, der vorn am Altar in dem wunderschönen Sarg lag. Katharina thronte natürlich in der ersten Bankreihe. Sie war ja jetzt die Witwe, um die sich alle sorgten. Um sie und ihre Tochter Diana. Beide tupften sich ständig mit Taschentüchern die Tränen ab. Neben ihnen saßen alte Parteifreunde des Vaters. Leute, die in der Villa ein und aus gegangen waren. Außerdem der Intendant der Semperoper und irgendein wichtiger Veranstalter, den der Junge nur flüchtig kannte. Er verwaltete jetzt die Kompositionen seines Vaters, so hieß es.

Der Junge hatte davon keine Ahnung. Wie auch? Er war noch gar nicht volljährig, konnte nicht begreifen, was um ihn herum passierte. Die Krankheit seines Vaters hatte sich über Jahre hingezogen, aber der Tod war plötzlich eingetreten. Viel zu plötzlich für den Jungen. An einem grauen Herbsttag hatte der Arzt den Totenschein ausgefüllt. Als der Junge seinen Vater zu Hause das letzte Mal gesehen hatte, war sein Bett bereits kalt gewesen. Jetzt saß er verwaist in diesem kalten Gemäuer und zitterte. Früher war diese Begräbnisstätte ein Seuchenfriedhof gewesen. Wie eine Seuche empfand der Junge auch diese Tage. Der Herbstwind jagte graue Blätter über die Friedhofswege und belegte jeden Stein und jeden Grashalm mit einer unangenehmen Feuchtigkeit. Selbst die Worte des Geistlichen klangen nüchtern und dunkel.

»Für diese Andacht habe ich einen Bibeltext ausgewählt, der uns allen zum Trost gereichen soll. Es ist ein Wort aus Psalm 139, die Verse 13 bis 16:

> Du hast mich geschaffen mit Leib und Geist, mich zusammengefügt im Schoß meiner Mutter …«

Mit Leib und Geist, wiederholte der Junge gedanklich und dachte an seine eigene Mutter, die er noch viel früher verloren hatte.

»Dafür danke ich dir, es erfüllt mich mit Ehrfurcht …«, sprach der Redner weiter und bewegte dazu theatralisch seine Hände. »An mir selber erkenne ich: Alle deine Taten sind Wunder!«

Während Katharina ihre Tochter in den Arm nahm und heftig schluchzte, schaute sich der Junge um. Schräg hinter ihm saß Christian Huss mit seinen Eltern. Der Musikstudent schien die Andacht aufmerksam zu verfolgen – mit einem dünnen Lächeln auf den Lippen. Nach einer Weile bemerkte Huss, dass der Junge ihn anstarrte, woraufhin er ihm zuzwinkerte. Es sollte wohl eine aufmunternde Geste sein.

»... jeder meiner Tage war schon vorgezeichnet, noch ehe der erste begann«, beendete der Geistliche schließlich das Bibelzitat, um mit seiner eigentlichen Rede fortzufahren.

Irgendwann hatte auch das ein Ende. Der Junge hatte längst nicht mehr zugehört, sondern sich Gedanken gemacht, wie es weitergehen würde, sobald sein Vater unter der Erde lag. Dann kam der Moment, wo alle um das Grab versammelt standen. Katharina hatte einen schlichten, aber auch noblen Grabstein ausgesucht. Freilich handelte es sich bei dem Material nicht einmal um Stein, sondern um Edelstahl und Bronze.

Der Junge fand, dass seinem Vater ein solcher Grabstein gefallen hätte. Da er tot war, konnte er dazu aber nichts mehr sagen.

»Ich hab dich lieb«, flüsterte der Junge in das Loch und warf eine Blume hinein, dann ging er weinend beiseite, um den anderen Trauergästen Platz zu machen.

Nach ihm traten viele Leute an das Grab, die der Junge nie zuvor gesehen hatte. Darunter befand sich auch ein Ehepaar, das direkt auf ihn zukam, nachdem es von dem großen Künstler Abschied genommen hatte.

»Wir wollen uns nur kurz bei dir vorstellen«, sagte die Frau und strich dem Jungen über den Kopf, als wären es Verwandte. »Wir heißen Christine und Frank«, sagte die Frau. »Du wirst es bei uns gut haben.«

So schnell, wie sie an ihn herangetreten waren, gingen sie davon. Der Junge sah ihnen nach, wie sie Arm in Arm zum Eingangstor spazierten.

Erst als die meisten Gäste den Friedhof verlassen hatten, bekam er die Chance, Katharina und Diana allein zu sprechen.

»Was waren das für Leute, Christine und Frank?«, fragte er. »Was meinten sie damit, ich würde es bei ihnen gut haben.«

»Schatz«, wandte Katharina sich an Diana, statt ihm zu antworten, und zeigte zum Redner, der unter einem Kastanienbaum stand und sich mit dem Dirigenten der Philharmoniker unterhielt. »Würdest du dich bei dem Mann dort artig für die Trauerrede bedanken? Sag ihm, deine Mutter ist jetzt noch ergriffen von seinen schönen Worten und der Bibelstelle.«

Zufrieden blickte Katharina ihrer Tochter hinterher, dann schwang sie herum und funkelte den Jungen an wie einen Untergebenen, dem es nicht zustand, eine solche Frage zu stellen.

»Dachtest du etwa ernsthaft, du könntest bei uns bleiben, nach allem, was du deinem Vater und uns angetan hast? Mein armer Mann … Was musste er alles deinetwegen erdulden? Das da eben war Familie Meyer. Du wirst zu ihr ziehen.«

»Aber ich … bin sein Sohn, ich erbe einmal das Haus.«

»Von wegen! Du bekommst nichts. Als hinterbliebene Ehefrau habe ich ab sofort das alleinige Sagen. Du ziehst zu der Pflegefamilie, die Papiere sind fertig. Dein Vater hat kurz vor seinem Tod noch alles unterschrieben. Auch sein Testament, das mich vollumfänglich begünstigt.«

»Nein«, flüsterte der Junge und die Tränen schossen ihm sofort in die Augen.

»Du bist ein krimineller Widerling und psychisch krank«, legte Katharina nach und er bekam es mit der Angst zu tun. »Glaubst du, ich hätte nicht mitbekommen, wie du meinen kleinen Engel heimlich beim Duschen beobachtet oder belauscht hast, wenn sie die Toilette benutzt hat?«

Das konnte nicht sein, Diana hatte das Badezimmer immer abgeschlossen. Selbst in seinem Zimmer hatte er das Klacken des Schließriegels gehört. Katharina log und vermutlich hatte sie solche Unwahrheiten längst überall herumerzählt. Deshalb hatten ihn die Trauergäste auch so seltsam angesehen, einschließlich Christian Huss.

»Diana lügt!«, schrie er so laut, dass sich die verbliebenen Personen nach ihm und Katharina umschauten.

In seiner Verzweiflung stieß er seine Stiefmutter gegen den Brustkorb. Das nutzte Katharina, um sich theatralisch auf die Wiese fallen zu lassen. Tagelang war sie danach krankgeschrieben. Angeblich wegen einer verrenkten Hüfte.

Der Junge aber rannte davon. Das machte die Sache allerdings nur noch schlimmer, weil er von da an auch noch als Ausreißer galt und von der Polizei gesucht wurde.

VIERTER TEIL

Kapitel 65

Donnerstag, 13.30 Uhr

Obwohl Arne auf Antworten brannte, ließ er sich Zeit, bevor er den Vernehmungsraum aufsuchte, in dem Christian Huss saß. Während er auf dem Hof eine Zigarette rauchte, ging er gedanklich noch einmal seine Taktik durch. Er würde es mit einer Märchenstunde probieren. Wie zur Bestätigung nickte er sich selbst zu, drückte die Kippe in einen Aschenbecher und ging zurück ins Gebäude.

»Wie lange willst du ihn denn noch schmoren lassen?«, erkundigte Bernhard sich, als er Arne erwischte, wie er in der Küche an der Kaffeemaschine zugange war.

»Und schon geht es los.« Arne drehte sich um und hielt zur Bestätigung zwei volle Kaffeebecher hoch. »Hältst du mir die Tür auf?«

Bernhard verdrehte die Augen, begleitete ihn schließlich aber zum Vernehmungszimmer.

»Sie hätten an Ihr Telefon gehen sollen, als ich Sie angerufen habe«, sprach Arne den Festgenommenen direkt an und stellte ihm einen der dampfenden Becher hin.

»Warum halten Sie mich hier fest?«, kam es sofort von Huss.

Arne ging nicht darauf ein, sondern deutete zum Getränk. »Sie könnten sich wenigstens für den Kaffee bedanken. Nach meinen Erfahrungen spricht es sich mit Alkohol oder Koffein leichter, wenn einem etwas auf der Seele brennt. Und da hier striktes Alkoholverbot gilt …«

»Was wollen Sie denn?«

»Ihnen eine kleine traurige Geschichte erzählen.«

»Was?«, kam es wie erwartet von Huss, der bei ihrer letzten Begegnung bereits schlecht ausgesehen hatte, diesmal jedoch mit den dunklen Augenringen und der trockenen Haut geradezu wie ein Zombie wirkte.

»Probieren Sie ruhig«, pries Arne erneut den Kaffee an. »Damit versucht meine Kollegin andauernd, mich umzubringen, aber es ist ihr bisher nicht gelungen.«

In Wahrheit wusste er nicht, wer die Brühe gekocht hatte. Sie schmeckte trotz zwei Löffeln Zucker nach nichts, aber Arne ließ es sich nicht nehmen, sich nach einem Schluck genüsslich die Lippen zu lecken. Erst als Huss ebenfalls kostete und angewidert die Mundwinkel verzog, war Arne zufrieden. Es sollte ein Vorgeschmack werden auf das, was ihn hier erwartete.

»Es war einmal ein Vater, der hatte ein begnadetes Talent für die Musik …«

»Was zum Teufel erzählen Sie da?«, fuhr Huss ihn an, und beinahe sah es so aus, als wollte er das Heißgetränk nach Arne werfen.

»Es war einmal ein Vater, der hatte ein begnadetes Talent für die Musik und er hatte eine bildhübsche Tochter«, machte Arne weiter, als hätte sein Gegenüber ihn nicht gerade unterbrochen. »Andere hätten das Mädchen vielleicht als ein bisschen zu vorlaut in der Schule beschrieben und ihre leicht abstehenden Ohren als gar nicht so hübsch bezeichnet, aber für den Vater war das Kind das Wertvollste auf der Welt.«

»Hören Sie«, unterbrach Huss ihn erneut, diesmal weniger energisch. »Soll das hier so eine Art versteckte Kamera werden?«

»Das Wertvollste auf der Welt«, wiederholte Arne. »Und alles war perfekt für den Vater. Er hatte ein teures Klavier, eine ihn liebende Ehefrau, ein verdammt riesiges Haus und eben seine bildhübsche Tochter, deren pechschwarze Haarsträhnen er so gern um seinen Finger wickelte, wenn er sie in den Arm nahm. Aber Perfektion ist ein ganz und gar unstetes Gut, das wusste der Vater, denn er war ja ein begnadeter Musiker, dem zwar hin und wieder ein schiefer Ton auf der Klaviatur dazwischenkam, der jedoch im Laufe der Jahre gelernt hatte, seine Zuhörer durch sein Spiel zu täuschen.«

Zum ersten Mal ließ Arne eine Pause und diesmal starrte Huss ihn bloß an. Im Vernehmungsraum wurde es gespenstisch still und Arne ahnte, was Bernhard im Nebenraum dachte, der mit zwei Kolleginnen die Vernehmung durch einen venezianischen Spiegel verfolgte, nämlich dass Arne komplett den Verstand verloren hatte.

»Für den Vater zerbrach die perfekte Welt, als sein Wertvollstes in einen kleinen Teich fiel und ertrank.«

»Aufhören!«, brüllte Huss, aber Arne schüttelte nur den Kopf und lächelte milde.

»Der Vater kam nicht über den Verlust hinweg und wollte sich damit nicht abfinden. Das war verständlich, denn er hatte ja das Wertvollste neben der Musik verloren. Also suchte er einen Schuldigen für den Verlust der Tochter. Zuerst machte er einen Jungen aus der Nachbarschaft verantwortlich, seine Tochter ertränkt zu haben. Der Junge galt als Herumtreiber, also lag der Tatverdacht nahe. Als die Polizei den vermeintlichen Mörder laufen ließ, schikanierte der Vater die Ehefrau mit der Begründung, dass sie als Mutter versagt und nicht genügend auf das Kind aufgepasst habe. Als seine Frau ihn schließlich verließ, wollte er das Haus loswerden, weil es der Ort allen

Unglücks war. Aber so richtig konnte sich der Vater nicht von dem Gebäude trennen …« Arne zeigte mit Daumen und Zeigefinger einen Spalt. »Denn ein kleines bisschen plagte ihn das schlechte Gewissen gegenüber seinen Eltern, die das Haus mit eigenen Händen erbaut hatten. Außerdem gab es da noch das Kinderzimmer der Tochter. Vielleicht war sie ja gar nicht tot und würde eines Tages vor der Tür stehen und in ihr Bettchen zurückkehren. Aber wie hätte sie jemals zurückkehren sollen, wenn das Klingelschild ausgetauscht worden wäre? Deshalb lebt der Vater noch heute in dem Haus. Schließlich verzweifelte er sogar an der Musik, denn seine einst so perfekte Welt hatte sich weitergedreht und niemand wollte mehr einen altmodischen und noch dazu zweitklassigen Pianisten hören.«

»Das ist nicht wahr!« Huss schlug mit der Faust auf den Tisch. Sein noch fast voller Kaffeebecher kippte um.

Regungslos sah Arne zu, wie die dunkle Flüssigkeit über die Tischplatte rann, über den Rand lief und auf den Boden tropfte.

»Tja«, sagte er plötzlich und atmete hörbar ein und aus. »Und dann hat der Vater beschlossen, sich ein neues Kind zu holen. Eines, das seiner verstorbenen Tochter ähnlich sah.«

Kapitel 66

Donnerstag, 14.10 Uhr

Während Inge abwechselnd auf einem Laptop Videoaufnahmen sichtete und durch die verspiegelte Glasscheibe in das Vernehmungszimmer blickte, trat ihr Chef unruhig von einem Bein auf das andere.

»Ich muss diesen verrückten Kerl von dem Fall abziehen«, sprach Bernhard laut seinen Unmut aus und fuhr sich pausenlos über die Halbglatze. Wenn er so weitermachte, hatte er am Ende der Vernehmung kein einziges Haar mehr auf dem Kopf, dachte Inge.

Stattdessen sagte sie: »Ja, ich finde es auch bedenklich, dass er sich über meinen Kaffee beschwert.«

»Was?«, kam es hörbar irritiert von Bernhard.

»Ich meine ja nur, ständig kritisiert er mich.«

»Frau Allhammer, bitte, bisher bin ich äußerst zufrieden mit Ihrer Arbeit. Ich muss Sie jedoch daran erinnern …«

»… dass ich weiterhin auf Bewährung in Ihrer Abteilung bin, schon klar.«

»Arne weiß sicherlich, was er tut«, ging die anwesende Kollegin Anja Modell dazwischen. In ihrer Behauptung schwang allerdings alles andere als Überzeugung mit.

»Er soll Huss zu einem Geständnis bewegen und keine Geschichten erzählen«, klagte Bernhard weiter. »Es war seine Idee, den Mann festzunehmen, also soll er gefälligst was daraus machen.«

»Und es war Ihre Idee, Arne die Ermittlung anzuvertrauen.«

»Vorsicht, Ihr Unterton gefällt mir nicht!« Bernhard drehte sich mit erhobenem Zeigefinger herum. »Langsam glaube ich, dass Arnes Verhalten auf Sie abfärbt. Gehen Sie lieber nicht zu weit.«

Dafür war es ohnehin der falsche Zeitpunkt, denn Inge konzentrierte sich auf die Videos der Verkehrskameras, während im Nachbarraum das Gespräch zwischen Arne und dem Beschuldigten weiterging.

»Sie haben den Falschen«, äußerte Huss soeben. »Daher brauche ich auch keinen Anwalt.«

»Wissen Sie, was der Fehler des letzten Beschuldigten war, der mir gegenüber auf dem Stuhl saß, auf dem Sie jetzt sitzen?«, fragte Arne.

»Nein, welcher denn?«

»Zu meinen, keinen Anwalt zu brauchen.«

»Scheiße, ist das auf Tonband?«, fragte Bernhard.

»Jedes Wort«, bestätigte Anja, die schon die gesamte Zeit die Aufnahmetechnik bediente und zuvor Huss vorschriftsmäßig über die Dokumentation belehrt hatte.

»Ich habe mir kein anderes Kind geholt«, beteuerte Huss.

»Wie kommen Sie darauf, dass ich Ihnen das vorwerfe?«, fragte Arne.

»Sie haben mir doch eben …«

»Ja, eine Geschichte mit anonymen Figuren erzählt«, schnitt er dem Beschuldigten den Satz ab. »Aber schön, wenn Sie es schon auf sich beziehen, reden wir über Sie und Ihre Vergangenheit. Beim letzten Gespräch erzählten Sie mir, dass Ihre Frau Sie verlassen hat. Sie verheimlichten dabei allerdings ein wichtiges Detail: Sie haben alles dafür getan, dass sie gegangen ist.«

»Sie haben nicht nach den Umständen unserer Trennung gefragt.«

»Richtig, mein Fehler. Ich hätte Sie konkret fragen sollen, ob Sie Ihre Frau in der Badewanne mit dem Kopf unter Wasser gedrückt und sie dabei angeschrien haben, dass Manuela sich so gefühlt haben muss.«

»Sie haben also mit meiner Ex-Frau geredet und sie hat wieder einmal Lügen über mich verbreitet.«

»Demnach haben Sie sie also nie geschlagen und auf ihrem Handy auch keine Überwachungs-App installiert?«

»Das war notwendig, denn immerhin hatte ich recht mit meiner Vermutung, dass sie mich betrügt.«

Arne nickte, als hätte er für diese Rechtfertigung Verständnis. »Das entschuldigt natürlich Ihr Handeln. Aber wissen Sie was? Männer wie Sie, die sich an Frauen vergreifen, machen mich krank.«

Während Arne sich angriffslustig nach vorn beugte, lehnte Huss sich zum ersten Mal zurück und schmunzelte zynisch. Außenstehende hätten denken können, der Kommissar würde die Nerven verlieren, aber Inge wusste, dass Arne den Vernehmungsverlauf exakt so geplant hatte.

»Sie sind ein Schwein.«

»Und ich zeige Sie hiermit wegen Beleidigung an«, reagierte Huss auf die Beschimpfung.

Diese Äußerung von Arne verwunderte Inge nicht wirklich, ganz im Gegensatz zu Bernhard, der sich nervös einmal im Kreis drehte, als suchte er verzweifelt einen Ausgang aus diesem Albtraum. »Können wir das irgendwie rausschneiden?« Es war natürlich nur eine rhetorische Frage, deshalb antwortete weder Inge noch Anja. »Was bezweckt er denn damit, außer sich in Schwierigkeiten zu bringen?«

»Schätze, er will einfach Zeit gewinnen«, sagte Inge und startete den Drucker, der an den Laptop angeschlossen war.

»Zeit wofür?«

»Dafür!« Nach einem kurzen Moment hielt sie ihm das Blatt mit einem Bildschirmausdruck hin.

»Ist das der Transporter, den die Kriminaltechniker gerade untersuchen?«, fragte Bernhard.

Inge zuckte mit den Achseln. »Denke schon.«

Kapitel 67

Donnerstag, 14.30 Uhr

Es klopfte. Arne bat herein. Augenblicke später öffnete Inge die Tür und reichte ihm zwei Blätter Papier. Den Fotoausdruck hielt er so, dass Huss ihn nicht sehen konnte.

»Sieh mal an«, sagte er bloß.

»Was haben Sie da?«, kam es von Huss.

Statt ihm das Foto mit dem schwarzen Transporter zu zeigen, bedankte Arne sich bei Inge. Erst als sie den Raum verlassen hatte, schob er das Papier über den Tisch.

Weil Huss es nur stumm betrachtete, machte Arne den Anfang.

»Das wurde letzten Sonntag um 13.51 Uhr unweit der Altmarkt-Galerie auf der St. Petersburger Straße aufgenommen. Man erkennt den Fahrer nicht, da er ein Basecap und eine Sonnenbrille trägt. Aber die Verkehrskamera hat das Kennzeichen deutlich erfasst. Seltsam, meine Kollegen vom Autobahnrevier haben Sie heute mit diesem Fahrzeug kontrolliert.«

»Es gehört einem Bekannten.«

Das war nicht unbedingt die Antwort, die Arne hören wollte, denn die Halterdaten kannte er längst aus dem Zentralen

Fahrzeugregister, die Inge ihm gleich mit ausgedruckt hatte. Auffordernd tippte er auf das Foto, woraufhin Huss nickte.

»Ja, das war ich.«

Arne entzog ihm das Foto, damit er sich konzentrierte. »Zwischen dreizehn und vierzehn Uhr wurden Annalena und Liliana Winzer mit einem Fahrzeug von der Altmarkt-Galerie entführt.«

»Nein, das war ich nicht. Ich liefere Handwerkerzubehör aus, an verschiedene Baumärkte und Fachgeschäfte.«

»Dann gibt es doch sicher Lieferscheine?«

»Für den Sonntag nicht, da habe ich einem Bekannten einen Gefallen getan und ein paar Möbel für einen Umzug transportiert. Der Fahrzeugeigentümer weiß nichts davon.«

»Möbel also. Ich nehme an, die Kriminaltechniker werden bei der Spurenarbeit entsprechende Hinweise entdecken. Unsere Leute sind wirklich gut darin, etwas zu finden. Die finden selbst Haare, Fingernägel und Hautschuppen.«

»Herr Stiller, das ist mir alles so peinlich. Dieser Job, meine ich.« Er deutete auf das Blatt, das Arne seelenruhig faltete. »Glauben Sie, ich verberge mein Gesicht im Auto, weil ich etwas Illegales tue?«

»Der Gedanke liegt nahe.«

»Ich hasse es, dass ich als Kurier und Anlieferer arbeiten muss, weil es keine Arbeit für einen Künstler ist. Aber die Musik wirft einfach nicht mehr genügend ab. Außerdem kassiere ich einen Teil des Lohnes unter der Hand, dadurch kann ich mir gelegentlich einen Opernbesuch und dergleichen leisten.«

»Verstehe, leider beschäftige ich mich nicht mit Steuerhinterziehung, sondern mit Entführung und Mord. Also verraten Sie mir, warum liegt mir eine brandaktuelle Aussage von Ulrich Tännert vor, in der er behauptet, zuletzt mehrfach einen schwarzen Transporter in seinem Wohnumfeld und an der Arbeitsstelle bemerkt zu haben? Und zwar diesen hier!«

»Ja, schon gut, ich beobachte Ulrich Tännert schon eine Weile.«

»Sie stellen ihm nach, das ist eine Straftat.«

»Als Nachstellen würde ich das nicht bezeichnen. Es ist reine Notwehr. Jemand muss doch etwas gegen diesen Kriminellen tun. Ich werde beweisen, dass er ein Verbrecher ist, geben Sie mir einfach mehr Zeit.«

»Ich habe ihn überprüft, er ist sauber«, log Arne erneut, denn Tännert war schließlich kürzlich polizeilich in Erscheinung getreten.

»Wussten Sie, dass er inzwischen ein eigenes Kind hat?«

»Das Kind seiner Freundin, um es richtig zu sagen. Da ist nichts Verwerfliches daran.«

»Es sollte verboten sein für Leute wie Tännert. Er hat Manuela umgebracht, kapieren Sie das endlich!«

Dem konnte Arne nicht widersprechen, da er inzwischen selbst davon ausging, dass Manuela nicht durch einen unglücklichen Zufall ertrunken war. Aber vor ihm saß eben nicht Ulrich Tännert, hier ging es um zwei andere Morde und um Manuelas Vater. »Sie belügen mich, Herr Huss, Sie haben am Sonntag keinen Möbeltransport gefahren.«

Endlich nickte er einsichtig. »Da Sie es ja ohnehin schon wissen: Ja, ich habe Tännert auch an diesem Tag beschatten wollen.«

»Und was hat Ulrich Tännert am Sonntag gegen Mittag gemacht?«

»Keine Ahnung, ich habe nur seine Freundin in deren Wohnung angetroffen. Aber ich habe kürzlich einen Streit zwischen den beiden auf offener Straße mitbekommen. Der Kerl ist aggressiv.«

»Uns liegt dahin gehend keine Anzeige seiner Freundin vor.«

»Eben, er kommt immer davon.«

»Wo waren Sie gestern gegen achtzehn Uhr?«, schwenkte Arne um.

»Zu Hause.«

»Sie lügen schon wieder, ich habe nämlich Ihre Wohnung observieren lassen. Sie waren auch nicht über Ihr Handy erreichbar, wie wir es vereinbart hatten.«

»Ich fühle mich derzeit nicht wohl in meiner Wohnung. Es gab Streit mit den Hausbewohnern, weil ich zu laut Musik spiele. Mein Gehör wird immer schlechter, müssen Sie wissen, das macht mich zusätzlich fertig. Deshalb habe ich Abstand gesucht und in einem Hotel übernachtet. Wollen Sie die Rechnung sehen?«

Arne schüttelte den Kopf. »Ein Hotelbeleg beweist überhaupt nichts. Mich würde interessieren, wieso Sie gestern Abend auf dem Theaterplatz waren.«

»Ich war dort nicht.«

»Dort gab es einen Zwischenfall«, sagte Arne. Er blieb vage, denn er wollte herausfinden, ob Huss etwas mit den Fotos in den Opernflyern zu tun hatte. Deshalb verfolgte er gespannt dessen Reaktion. »Einer der Sänger hat Sie vom Eingang aus beobachtet.«

»Wer hat mich denn gesehen?«

Arne überlegte kurz, ob er den Namen ins Spiel bringen sollte. » Lennard Johannson.«

»Ausgerechnet dieser Groschensänger!«, spie Huss aus. »Wussten Sie, dass er und der feine Herr Intendant ein Techtelmechtel haben?«

Obwohl Dellucci dahin gehend etwas angedeutet hatte, verneinte Arne.

»Na also«, sagte Huss und streckte beide Arme aus, als würde damit der Beweis für seine Unschuld sichtbar auf dem Tisch liegen. »Offenbar sind Ihre Ermittlungen bisher nur einseitig gewesen.«

»Ich kann Ihnen versichern, dass ich mich ausgiebig mit den Mitarbeitern der Semperoper unterhalten habe. Herr Dellucci bemüht sich sehr, mir bei den Ermittlungen zu helfen.« Das stimmte zwar nicht uneingeschränkt, aber das musste Arne gegenüber Huss ja nicht zugeben. »Also noch einmal, was haben Sie gestern Abend vor der Semperoper zu suchen gehabt?«

»Na schön, ich habe mich unter die Protestler auf dem Theaterplatz gemischt. Sind Sie nun zufrieden? Um ehrlich zu sein, haben die Menschen recht, ›Der feurige Engel‹ ist grauenhaft inszeniert. An dem Stück haben von vorn bis hinten Dilettanten gearbeitet.«

»Wissen Sie, welchen Eindruck ich bei meinen Vernehmungen gewonnen habe?«

»Welchen?«

»Dass Sie andauernd andere Leute für Ihr Scheitern verantwortlich machen. Leute wie Ihre Nachbarn.«

»Ich mache meine Nachbarn für gar nichts verantwortlich. Ich habe nur das Gefühl, dass mir derzeit alles über den Kopf wächst.«

»Nicht zu vergessen Ihre Scharmützel mit den Angestellten der Oper: Johannson, Ludwig ...« Arne erhob sich bei der Aufzählung und ging zur Tür. Wie abgesprochen reichte Inge ihm von draußen weitere Unterlagen und einen zugeklappten Laptop. »... Dellucci ...«

Er kam zurück zum Tisch, nahm erneut Platz und schob dem Beschuldigten kommentarlos jeweils in einer Plastiktüte den Drohbrief und das Foto mit der Leiche von Nadja Seidel hin. Dann wartete er auf die Reaktion von Huss. Dieser betrachtete die vor ihm liegenden Beweise und wirkte dabei gefasst.

»Was wollen Sie jetzt von mir hören?«, fragte er schließlich.

»Warum haben Sie das verfasst?«

»Ich?« Als wisse er nicht, worum es hier ging, zeigte Huss auf sich. »Tut mir leid, ich kann Ihnen weder folgen noch helfen.«

»Auf dem Brief sind Ihre Fingerabdrücke. Und wir haben bei der Durchsuchung Ihrer Wohnung auch das entsprechende Papier gefunden.«

Schlagartig ließ Huss die Schultern hängen. Mit zittriger Hand schob er das Foto beiseite und das Drohschreiben in die Tischmitte. »Das, das kann ich erklären …«

»Was können Sie erklären? Dass Sie ein notorischer Lügner sind?«

»Ich bin verzweifelt.«

»Nein, Sie haben mich während dieser Vernehmung von Anfang an belogen, denn Sie haben Herrn Dellucci gedroht. Und Sie haben diese Frau umgebracht.«

»Das da war ich alles nicht«, sagte Huss heiser und zeigte auf das Bild der Toten. Dann tippte er auf den Brief. »Mario Dellucci hat mich fallen gelassen, als ich Hilfe brauchte. Ich habe jahrelang gehofft, er würde mich wieder einstellen, aber er hat nicht ein einziges Mal angerufen.«

»Sie haben geglaubt, Sie könnten wieder als Dirigent arbeiten, nachdem Sie gekündigt hatten?«

»Ja, ich meine, ich habe der Semperoper viel gegeben.«

Bei so viel Naivität musste Arne einmal tief durchatmen. Er hatte der Polizei auch viel gegeben, aber das spielte am Ende überhaupt keine Rolle. Für niemanden. Die Welt drehte sich weiter, wie in der Geschichte, die er eingangs vorgetragen hatte. Am Ende war jeder ersetzbar. Es ging nur darum, anständig zu bleiben und mit dem, was man machte, selbst zufrieden zu sein. »Kommen Sie, Herr Huss, das ist lächerlich, was Sie da von sich geben …«

»Nein, Dellucci hat mich betrogen, er hat einmal gesagt, er würde zu mir halten, aber das waren Worthülsen. Hinter meinem Rücken hatte er längst andere Pläne geschmiedet und meinen Nachfolger in Position gebracht.«

Auch das kam Arne bekannt vor. »Wachen Sie auf! Menschen auf der ganzen Welt sind austauschbar. Wenn Sie das nicht früher gemerkt haben, tut es mir leid um Sie. Andere in der gleichen Situation schauen nach vorn und suchen nicht ständig die Schuld bei anderen.«

Arne konnte selbst kaum glauben, was er da sagte, aber irgendwie fühlte es sich richtig an, es auszusprechen.

»Was wissen Sie denn schon? Sie bekommen ja jeden Monat Ihr fettes Gehalt, egal, wie engagiert Sie sind.«

»Ach, bitte, verschonen Sie mich mit diesen Stammtischparolen über bequeme Beamte und dergleichen. Warum sind Sie eigentlich nicht selbst Polizist geworden, wenn das so viel besser ist?«

»Ich weiß nicht, was Sie von mir wollen.«

»Ich suche einen kranken Killer, der eine Mutter hinterrücks erdrosselt und einer weiteren den Schädel zertrümmert hat. Ich suche jemanden, der eine Rechnung offen hat. Jemanden, der nach außen hin die Fassade aufrechterhält, aber längst keine Kontrolle mehr über sein Leben hat. Jemanden, von dem die Nachbarn einmal sagen würden, er sei doch immer so unauffällig gewesen. Jemanden, der gute Kontakte zum Opernpersonal hat und gestern vor achtzehn Uhr unbemerkt in das Gebäude gelangt ist, um ein paar präparierte Opernflyer auszulegen.«

»Ich glaube, ich sollte jetzt doch besser einen Anwalt anrufen.«

Während Huss das sagte, klappte Arne in aller Ruhe den Laptop auf und setzte den Medienplayer in Gang. Sogleich spielte die »Engelsinfonie«.

»Warum tun Sie das? Warum spielen Sie meine Musik?«

Arne legte einen Finger auf die Lippen und flüsterte: »Sie müssen auf die Töne dahinter hören. Erkennen Sie Ihre eigentliche Botschaft?«

Kurzzeitig schien Huss sich tatsächlich zu konzentrieren, um etwas zu vernehmen, was bei oberflächlichem Zuhören niemand vernahm. »Tut mir leid, da ist nichts.«

»Doch, Sie müssen genau hinhören.«

»Ich möchte jetzt sofort einen Rechtsanwalt sprechen.«

»Und ich möchte wissen, warum Sie Ihren Opfern Gegenstände in die Luftröhre schieben, nachdem Sie sie umgebracht haben.«

Huss kaute auf seiner Lippe und verschränkte die Arme. Von da an sagte er nichts mehr, bis das Stück endete und Stille einkehrte.

»Gut, wie Sie wünschen«, sagte Arne, griff in sein Jackett und legte sein Diensthandy auf den Tisch. »Rufen wir Ihren Strafverteidiger an. Fragen wir ihn, was er von einem Drohschreiben hält, auf dem Ihre Fingerabdrücke sind. Ich bin kein Anwalt, nur ein einfacher Bulle, aber ich würde denken, das sieht stark nach einem Geständnis aus. Bei der Gelegenheit fragen wir ihn, wie er die Sache mit dem schwarzen Transporter sieht. Da fällt mir ein ...« Arne klappte theatralisch eine Akte auf, die Inge ihm vorher an der Tür gegeben hatte. »Ein Zeuge hat gestern einen schwarzen Transporter an der Schwimmhalle Bühlau gesehen. Dort, wo wir letzte Nacht die Frau auf dem vor Ihnen liegenden Foto gefunden haben.« Er klappte die Akte zu und schlug mit der flachen Hand zusätzlich darauf. »Ach, und bei der Durchsuchung Ihrer Wohnung ist uns das Kinderzimmer aufgefallen. Ich hoffe für Sie, dass Ihr Anwalt keine eigenen Kinder hat, sonst werden die Fotos aus Ihrer Wohnung möglicherweise beunruhigend auf ihn wirken. Besonders der Bibelspruch, der mit dem Mutterleib ... Psalm 139, die Verse 13 bis 16.« Arne griff erneut in sein Jackett und klatschte Detailaufnahmen der letzten Leiche auf den Tisch, auf denen man deutlich die eingeritzten Zahlen erkennen konnte. »Die Zahlen deuten exakt auf diese Bibelstelle hin. Fragen wir Ihren Anwalt, wie er die Sache sieht.«

»Das ...« Huss kratzte sich an der Stirn. Auf einmal schien das Telefonat für ihn bedeutungslos. »Diese Bibelstelle, ich habe sie mir gemerkt ...«

Weil er nicht weitersprach, hakte Arne nach. »Das ist doch kein Spruch für ein Kinderzimmer, das müssen Sie doch zugeben. Also welche Bedeutung hat dieser Psalm für Sie?«

Verbissen schüttelte Huss nun den Kopf. »Ich weiß es nicht mehr ...«

Arne glaubte ihm nicht, also fingerte er ein letztes Mal in seiner Jacketttasche und zog einen Plastikbeutel mit einem Gegenstand darin hervor. »Na schön, vielleicht können Sie sich daran erinnern.«

»O Gott!«, entfuhr es Huss, als es auf dem Tisch polterte und er die Uhr in der Folie erkannte. »Die gehörte Manuela!«

»Schauen Sie sie lieber genau an. Ist das wirklich Manuelas Uhr?«

Mit zittrigen Fingern strich Huss über die Tüte. »Ich dachte, sie wäre damals im Teich verloren gegangen. Ich kann es mir nicht erklären. Woher haben Sie sie?«

»Es ist ganz einfach, Herr Huss. Manuela trug die Uhr nicht bei ihrem Unfall, denn es gibt im Uhrwerk keinerlei Hinweise auf Schlammrückstände oder überhaupt ein Anzeichen, dass sie jemals mit Wasser in Berührung gekommen ist.«

Kapitel 68

Donnerstag, 16.20 Uhr

Vor vierzig Minuten hatte Arne die Vernehmung beendet. Seitdem saß Christian Huss im zentralen Gewahrsam der Polizeidirektion, Arne dagegen in seinem Büro. In der Kammer war es nicht unbedingt gemütlicher als in einer der Zellen, aber im Gegensatz zu dem Beschuldigten konnte er das Zimmer verlassen. Doch statt einfach seine Sachen zu packen und zu gehen, saß er nachdenklich vor dem Whiteboard und betrachtete die dort angebrachten Fotos und die einzelnen Stichpunkte. Ganz oben hing ein Porträt von Christian Huss, etwas versetzt darunter eines von Ulrich Tännert. Dann kamen schon die Opfer und die Zeugen. Mit den meisten von denen hatte Arne persönlich gesprochen. Irgendwo dazwischen hing ein altes Bild von Manuela Huss. Das Mädchen, dessen Leichnam seit elf Jahren auf dem Waldfriedhof Weißer Hirsch verweste, rückte mehr und mehr in Arnes Fokus.

»Wer hat dir das angetan?«, redete er mit dem Foto, als könnte Manuela daraus mit ihm sprechen.

»Jemand, der die Familie kannte.«

Die Antwort kam von Inge, die soeben das Büro betrat.

Er schaute seine Kollegin fragend an, die bloß mit den Schultern zuckte. Genau wie er konnte sie momentan nur Vermutungen anstellen. Vermutungen waren aber besser als gar nichts.

»Was hat Bernhard gesagt?«, wollte Arne wissen, nachdem er seinen Kommissariatsleiter nicht mehr zu Gesicht bekommen hatte.

»Nichts«, sagte Inge. »Er hat noch während der Vernehmung einen Anruf von höherer Stelle erhalten. Es gab wohl Nachfragen zum Stand der Ermittlungen. Er kam ziemlich in Erklärungsnöte, was deinen Auftritt anging. Wenn du mich fragst, sah er ziemlich angefressen aus, als er aus dem Beobachtungsraum geflüchtet ist. Angeblich hat er die KPI danach wortlos verlassen, andere Kollegen behaupten, er hätte sich in seinem Büro verbarrikadiert.«

Auch wenn Arne gewöhnlich nicht vor seinem Chef kuschte, spürte er seit der Unterhaltung mit Huss plötzlich, wie der Druck auf seinen Schultern zunahm. Schwerfällig erhob er sich von seinem Stuhl. »Okay, du hast mir trotzdem sehr geholfen. Ich mache dann mal allein weiter. Besser, ich kann Bernhard bei unserer nächsten Begegnung irgendwas Verwertbares vorlegen, sozusagen als Wiedergutmachung. Sonst sitze ich demnächst im Keller und fülle Gewahrsamsunterlagen aus. Das wäre ziemlich beschissen für einen ehemals gefeierten Kryptologen, findest du nicht?«

»Ich weiß nur, dass sich das aus dem Mund eines Mannes, der nichts mehr zu verlieren hat, ziemlich desaströs anhört.«

»Ich habe …«

»Hier!« Bevor er sich verteidigen konnte, reichte sie ihm ein paar Unterlagen. »Das interessiert dich vielleicht.«

»Was ist das?«

»Die Information, die du wolltest. Die Aussage der Klassenlehrerin von Liliana Winzer.«

Erstaunt las er den Text. »Liliana hatte vor fünf Monaten mit der Schulklasse eine Führung in der Semperoper.«

»Du hast doch schon vermutet, dass ihr Mörder irgendwann vorher in Kontakt mit dem Mädchen gekommen sein muss. Damit hätten wir eine mögliche Verbindung zur Oper.«

Er hielt ihr die Blätter hin. »Hier steht nicht, wer die Führung geleitet hat.«

»Es war der Chefdirigent persönlich.«

»Vincent Ludwig?«

Sie nickte. »Der Mitarbeiter, der für die Führung eigentlich verantwortlich war, hatte sich an diesem Tag krankgemeldet.«

»Dann werde ich mir Ludwig vornehmen.« Arne schaute nach der Uhrzeit und überlegte, inwieweit Ludwig in das Profil passte, das er sich vom Täter erstellt hatte. »Und du machst endlich Feierabend. Wenn Bernhard kommt, ist es besser, wenn nur einer von uns Ärger bekommt.«

»Glaubst du, ich lasse dich mit dem ganzen Schlamassel allein?« Sie nahm vor einem der Rechner Platz. »Die Vergleichsanalyse der an der Leiche von Annalena Winzer sichergestellten Katzenhaare und des Fells von Huss' Hauskatze steht übrigens noch aus. Die im Labor machen uns keine große Hoffnung, zeitnah ein Ergebnis liefern zu können.«

Arne nahm es zur Kenntnis und sagte: »Er war es nicht.«

»Wer?«

»Christian Huss ist der Falsche.«

»Wieso? Kneifst du plötzlich, weil er jetzt doch nach einem Anwalt verlangt und nach dem Telefonat jegliche Aussage verweigert hat?«

»Ich musste zwar nachhelfen, aber schließlich hat er wahrheitsgemäß auf meine Fragen geantwortet. Er hat am Sonntag den Transporter gelenkt und die Sache mit dem Drohbrief gestanden.«

»Wenn du mich fragst, hat er nur das zugegeben, was wir schon wussten.«

»Nein, als ich ihm die Armbanduhr seiner Tochter gezeigt habe, hat ihn das sichtlich aus der Fassung gebracht. Das passt nicht zu dem Täter, den wir suchen. Lilianas Entführer wäre beherrscht geblieben.«

»Gut, es hat ja auch niemand behauptet, er hätte seine Tochter umgebracht. Vermutlich befand sich die Uhr die ganze Zeit in seinem Besitz. So konnte er sie Liliana um das Handgelenk binden, weil ihn das noch mehr an sein Kind erinnert hat.«

»Nein, Huss war nach so vielen Jahren ernsthaft über das Auftauchen der Uhr erstaunt. Außerdem haben wir bei der Durchsuchung keinen einzigen Hinweis gefunden, der darauf hindeutet, dass in den letzten Tagen Kinder bei ihm eingesperrt waren. Auch wurden die Fotos der toten Nadja Seidel auf anderes Papier gedruckt als das von dem Drohbrief mit den aufgeklebten Zeitungsbuchstaben. Wir müssen umdenken. Ich mache mit Ludwig und dem Ensemble weiter.«

»Denkst du, Ludwig ist unser Gesuchter?«

»Das finden wir heraus.« Arne ging zur Tafel, an der sich auch Bilder des Dirigenten und einiger Darsteller befanden. Dann tippte er auf die Porträts von Dr. Andreas Zeisig und Mandy Luppa. »Ich weiß nicht, woran es liegt, aber ich habe bei diesem Arzt ein ungutes Gefühl.«

»Wir haben ihn durchleuchtet, er ist sauber und genießt einen tadellosen Ruf. Keine Steuerhinterziehung, keine herausragenden Rechtsstreitigkeiten mit Patienten, keine Behandlungsfehler. Er hat vor einigen Jahren seine Frau verloren, aber die Ehe war kinderlos. Davon hat er sich nicht beirren lassen, sondern eine gut geführte Praxis aufgebaut. Und vor allem hat er ein wasserfestes Alibi für den Sonntag. Mehrere

Ärztekollegen haben bestätigt, dass er sich auf einer Tagung in Berlin befand. Also, was stört dich an ihm?«

»Ich finde es seltsam, dass drei der Frauen an dieser Tafel bei ihm in Behandlung waren: Mandy Luppa, Annalena Winzer und Ulrich Tännerts Mutter.«

»Und jetzt denkst du, der Täter war auch bei ihm?«

Arne zuckte die Schultern. »Ich war gestern bei Frau Luppa, sie stand kurz davor, mir etwas mitzuteilen, aber sie hat sich nicht getraut. Ich konnte die Angst in ihrem Gesicht sehen.«

»Weil Daniel Funke sie unter Druck setzt, nicht wahr?«

»Schlimmer! Ich glaube, er misshandelt sie.«

Kapitel 69

Donnerstag, 16.55 Uhr

Er roch an der Haarsträhne. Ein Hauch von Mandel kitzelte in seiner Nase. Noch nach so vielen Jahren konnte er das Shampoo daran riechen.

»Vorzüglich«, sagte er. »Es hat ein bisschen gedauert, aber jetzt liebe ich dich.«

Er bekam keine Erwiderung, aber das war nur noch eine Frage von Stunden. Alles brauchte eben seine Zeit. Davon zeugten all die Fotos, die er in dem vor sich liegenden Album betrachtete. Eines erzählte davon, wie er mit seiner Familie leckeres Schokoeis beim Haselbauer am damaligen Fučíkplatz gegessen hatte, und eines zeigte ihn als kleinen Buben, wie er mit kurzen Hosen und bis über die Knie gezogenen weißen Strümpfen vor den Ruinen der Frauenkirche stand und sein Vater ihm mit ausgestrecktem Arm die dazugehörige Kriegsgeschichte erklärte.

Er seufzte. »Ach ja …«

Während die Bilder im Fotoalbum von Seite zu Seite bunter wurden, trübte sich seine Stimmung im gleichen Maße ein. Er kam zu den Erinnerungen, die schmerzten. Auf einem Bild stand er neben Christian Huss. Nein, eigentlich stand er in seinem Schatten.

Dysfonie.

Eine Stimmstörung war schuld daran. Gewöhnlich vibrieren die Stimmlippen im Kehlkopf eines Menschen frei. An seinen Stimmbändern jedoch saßen diese Knötchen, die jeden wohlklingenden Ton vereitelten. Dank einer Stimmtherapie hatte sich seine Stimme zwar erheblich verbessert, aber es reichte eben nicht für den Gesang. Zumindest nicht über Schulchorniveau hinaus. Aber es gab andere Möglichkeiten, um auf dem weiten Feld der Musik tätig zu sein. Nicht umsonst sagte man, die schlechtesten Sänger seien die besten Dirigenten.

Radio Dresden spielte unterdessen einen Hit aus den Achtzigern. »Fade to Grey«. Ihm fiel der Interpret nicht gleich ein. Irgendeine Band aus England. Gewöhnlich hörte er klassische Musik. Den Sender hatte er nur wegen der Nachrichten eingestellt.

»Zu Grau verblassen«, übersetzte er den Text für sich und fand die Vorstellung traurig und motivierend zugleich.

Heute hatte alles ein Ende. Was wohl danach kam, fragte er sich. Er schaute auf die Uhr. Fast in derselben Sekunde begannen im Radio die Nachrichten:

> *... im Fall der beiden getöteten Frauen ein Tatverdächtiger festgenommen. Laut Aussage der Staatsanwaltschaft Dresden befindet sich der vierundfünfzigjährige Mann derzeit in Gewahrsam. Er wird von der Kriminalpolizei vernommen. Bei ihm soll es sich um einen hauptberuflichen Musiker handeln. Einzelheiten will die Staatsanwaltschaft morgen bekannt geben. – Im Residenzschloss wurde mit den lang geplanten Renovierungsarbeiten an der Außenfassade ...*

»Sieh an!«, redete er mit dem Radio und klappte das Fotoalbum zu. »Letztlich bekommt dieser Kriminelle doch noch, was er verdient.«

Er wusste, von wem der Nachrichtensprecher gesprochen hatte. Somit stimmte es, was man sich allgemein erzählte: Das Schicksal trifft jeden gleichermaßen.

Jetzt konnte er beruhigt seinen Plan vollenden. Die Polizei war beschäftigt. Alles war gut. Der Geburtstagsfeier stand nichts mehr im Weg. Er musste sich nur noch in seinen besten Anzug werfen. Für diesen Tag hatte er ihn extra reinigen lassen. Sogar eine wunderschöne silberfarbene Fliege hatte er gekauft. Eine Torte würde es zwar nicht geben, aber ein Geschenk hatte er trotzdem. Das Geschenk, das sich in dem Zimmer befand, das er jetzt aufschloss.

»Ich will zu meiner Mama«, jammerte das Mädchen sofort los.

»Ich will zu meiner Mama«, konnte er sich nicht beherrschen; sie nachzuäffen. »Und ich will, dass du deinen Mund nur aufmachst, um mir die Lösung der Zahlen zu verraten. Also?«

Aus dem Bettchen kam nur Geheule. Er hatte das Kind mehrfach geschlagen, aber richtig beruhigt hatte es sich nicht. Kein Wunder, nach Liliana, die perfekt gewesen war, war das hier bestenfalls zweite Wahl. Aber der Zweck heiligt die Mittel.

»Eigentlich ist es zu schade für dich«, sagte er und hielt ein sommergelbes Mädchenkleid hin, das mit winzigen bläulichen Steinen verziert war. »Aber du musst es tragen, damit deine Mutter dich erkennt. Ich habe es schließlich all die Jahre aufgehoben und darauf geachtet, dass keine Motten den Stoff zerfressen haben.«

»Wem gehört das?«

»Dir natürlich! Es gehört dir, meine Liebste. Du hattest immer schon so hübsche Sachen.«

»Ich will es nicht anziehen.«

»Aber wir wollen zu einer Geburtstagsfeier!«

Das Mädchen schaute ihn durch die Gitterstäbe an wie ein verschüchtertes Kaninchen. »Zu welchem Geburtstag?«

»Zu dem deiner Mutter.«

Das Kind überlegte. Anscheinend wusste es nicht genau, wann seine Mutter Geburtstag hatte. Schließlich schüttelte es den Kopf. »Ich glaube Ihnen nicht.«

»Und ich glaube, du hast das Rätsel nicht gelöst.«

Wieder schüttelte das Mädchen den Kopf. Sie wusste die Lösung wahrlich nicht.

Zuerst nickte er enttäuscht, dann aber grinste er zufrieden, als er den Käfig öffnete und das Kleid neben sie in das Bettchen legte. »Es ist alles, wie es sein sollte. Im Gegensatz zu mir hast du die Macht der Zahlen eben nie verstanden. Durch die Zahlen war ich besser als du. Deine Mutter hat das nur nie bemerkt, aber das wird sich heute ändern. Zieh es an!«

»Nein!«, protestierte das Mädchen.

»Das war leider ein Fehler.«

Kapitel 70

Donnerstag, 18.35 Uhr

Nie zuvor war Inge im Tierheim gewesen. Ihren eigenen Hund hatte sie von einem älteren Herrn bekommen, der den Rat Terrier nach einem Schlaganfall nicht mehr behalten konnte. Eine Weile betrachtete sie die herrenlosen Hunde in den Käfigen und presste ihre flachen Hände an die Gitter. Einige waren aufgeweckte Vierbeiner, die mit ihren Schnauzen neugierig an ihrer Haut schnupperten und schleckten, andere blieben verschüchtert im Schatten. Inge fragte sich, ob die Tiere jemals ein schönes Zuhause finden würden. Schließlich wandte sie sich ab. Sie war nicht hier, um sich ein neues Haustier anzuschaffen, auch wenn der Blick in so viele treuherzige Augen sie auf eine harte Probe stellte.

»Frau Luppa!«, sprach Inge die schüchtern wirkende Pflegerin an, die nach außen getreten war und das Büro abschloss. »Allhammer mein Name. Ich komme von der Polizei, genauer gesagt im Auftrag von Herrn Stiller.«

»Ich habe mit Herrn Stiller doch schon alles besprochen.«

»Das bezweifelt Herr Stiller, sonst hätte er mich nicht geschickt. Er meinte, Sie würden etwas verschweigen.

Etwas, was möglicherweise mit Ihrem Betreuer Herrn Funke zusammenhängt.«

Bei der Erwähnung des Namens zeigte Luppa keine Regung. Vielleicht überspielte die ehemalige Tierärztin ihre Gefühle, was ihren Betreuer anging. Sie schlang sich den Schal enger um den Hals und verstaute das Schlüsselbund in ihrer Jacke. Inge hatte nicht erwartet, dass Luppa besonders gesprächig sein würde, deshalb beobachtete sie einfach ihre Reaktion.

»Tut mir leid, Frau Allhammer, ich wüsste nicht, was es da noch zu besprechen gibt. Es war ein Fehler, am Wochenende die Polizei zu belästigen.«

»Warum ein Fehler?«

»Ihr Kollege hat mich für eine Verrückte gehalten, die ich wohl auch bin, weil ich Dinge über mein Kind erzähle, die nicht stimmen.«

»Sie meinen, weil Sie sich manchmal einbilden, Sie hätten eine Tochter?« Inge bemerkte, wie Luppa schwach nickte. »Ich kann Sie beruhigen, Herr Stiller hat großes Verständnis für Ihre Situation. Er glaubt, Ihr Betreuer tut Ihnen nicht gut. Er glaubt, es würde Ihnen besser gehen, wenn er Sie nicht mehr besuchen würde.«

»Herr Funke hilft mir sehr, ohne ihn wüsste ich nicht, wie es weitergeht.«

»Es klingt, als würden Sie sich das nur einreden.«

»Wenn Sie mich dann entschuldigen würden …«

Inge machte einen schnellen Schritt auf sie zu, griff nach Luppas rechtem Arm, schob den Jackenärmel zurück und deutete auf die Striemen an den Handgelenken, von denen Arne gesprochen hatte. »Und das hier? Solche Wunden entstehen zum Beispiel durch Handschellen.«

Luppa riss sich los. »Das ist nichts. Ich muss jetzt gehen.«

»Warum unterhalten wir uns nicht noch ein bisschen?«

»Mir geht es nicht gut«, sagte Luppa, griff sich an den Rücken und stöhnte.

»Es geht Ihnen oft nicht gut, Herr Funke erwähnte das bereits, als ich ihn das letzte Mal auf der Dienststelle befragt habe. Migräne?«

Unsicher nickte Luppa. »Ja, Migräne.«

»Schlimme Sache, fast so schlimm wie ein Absturz nach zu viel Alkohol.«

»Bitte?«

Inge winkte ab und lächelte. »Ach, vergessen Sie es, ich rede mit Fremden auch ungern über meine Probleme. Deshalb habe ich Daniel Funke angerufen und zum Tierheim bestellt, dann können wir zu dritt über alles reden.«

Wie getrieben schaute Luppa zur Straße. »Er kommt hierher?«

»Passt Ihnen das nicht, wo Sie doch so große Stücke auf ihn halten.«

»Ich muss jetzt gehen, mein Bus fährt gleich und ich muss noch einkaufen.«

Inge versperrte ihr den Weg. »Sagen Sie mir, was Sie gestern Abend meinem Kollegen verschwiegen haben.«

»Nichts.«

»Sie erwähnten einen Mann, als Herr Stiller Sie auf eine Melodie angesprochen hat.«

Luppa schaute zu den Hunden, die im Zwinger bellten. »Ich will nicht darüber reden, weil mir sowieso niemand glaubt.«

»Möchten Sie nicht mit der Polizei reden oder dürfen Sie nicht?«

Jetzt ließ Luppa den Kopf sinken und bedeckte ihr Gesicht zusätzlich mit ihren Händen. »Warum quälen Sie mich?«

»Nicht ich quäle Sie, Sie selbst tun es, indem Sie schweigen.« Inge streichelte Luppas Arm. »Kommen Sie schon, Sie müssen mit jemandem reden, sonst hört es nie auf. Ich werde dafür sorgen, dass Daniel Funke Sie nie wieder anfasst, okay? Aber Sie müssen mir helfen. Was wollten Sie meinem Kollegen gestern sagen?«

»Ich zeig es Ihnen«, sagte Luppa nach einer ganzen Weile. Dann sperrte sie das Büro wieder auf und holte Protokolle für die Übergabe von Tieren heraus. »Der Mann hat zwei Katzen abgeholt.«

Sofort bekam Inge eine Ahnung, was damit gemeint war. »Welcher Mann?«

»Dieser hier.« Sie tippte auf ein Blatt.

»Ulrich Tännert«, las Inge den Namen, der da stand. »Er hat zwei Katzen gekauft?«

Statt zu antworten, erschrak Luppa so heftig, dass sie Stifte und Dokumente herunterriss. Im selben Moment tauchte Daniel Funke auf.

»Was ist hier los?«, kam es gereizt von ihm. »Was ist so wichtig, dass Sie mich herbestellt haben?«

Inge hatte ihn tatsächlich kurz vor ihrem Eintreffen beim Tierheim angerufen. Sie hatte ihm mitgeteilt, dass sie etwas Dringendes mit seiner Betreuungsperson besprechen wolle. Schon am Telefon hatte ihm das nicht gepasst. Jetzt musste Inge ihr Versprechen gegenüber der ehemaligen Tierärztin einlösen, deshalb stellte sie sich zwischen Luppa und ihren Betreuer.

»Frau Luppa hat mir alles erzählt«, log sie und für einen Augenblick wirkte ihr Gegenüber sichtlich verwirrt.

»Nein, Herr Funke, ich habe nichts …«, kam es aus dem Hintergrund, aber Inge hielt Luppa Einhalt gebietend die Hand vor und funkelte sie scharf an.

»Jetzt rede ich, meine Liebe. Das hier muss aufhören.«

»Was muss aufhören?«, fragte Funke provokant und zeigte sein gewohntes Anwaltspokerface. »Hier muss ein Missverständnis vorliegen, Frau …«

»Allhammer«, erinnerte Inge ihn an ihren Namen, obwohl er den garantiert wusste. »Und hier liegt eindeutig ein Fall von Misshandlung und Missbrauch vor. Ich habe bereits Beschwerde gegen Sie als Betreuer beim Amtsgericht eingereicht.«

»Sie sind ja verrückt!«

»Ja, ich fürchte, da haben Sie recht.«

»Sie …« Gerade als Funke einen bedrohlichen Schritt auf Inge zumachte, klingelte sein Handy.

»Das wird Ihre Frau sein.«

»Was?« Fahrig kramte er sein Smartphone hervor. »Was haben Sie ihr erzählt?«

Auch wenn Inge keine Details kannte, was in der Vergangenheit zwischen Funke und Luppa passiert war, war sie überzeugt davon, das Richtige zu tun, indem sie dafür sorgte, dass Daniel Funke nie wieder als Berufsbetreuer arbeiten würde.

»Ich habe ihr nur das erzählt, was sie wissen sollte«, sagte sie deshalb zufrieden. »Nämlich, was Sie für ein Schwein sind.«

In der nächsten Sekunde explodierte ihr Nasenbein unter seiner Faust.

Kapitel 71

Donnerstag, 19.15 Uhr

»Was hast du dir dabei gedacht?«, fragte Arne.

»Wahrscheinlich überhaupt nichts«, kam es gedämpft von Inge zurück, weil in ihren Nasenlöchern zwei Tamponaden steckten, die die Blutung darin stoppen sollten.

Auf dem Hof des Tierheims herrschte ein ziemliches Durcheinander. Vor zehn Minuten war Arne eingetroffen, nachdem er über das Lagezentrum von dem Angriff auf seine Mitarbeiterin unterrichtet worden war. Eigentlich hatte er erwartet, Inge auf einer Pritsche im Rettungswagen liegend vorzufinden, aber zäh, wie er sie kennengelernt hatte, stand sie aufrecht wie ein Fahnenmast. »Nichts gebrochen«, hatte sie bei seiner Ankunft lapidar geäußert. Stattdessen versorgten die Rettungskräfte Mandy Luppa, die auf den Angriff von Daniel Funke hin dazwischengegangen war und im Gerangel einen Schneidezahn verloren hatte. Eine Platzwunde an der Stirn hatte sie außerdem bei einem Stoß gegen einen Schrank davongetragen, als Funke völlig ausgerastet war. Aber die Verletzung hatte der Mediziner bereits geklebt, und bei entsprechender Pflege der Hautstelle würde nicht einmal eine Narbe zurückbleiben, so hieß es. Besser wäre es, die seelischen Narben der

Tierpflegerin ebenso zu verarzten, dachte Arne im Stillen, denn deren Ausmaß vermochte er wohl nur zu erahnen.

Als »undankbare Schlampe« hatte ihr Betreuer sie während der Auseinandersetzung beschimpft. Jetzt ihr Ex-Betreuer, denn Funke saß inzwischen mit Handschellen im Streifenwagen und auf ihn wartete ein ungemütliches Strafverfahren. Aus seiner beruflichen Erfahrung heraus wusste Arne, dass dieser Mistkerl vermutlich um eine Haftstrafe herumkommen würde, aber das Gerede über ihn würde an ihm kleben bleiben. Und das war für die meisten Menschen Strafe genug. Allein das Aufgebot an Notarzt, Rettungsdienst und den Kollegen vom Polizeirevier Dresden-West würde sich in der Akte niederschlagen und bei der Verhandlung für kritische Nachfragen durch den Richter sorgen.

Bei all dem Chaos vermisste Arne ein bisschen seinen Chef, aber weder er noch der Kriminaldauerdienst hatten ihn bisher telefonisch erreicht. Bernhard hätte ruhig mitbekommen sollen, wie die neue Kollegin sich machte. Andererseits blieb Inge somit wahrscheinlich die Standpauke für heute erspart.

»Du hättest dich vorher mit mir absprechen müssen«, ermahnte Arne sie trotzdem.

»So wie du dich mit deinen Vorgesetzten?«, kam es spitzzüngig zurück.

»Das ist was anderes. Wenn bei meinen Alleingängen etwas schiefläuft, schmeißt man mich nicht gleich raus.«

»Dazu würde ich jetzt zu gern die Meinung von Herrn Hoheneck hören.«

Arne grinste hämisch. »Zum Glück ist Bernhard ja nicht hier.«

»Ja, heute Nachmittag bei der Vernehmung erwähnte er, dass er am Abend noch zu einer kleinen Feierlichkeit eingeladen wäre. Jemand aus seinem Bekanntenkreis hätte Geburtstag.«

»Sein Handy ist aus. Aber das ist auch besser so, ich kann ihn hier nicht gebrauchen.«

»Und jetzt?«

Arne hielt die mitgebrachte Akte hoch. »Jetzt kümmere ich mich um Mandy Luppa. Und du solltest deine Nase dringend untersuchen lassen.«

»Ich habe in meinem Leben schon deutlich Schlimmeres abbekommen.«

Sie winkte ab und führte es nicht weiter aus. Vermutlich gab es irgendwo in ihrem Lebenslauf einen Getränkeunfall oder ähnliche Vorfälle, über die niemand gern redete. Erst jetzt fiel ihm ein, dass ihr Nasenbein schon zuvor leicht schräg gestanden hatte. Im Grunde genommen wollte er die Vorgeschichte dazu gar nicht wissen. Nicht heute, vielleicht wenn ruhigere Tage kamen. Zu seinem Erstaunen folgte Inge ihm, als er den Rettungswagen aufsuchte.

»Kann ich mich kurz mit der Patientin unterhalten?«, fragte Arne einen Sanitäter, der vor dem Fahrzeug stand.

»Da müssen Sie den Notarzt drinnen fragen, aber ich glaube, das geht jetzt nicht.«

Kaum hatte er die Schiebetür einen Spalt geöffnet, schob Arne sie komplett auf und drängte sich an ihm vorbei. Den Protest von Sanitäter und Notarzt ignorierte er.

»Frau Luppa, ich bin es wieder, Stiller«, sprach er die Patientin direkt an. »Sie erinnern sich sicherlich an mich.«

Luppa wandte ihren Kopf langsam zur Seite und verdrehte die Augen, ehe sie sie müde schloss.

»Sie sehen doch, wie schlecht es ihr geht«, sagte der Notarzt vorwurfsvoll. »Ihr Kreislauf hat einiges mitgemacht und ihre Werte sind insgesamt nicht gut.«

»Dann machen Sie Ihre Arbeit und bringen Sie die Werte in Ordnung, damit ich mich anständig mit ihr unterhalten kann. Ich brauche dringend eine Aussage von ihr, denn ich suche ein entführtes achtjähriges Mädchen.«

Daraufhin verstummte der Mediziner, auch wenn er deshalb nicht gleich einlenkte.

»Frau Luppa!«, rief Arne und hielt ihr die Akte hin, in der sich ein Bild von Ulrich Tännert befand. »Sie sagten, der Mann hätte zwei Katzen abgeholt. Stimmt das?«

»Ich kann mich nicht erinnern«, kam es wie von einer Abhängigen, die sich einen frischen Schuss gesetzt hat.

»Was haben Sie ihr gegeben?«, fragte Arne.

»Ein Beruhigungsmittel und etwas zur Kreislaufstabilisation«, antwortete der Notarzt. »Wir fahren ins Krankenhaus, also treten Sie jetzt bitte zurück.«

»Ich fahre mit«, entschied Inge und kletterte in den Rettungswagen. »Außerdem werde ich noch heute Anzeige gegen Daniel Funke erstatten.«

»Nein, bitte ...«, protestierte Luppa mit schwacher Stimme, woraufhin Inge ihre Hand ergriff und streichelte.

»Danke, dass Sie mir geholfen haben«, flüsterte Inge ihr zu. »Sie haben diesem Mistkerl ganz schön die Wange zerkratzt.«

»Das wird ihm nicht gefallen, er wird es mir heimzahlen.«

»Ich verspreche Ihnen, er wird Sie nie wieder anfassen.«

»Ja, ja, das kannst du später mit ihr besprechen«, konnte Arne sich nicht länger zurückhalten, obgleich ihn Inges Handeln beeindruckte. »Sehen Sie sich das Foto an, Frau Luppa, bitte! Hat dieser Mann die Katzen gekauft?«

Luppa blinzelte heftig, ehe sie für zwei Sekunden das Bild anschaute. »Ich glaube nicht.«

Arne schüttelte sie an der Schulter. »Sehen Sie genau hin! Ich muss es wissen. Das ist Ulrich Tännert, haben Sie ihm die Katzen gegeben?«

Sie verneinte schwach. »Er war es nicht.«

»Sind Sie sich sicher?«

»Definitiv, und jetzt lassen Sie mich bitte in Ruhe.«

Kapitel 72

Donnerstag, 19.55 Uhr

Wenn es nach Arne gegangen wäre, hätte er für die folgende Zeit alle Veranstaltungen in der Semperoper absagen lassen, aber politische Einflussnahme verhinderte das. Wortwörtlich hatte man seinem Kommissariatsleiter mitgeteilt, die Polizei solle sich gefälligst um die Sicherheit der Gäste kümmern. Wie Bernhard das anstellte, war den Leuten im Staatsministerium egal, immerhin hatte man jedwede Unterstützung angeboten. Aus diesem Grund patrouillierte seit gestern ein ganzer Zug an Bereitschaftspolizei rund um den Theaterplatz. Und selbst in der Oper hatte man Kollegen der Wachpolizei abgestellt, die heute allerdings nur ihre Anwesenheit erfüllten, denn an diesem Abend fand zu Arnes Erleichterung keine Aufführung statt. Wer konnte schon sagen, was sich der Täter als Nächstes ausgedacht hatte? Nach Mandy Luppas Beteuerung beim Tierheim wusste Arne nunmehr mit Bestimmtheit, dass jemand Ulrich Tännerts Identität für seinen perfiden Plan benutzt hatte. Natürlich hatte er sie noch einmal eindringlich befragt, woher sie die Melodie der »Engelsinfonie« kannte. Von Dr. Zeisigs Praxis hatte sie behauptet und angegeben, einen Mann im Wartebereich gesehen zu haben. Beschreiben konnte sie ihn freilich nicht, was wohl auch an ihrem gesundheitlichen Zustand lag. Nur wirr und unkonzentriert war sie der Befragung gefolgt. Daraufhin hatte Arne unzufrieden die Akte eingesteckt und war vom Hof des Tierheims zurück zur KPI gefahren, um alle bisherigen Ermittlungsergebnisse noch einmal systematisch durchzugehen. Bei der Sichtung merkte er zum ersten Mal, wie viel Ruhe er in der Kammer eigentlich hatte. Inzwischen reichte der Platz am Whiteboard längst nicht mehr aus, weshalb er etliche Personenfotos mit Klebestreifen unmittelbar an der Wand befestigen musste. Da ohnehin eine Renovierung notwendig war, schrieb er mit Permanentmarker direkt auf den blanken Putz. Mit etwas Abstand sah die Wandbemalung beinahe aus wie die einer Kammer des Schreckens.

»Ähnlich düster wie in diesem einen Harry-Potter-Streifen«, murmelte er vor sich hin, während er gedankenversunken seine Stichworte und Notizen durchschaute.

Besonders die Zahlenwörter, die der Täter an den Leichen hinterlassen hatte, forderten seine Aufmerksamkeit.

EHELOS … BIBEL … SIEBZIG … HBO …

Bei den letzten drei Buchstaben handelte es sich eigentlich um kein richtiges Wort, vielleicht um eine Abkürzung, aber er kam nicht auf die Bedeutung. Und dann gab es schließlich noch das Wort HEILIGE, das direkt von der Opernbühne stammte. Es war ein eindeutiger Hinweis auf die Hauptfigur im »Feurigen Engel«: Renata, eine Heilige. Das konnte kein Zufall sein.

Da fiel ihm ein, dass Mario Dellucci ihm noch eine Auskunft darüber schuldig war, wer für das Bühnenbild mit den Tafeln verantwortlich war. Er griff zum Telefon und wählte die private Nummer des Intendanten. Es klingelte lange, doch niemand hob ab. Bei jedem Rufzeichen pochte es hinter Arnes Stirn. Bestimmt hatte er zu wenig getrunken. Je länger er die

Taschenrechnerworte betrachtete, umso heftiger wurden die Kopfschmerzen. Vielleicht sollte er für heute Schluss machen. Aber bald würde Inge hier auftauchen. Sie wollte noch eine Anzeige schreiben. Da konnte er nicht kneifen und einfach nach Hause gehen.

»Alle Verbrechen hängen mit der Oper zusammen«, sagte er vor sich hin, ohne zu verstehen, weshalb der Täter die Kinder entführte. »Heilige …«

Die Renata in der Geschichte war zweifellos psychisch krank gewesen, aber sie hatte auch kein Kind besessen, das man ihr hätte wegnehmen können. Oder doch? Hatte Arne etwas übersehen?

»Renata ist ein Kind gewesen, als ihr der Engel Madiel erschienen ist … Ein Engel …«

Arnes Blick fiel auf den Ring, den Dr. Schweitzer bei der Leichenschau im Körper von Nadja Seidel gefunden hatte. Gleichzeitig startete er am PC die MP3-Datei mit der »Engelsinfonie«. Die schaurig-schönen Klänge setzten ein.

»Was hast du im Hals einer Toten zu suchen?«, redete er mit dem Schmuckstück. Er versuchte, sich zu erinnern, ob in der Opernaufführung die Renata einen Ring am Finger getragen hatte. »Nein, ich glaube nicht …«

Während die Melodie erklang, fielen ihm heute die Hintergrundgeräusche deutlicher auf als zuletzt. Langsam bildete er sich ein, eine Fremdsprache herauszuhören. Er stoppte die Wiedergabe und wechselte zu der gefilterten Datei, die ihm Samuel vom LKA gestern per Mail geschickt hatte. Er schloss die Augen und lauschte den seltsamen Tönen.

»Konzentrier dich, Arne, die Lösung steckt irgendwo da drin …«

Sein Handyklingeln riss ihn aus seinen Überlegungen. Vermutlich der Rückruf von Mario Dellucci. Doch es wurde eine andere Nummer angezeigt.

»Sie haben mich vor drei Stunden angerufen«, kam es von Dr. Andreas Zeisig am anderen Ende, als Arne das Gespräch annahm. »Tut mir leid, dass es so spät geworden ist, ich habe mein Telefon jetzt erst eingeschaltet und Ihre Nummer gesehen.«

»Danke, nicht jeder hätte um diese Uhrzeit noch zurückgerufen.«

»Ich dachte mir, wenn sich die Polizei meldet, muss es wichtig sein.«

Arne lauschte den Hintergrundgeräuschen im Telefon. Irgendwo hupte jemand, dann vernahm er die Geräusche einer Straßenbahn. Anscheinend war der Psychotherapeut noch mit dem Auto unterwegs, weshalb er mittels Freisprecheinrichtung telefonierte.

»Ich sitze noch im Büro und sichte Akten«, sagte Arne und zog eine davon vom Stapel. »Dabei ist mir zufällig eine alte Unfallakte unter die Finger gekommen. Ihre Unfallakte …«

»Ich verstehe nicht, was hat das mit Ihren Ermittlungen zu tun?«

»Ganz einfach, ich versuche mir immer ein umfassendes Bild von Zeugen und Beschuldigten zu machen.« Arne blätterte durch den Unfallbericht zu den Klebezetteln, die als Markierungen dienten. »Sie hatten damals echt Glück! An der Unfallstelle hatten die Streifenbeamten Atemalkohol bei Ihnen festgestellt. Leider war später Ihre Blutprobe aus unerklärlichen Gründen unauffindbar. Sie sind wirklich glimpflich davongekommen.«

»Bitte, hören Sie auf damit! Das ist Jahre her und ich bin nicht glimpflich davongekommen, wie Sie behaupten, denn ich kann das damalige Geschehen einfach nicht vergessen.«

»Na, ich will behaupten, die Fußgängerin, die Sie frontal gerammt haben, sieht das anders. Immerhin war die Frau schwanger und hat ihr Baby verloren.«

»Es war stockfinster, verregnet und an der Stelle gab es keine Straßenbeleuchtung«, rechtfertigte Zeisig sich. »Die Frau war dunkel gekleidet und ist einfach auf die Straße getreten. Vor Gericht wurde klargestellt, dass die Unfallbeteiligte private Probleme hatte und deshalb nicht auf den Straßenverkehr geachtet hat. Ich war das einzige Fahrzeug weit und breit, Sie konnte mich eigentlich nicht übersehen. Vielleicht wollte Sie sogar, dass ich sie totfahre.«

»Mag sein, aber hätten Sie nicht getrunken, wäre der Zusammenprall durchaus vermeidbar gewesen.«

»Wie Sie schon sagten, dafür gab es keinerlei Beweis.«

»In der Tat, dumme Sache das mit der Blutprobe.«

»Wenn wir damit alles besprochen haben …«

Arne kratzte sich den Bauch, in dem es gefährlich rumorte. Er hatte Zeisig an der Leine, das konnte er deutlich an dessen Stimme heraushören, jetzt wurde es Zeit, diese Leine zu straffen.

»Kennen Sie eine Frau Nadja Seidel?«

»Seidel? Nein, der Name sagt mir nichts.«

»Schade, ich hatte angenommen, Sie wäre ebenfalls bei Ihnen Patientin gewesen. Die Frau wurde nämlich umgebracht.«

Stille im Telefon, bis Zeisig sich räusperte. »Verstehe, das schlussfolgern Sie, weil Annalena Winzer bei mir in Therapie war.«

»Wegen Annalena Winzer und Mandy Luppa. Letztere erwähnte mir gegenüber einen Mann, den sie einmal im Wartebereich Ihrer Praxis gesehen hat.«

»Okay, wie heißt er?« Zeisig wirkte ungeduldig.

»Sehen Sie, genau das ist mein Problem: Frau Luppa konnte sich nur daran erinnern, dass er eine Melodie gesummt hat. Kennen Sie die »Engelsinfonie« von einem gewissen Christian Huss?«

»Christian Huss? Ist das nicht der, den die Polizei verhaftet hat?«

Obwohl die Medien den Namen bei ihrer Berichterstattung gekürzt hatten, schien er sich demzufolge schon herumgesprochen zu haben.

»Beantworten Sie meine Frage.«

»Nein, die ›Engelsinfonie‹ sagt mir nichts. Wenn das dann alles wäre ...«

»Warten Sie«, hielt Arne ihn davon ab, aufzulegen. »Sie müssen verstehen, ich bin irritiert, weil vor mir die Namen von zwei Frauen liegen, die in der Vergangenheit bei Ihnen in der Praxis waren. Auch eine gewisse Frau Tännert war bei Ihnen in Behandlung. Zufall? Nun, für mein Empfinden sind das ein bisschen zu viele Leute, die bei meinen Ermittlungen eine Rolle spielen, um von Zufall sprechen zu können. Und vermutlich gibt es da auch einen Mann, der in einem Ihrer Sessel saß und der für mich entweder als wichtiger Zeuge oder als Täter infrage kommt.«

»Ich dachte, dieser Christian Huss wäre der Mörder.«

Zeisig hatte eben schon gefragt, ob er derjenige wäre, den die Polizei verhaftet hatte. Arne hatte nicht geantwortet.

»Wieso ...?« Arne unterbrach sich. »Können Sie sich an einen Patienten erinnern, der ein psychisches Problem mit Zahlen hatte?«

Arne befürchtete schon, Zeisig habe endgültig genug und würde einfach auflegen, aber stattdessen gab der Psychotherapeut eine überraschende Antwort.

»Ja, da gab es tatsächlich jemanden ...«

Kapitel 73

Rückblick

Diana starrte zum Fenster hinaus ins Freie, wo der Februar die Stadt Dresden mit seinen eisigen Fingern fest im Griff hatte. Der Bach am Grundstück war mit einer Eisschicht überzogen und die Menschen trauten sich nicht ohne Wollmützen und dicke Jacken hinaus. Obwohl das Holz im Kamin brannte, fröstelte sie. Das lag an dem Haus, in dem sie sich unwohl fühlte. Selbst nach über einem Jahr kam sie sich fremd vor. Sie hatte nicht vorgehabt, in sein Haus zu ziehen. Jedenfalls nicht so schnell, aber er hatte ihr Aufmerksamkeit geschenkt, sie charmant umworben und schließlich dazu überredet. Anfangs hatte sie sich in seinen Armen geborgen gefühlt. Aber in den letzten Monaten war der graue Schleier in ihr Leben zurückgekehrt. Und dieser kam nicht vom tristen Wetter der Wintermonate.

Alles hatte damit angefangen, dass sie sich psychologische Hilfe gesucht hatte. Erst mit fünfundzwanzig hatte sie den Mut dazu aufgebracht. Damals war sie noch heimlich zu den Therapiesitzungen gegangen. Eine Freundin, die Tierärztin war und Dianas Katze operiert hatte, hatte ihr die Nummer eines engagierten jungen Psychotherapeuten gegeben. Irgendwann hatte Dianas Mutter von den Sitzungen erfahren. Da hatte der

Streit angefangen. Nein, eigentlich war das Mutter-Tochter-Verhältnis schon vorher zerrüttet gewesen. Gleich nachdem Diana sich geweigert hatte, ein Musikstudium zu beginnen. Sie hatte Lehrerin oder Sozialpädagogin werden wollen. Beides hatte nicht geklappt. Die Verbindung zu ihrer Mutter war gänzlich abgebrochen, nachdem Diana ihren späteren Verlobten kennengelernt hatte. Seither redete ihre Mutter nicht mehr mit ihr. Das war irgendwie das Schlimmste.

»Warum bist du so still?«, kam es von ihrem Verlobten, der das Zimmer betrat und nach dem Feuer sah.

»Ich genieße die Aussicht«, log sie, denn in Wahrheit gab es dort draußen keine Schönheit zu sehen. Für andere Menschen vielleicht, aber nicht für Diana. Nicht, seit es ihr wieder schlechter ging.

»Es ist Post für dich da«, sagte er. »Ein Brief von der Krankenkasse und ein Umschlag ohne Absender.«

Die letzten Worte betonte er düster. Nein, nicht wirklich düster, sondern vielmehr besorgt. Sie beide ahnten, was der Umschlag enthielt.

»Hast du ihn geöffnet und hineingesehen?«, fragte sie ihn; dabei merkte sie, wie belegt ihre Stimme klang und wie sehr sie zitterte. Der Gedanke daran, was sie diesmal für eine Nachricht erhielt, schnürte ihr die Kehle zu.

»Du weißt, ich stöbere nicht in deiner Post herum«, antwortete er. »Wir wollten uns vertrauen. Andernfalls macht das mit der Hochzeit doch überhaupt keinen Sinn, oder findest du nicht?«

»Ja, natürlich«, sagte sie und bemühte sich, ihm ein Lächeln zu schenken.

Er stellte sich zu ihr ans Fenster, hauchte ihr einen Kuss auf den Hals und reichte ihr die beiden Briefe. Dann entfernte er sich, als wollte er über den Inhalt nichts wissen.

Diana legte das Schreiben der Krankenkasse beiseite und riss den anderen Umschlag auf. Sekunden später hielt sie einen Zettel mit einer Ziffernfolge in den Händen:

507837

»507837«, wiederholte sie die Ziffern leise und schluchzte sogleich. »Was hat das nur zu bedeuten?«

Am Anfang hatte sie die seltsamen Briefe und Botschaften für einen Spaß gehalten, aber inzwischen machten sie diese Ziffern krank. Sie wusste sich einfach nicht mehr zu helfen, also ging sie ihrem Mann hinterher.

»Es ist wieder eine Zahl«, sagte sie.

Er nickte müde, weil er insgeheim damit gerechnet hatte. »Ignorier den Brief, bitte. Wirf ihn in den Kamin.«

»Es hört aber nicht auf! Lass uns zur Polizei gehen«, flehte sie.

»Wir waren schon bei der Polizei«, sprach er milde wie mit einem Kleinkind. »Die konnten uns nicht helfen und haben uns weggeschickt.«

»Ja, aber letzte Woche stand auf meiner gefrorenen Windschutzscheibe 7135.«

»Du hättest mit dem Handy ein Foto machen und es mir zeigen müssen.«

»Warum machst du mir Vorwürfe?«

»Liebes, das sollte kein Vorwurf sein. Ich will dir helfen.«

»Du glaubst, ich hätte die Briefe selbst geschrieben!«

Daraufhin blieb er stumm, weil sie recht hatte. Sie konnte sehen, wie seine Schultern erschlafften. Vor einiger Zeit hatte er mit ihrem Drucker Probeausdrucke gemacht, um Toner und Schriftbild zu vergleichen.

»Denk doch bitte an unsere bevorstehende Hochzeit«, lenkte er ab. »Die Feier ist organisiert. Wir könnten deine Mutter einladen.«

»Ich will sie nicht sehen.«

»Dann vergessen wir deine Mutter eben!« Er lachte. »Ich habe uns eine wunderschöne Reise ins Warme gebucht. Ich wette, danach wirst du deine Vergangenheit vergessen können. Komm! Ich habe dir Wasser eingelassen.«

Er nahm sie an der Hand, führte sie ins Bad und half ihr beim Entkleiden. Das Wasser in der Wanne dampfte, aber als sie hineinstieg, kitzelte es nur ein bisschen auf der Haut.

»Na siehst du, ich passe auf dich auf«, sagte er, nahm den Brief mit und schloss hinter sich die Tür.

Tatsächlich entspannte sie ein bisschen – bis die bösen Gedanken und die Erinnerungen an die Zahlen zurückkehrten.

»5-0-7-8-3-7«, sagte sie jede einzelne Ziffer der letzten Nachricht auf.

Sie spähte über den Wannenrand und erblickte das Rasiermesser ihres zukünftigen Ehemanns. Die scharfe Klinge lächelte sie an.

Kapitel 74

Donnerstag, 20.15 Uhr

»Sind Sie noch dran?«, fragte Arne in sein Telefon hinein.

»Ja, ich musste mich nur kurz sammeln«, antwortete Dr. Zeisig. »Es ist überaus seltsam, dass Sie mich ausgerechnet nach Zahlen fragen …«

»Also, gab es nun so einen Patienten?«

»Es gab einen Patienten, besser gesagt, eine Patientin, die an einer Art Arithmophobie litt.«

»Arithmophobie?« Auch wenn sich der Fachbegriff vermutlich von Arithmetik ableitete, war Arne verwirrt. »Kommen Sie schon, sagen Sie mir endlich, was Sie wissen!«

Wieder brauchte Zeisig einen Moment, ehe er sich äußerte. »Es betraf meine erste Frau.«

»Ihre Frau?« Hastig kramte Arne auf seinem Schreibtisch herum, bis er die Notizen über Andreas Zeisig fand.

»Diana«, konkretisierte Zeisig.

»Diana Zeisig«, sagte Arne den vollen Namen, als er ihn auf dem Blatt in seiner Hand las. »Sie litt an Arithmophobie?«

»Ja, so könnte man das bezeichnen. Das habe ich aber leider erst zu spät gemerkt.«

Arne wusste, dass Zeisigs Frau vor etlichen Jahren Selbstmord begangen hatte. Inge hatte dazu eine Notiz angelegt.

»Wie meinen Sie das, Sie hätten es zu spät bemerkt?«

»Ich habe Diana in meiner Praxis kennengelernt.«

Er räusperte sich, woraus Arne folgerte, wie traurig und beschämt ihn das machte.

»Okay, sie war Ihre Patientin. Ich nehme an, eine solche Beziehung ist in Ihrem Beruf problematisch. Aber gegen die Liebe ist man oft machtlos. Sie können sich sicher sein, dass mich solche Umstände nicht im Geringsten interessieren, also fahren Sie fort.«

»Sie kam damals zu mir, weil sie dem gesellschaftlichen Druck nicht gewachsen war. In den Sitzungen mit ihr habe ich herausgefunden, dass die Ursache in ihrer Erziehung lag. Sie müssen wissen, Dianas Mutter war sehr streng, forderte immer Perfektion. Diana sollte Opernsängerin werden.«

Arne horchte auf. Er wendete das Blatt in seiner Hand, aber auf der Rückseite stand nichts zu Diana Zeisig. Da sie in den bisherigen Ermittlungen keine Rolle gespielt hatte, hatte Arne keine Notwendigkeit gesehen, sich näher mit ihrer Person zu befassen. Möglicherweise war das ein Fehler gewesen.

»Wer war Ihre Mutter?«

»Das wissen Sie nicht?«, kam es vorwurfsvoll von Zeisig, gefolgt von einem zynischen Lacher. »Die berühmte Katharina Sorokin.«

»Mist!«, rutschte es Arne heraus, als er sich daran erinnerte, gestern erst die Bekanntschaft der alten Diva gemacht zu haben. »Okay, erzählen Sie weiter.«

»Was soll ich da erzählen? Dianas Zustand hatte sich verbessert, besonders als wir unsere Gefühle füreinander entdeckt haben. Sie können mir glauben, ich habe sie unendlich geliebt. Unsere Flitterwochen auf Sansibar waren die schönsten Tage unseres Lebens. Kurz darauf hat Diana sich das Leben genommen, weil das mit den Zahlen einfach nicht aufhörte.«

»Was genau hörte nicht auf?«

»Sie bekam anonyme Nachrichten, meist in Briefform. Auf den Schreiben standen jedoch keine Worte, sondern einfach bloß Zahlen.«

»Haben Sie die Briefe noch?«

»Nein, wo denken Sie hin? Ich habe sie alle verbrannt. Und ich kann mich auch nicht mehr an die genauen Zahlen erinnern, falls Sie das von mir verlangen. Wie Sie wissen, habe ich wieder geheiratet. Ich führe eine glückliche Ehe und denke nur noch selten an die Zeit mit Diana zurück. Ich bin immer davon ausgegangen, dass sie die Briefe selbst verfasst hat, quasi als Ersatz für die Probleme aus der Vergangenheit.«

»Aber was sollte das für einen Sinn ergeben?«, wollte Arne wissen. »Ich meine, hatte Ihre Frau früher schon mit Zahlen zu tun, beruflich, oder hatte sie Mathematik studiert?«

»Nichts dergleichen, ich konnte es mir selbst nicht erklären. Erst nach ihrem Tod habe ich mich mit einem Kollegen unterhalten, der erzählte mir von dieser seltenen Krankheit der Arithmophobie. Ich bin davon ausgegangen, dass sie sich in die Zahlen geflüchtet hat, um gewisse Dinge zu verdrängen. Sie müssen wissen, Dianas leiblicher Vater ist gestorben, da war sie gerade einmal sechs oder sieben Jahre alt, und dann hat ihre Mutter sofort einen neuen Mann kennengelernt, der jedoch auch nicht lange gelebt hat. Diese Verluste haben sie geprägt, zusammen mit dem Leistungsdruck, den sie spürte, bis wir uns kennengelernt haben. Ihre Mutter war an allem schuld.« Zeisig seufzte. »Na ja, vielleicht habe ich mir das auch nur eingebildet. Letztlich hat sie sich mit einem Seil erhängt. Und alles nur, weil das bei ihr mit den Zahlen angefangen hat. Ich bin wütend, also entschuldigen Sie bitte meinen Ausbruch. Die Erinnerungen an die Zeit mit Diana wühlen mich auf.«

Arne schaute auf seinem Schreibtisch umher, bis sein Blick an dem Ring hängen blieb. »Eigentlich suche ich jemanden, der, anders als Ihre erste Ehefrau, eben keine Angst vor Zahlen hat, sondern geradezu davon angezogen wird.«

»Sie meinen demnach jemanden, der an Arithmomanie leidet – das ist das Gegenteil von Arithmophobie, also der Zwang zu zählen oder sich mit Zahlen zu beschäftigen.«

»Ja, das trifft es. Ich glaube nämlich nicht, dass Diana die Briefe mit den Zahlen selbst verfasst hat.«

»Woher wollen Sie das denn wissen? Sie kannten sie doch gar nicht!«

Arne nickte zu seinen eigenen Worten und hob das Plastiktütchen mit dem Ring vor sein Gesicht. »Trug Diana zufällig einen Ring mit einem blauen Edelstein?«

»Ja, verdammt, den trug sie fast jeden Tag.«

Kapitel 75

Donnerstag, 20.25 Uhr

Zur Sicherheit schickte Arne Dr. Zeisig ein Foto von dem Ring und bekam binnen Sekunden die Bestätigung.

Diana erwähnte einmal, ihr Vater hätte ihn ihr geschenkt.

Dieser Satz stand am Ende von Zeisigs Nachricht. In Windeseile recherchierte Arne nach Dianas Vergangenheit. Es war wahrlich nicht besonders viel, was er fand, denn zu dieser Stunde konnte er nicht einfach bei anderen Behörden um Auskünfte bitten. Die meisten Informationen betrafen Katharina Sorokin, Dianas Mutter. Deren Ehemann war Sergej Antonowitsch Sorokin gewesen, ein sowjetischer Offizier, der es später sogar zum General geschafft und nach dem man eine Straße benannt hatte. Im Internet gab es eine kurze Vita und ein Foto des ehemaligen Soldaten.

»Gott, die beiden trennten ja hundert Jahre Altersunterschied!«, sagte Arne, was natürlich maßlos übertrieben war, doch Katharina hatte mit zwanzig den neunundvierzigjährigen Mann geheiratet. Die Ehe hatte knapp zehn Jahre gehalten, dann war ihr Mann überraschend gestorben.

»Wie überaus tragisch für die Dame.«

Die Sergej-Antonowitsch-Sorokin-Straße gab es in Moskau noch, in der Stadt, in der Sorokin bis zu seinem Tod gelebt hatte. Aus der Beziehung war die Tochter hervorgegangen und die Ehe hatte sich für die Künstlerin sowohl karrieremäßig als auch finanziell bezahlt gemacht. Der Internetbrowser zeigte ein paar Videos der Opernsängerin an. Eher aus Verzweiflung klickte Arne einen der Links an und lauschte dem einsetzenden Gesang. Während Katharina Sorokin in der Gestalt der Renata über die Bühne schwebte, ein schwarz-rotes Kleid trug und in höchsten Tonlagen trällerte, kniff Arne die Augen zusammen. Nicht, weil ihn das Kostüm verwunderte oder die Töne schmerzten, sondern weil er sich konzentrierte.

Und plötzlich kam ihm eine Idee. Er stoppte das Video und rief erneut die bearbeitete MP3-Datei auf. Wieder setzte die »Engelsinfonie« ein, doch Arne interessierten nur die Hintergrundgeräusche.

»Es sind Worte!«, kam ihm die Erleuchtung.

Er schaute auf die Uhr. Samuel im LKA würde um diese Zeit nicht mehr arbeiten. Demzufolge musste Arne sich selbst behelfen. Hastig gab er in einer Internetsuchmaschine die Begriffe »MP3 rückwärts spielen« ein. Gleich die ersten beiden Vorschläge zeigten ihm hilfreiche Tools an. Er las kurz die Beschreibung und startete dann den Download eines der Freeware-Programme. Innerhalb der nächsten Minuten spielte er die MP3-Datei rückwärts ab.

»Das gibt es doch nicht!« Er konnte es nicht fassen.

Es war Katharina Sorokin, die jetzt sang. Während die »Engelsinfonie« in undeutlichen Tönen wiedergegeben wurde, hörte man ihre Stimme klar. Exakt der gleiche Ausschnitt wie in dem Opernvideo, das Arne zuvor angesehen hatte.

»Sie hat heute Geburtstag!«, erinnerte er sich an die Unterhaltung mit Mario Dellucci in der Oper. Im Internet fand er auch ihr exaktes Geburtsdatum. »Verflucht, sie wird siebzig!«

Sogleich fiel ihm die Zahlenbotschaft auf dem Bauch von Liliana Winzer ein. Die Fotos auf seinem Tisch bestätigten es. Auf ihrer Haut standen die Zahlen 9128315.

SIEBZIG

Somit war auch das Rätsel gelöst.

»Katharina Sorokin ist das Ziel.«

Nur von wem? Und was bedeutete die Zahl 084? Sollte sie wirklich *HBO* heißen?

Wieder ging sein Blick zu dem Ring. Diana hatte ihn angeblich von ihrem Vater erhalten. Hatte Dianas Ehemann sich geirrt? War gar nicht ihr leiblicher Vater derjenige, der das Schmuckgeschenk überreicht hatte?

»Mist!«, sagte Arne einmal mehr zu sich selbst, dann stöberte er erneut in Katharina Sorokins Lebenslauf.

Bisher hatte er die alte Diva völlig vernachlässigt, genau wie ihre Tochter Diana. Und plötzlich lag die Lösung zum Greifen nahe. Er musste nur noch den Text auf dem Bildschirm überfliegen …

Katharina Sorokin war nach dem Tod ihres ersten Ehemanns in die Deutsche Demokratische Republik gekommen. Schon zuvor hatte sie in Budapest, Prag und Berlin ihre Opernkarriere intensiviert. Inzwischen lebte sie in der Villa eines berühmten Pianisten aus Dresden. Des Mannes, der ihr sein gesamtes Vermögen vererbt hatte, nachdem beide sich ein halbes Jahr zuvor am Krankenbett noch das Jawort gegeben hatten. Nach eigenem Bekunden hatte der Mann sich Jahre zuvor in ihre Stimme verliebt. Und durch die Heirat hatte er der einst jungen talentierten Opernsängerin all sein Hab und

Gut überlassen. Er hatte es einer Fremden gegeben – anstatt seinem leiblichen Sohn.

Als Arne den Familiennamen des Musikers las, sackte er völlig erschöpft in seinem Stuhl zusammen.

»Es ist sein Sohn! Sein Sohn hat all das getan … Und sie ist eine Heilige für ihn – auf eine niederträchtig unerklärliche Weise.«

Kaum vom Schock erholt, griff Arne nach dem Telefon und seiner Dienstwaffe.

Kapitel 76

Donnerstag, 20.50 Uhr

Nach mehreren hektisch geführten Telefonaten saß Arne in seinem Škoda und raste über die Blasewitzer Straße zum Weißen Hirsch. Zu der Adresse, wo jeden Moment Streifenbeamte vom Revier Dresden-Nord eine Wohnung stürmen würden. Es würde so ähnlich laufen wie bei Christian Huss. Nur diesmal blieb erst recht keine Zeit für die Alarmierung des Sondereinsatzkommandos aus Leipzig – und sie würden diesmal garantiert die Wohnung des Richtigen durchsuchen, dessen war Arne sich sicher. Der Nachname des verstorbenen Klavierspielers ließ keinen Zweifel übrig. Von Anfang an war Arne von einem Täter ausgegangen, der beruflich oder gesellschaftlich im Umfeld der Semperoper agierte. Diesen Mann hatte er jetzt gefunden. Der Mann, der die zwei Frauen umgebracht hatte, weil sie seine verhasste Stiefmutter symbolisierten. Um das zu hervorzuheben, hatte er den Opfern ein schwarzrotes Kleid angezogen, ähnlich dem, das die Renata in früheren Inszenierungen trug – so wie auch die Operndiva Katharina Sorokin einst auf der Bühne aufgetreten war.

»Meine Güte, er hat sie in den Tod getrieben«, redete Arne, während er eine Ampel bei Rot und lautstarkem Hupkonzert nahm. Ununterbrochen dachte er über Diana Zeisig nach, die vor ihrer Heirat den Namen Sorokin getragen hatte. Über den Psychotherapeuten konnte Arne nun endgültig die Verbindung zwischen dem Täter und Annalena Winzer sowie Mandy Luppa herstellen. Während Annalena Winzers Eventagentur einige Leistungen für die Semperoper erbracht hatte, konnte Mandy Luppa dem Mörder tatsächlich vor Jahren flüchtig in der Therapiepraxis begegnet sein. Vermutlich im Wartebereich, wie sie ausgesagt hatte, wo er seine Stiefschwester abholen wollte. Arne stellte sich vor, wie der Mann damals eine Zeitschrift las und dabei die »Engelsinfonie« summte.

Wahrscheinlich hatten sich die beiden Stiefgeschwister nach dem Bruch mit Katharina Sorokin wieder angenähert. Eine scheinbare Annäherung bloß. Deshalb die beiden entführten Kinder. Sie ähnelten äußerlich der jungen Diana. Deshalb gelangten sie letztlich in die Gewalt eines Wahnsinnigen.

»Ich hätte die Zusammenhänge eher erkennen müssen«, machte Arne sich Vorwürfe und in seinem Kopf flogen die Zahlenhinweise hin und her. »Nein, die Zahlen ergeben nur in der Vorstellung des Täters Sinn. Trotzdem, du bist Kryptologe, Arne, du hättest die Botschaften erkennen, einordnen und zusammenfügen müssen. Du bist schuld am Tod der kleinen Liliana!«

Sein Handy klingelte zum Glück, bevor er den Verstand verlor. Es war das Führungs- und Lagezentrum, das sämtliche Einsatzmaßnahmen auf dem Weißen Hirsch koordinierte, solange Arne nicht am Ereignisort eingetroffen war.

»Die Einsatzkräfte sind bereit«, sagte der Kollege am anderen Ende der Verbindung. »Wir können nicht abschätzen, ob die Zielperson im Haus ist. Wir haben den Mann im Waffenregister überprüft, demnach besitzt er offiziell keine Schusswaffen. Ein Zugriff ist trotzdem mit einem Risiko verbunden, wenn er so emotionslos und brutal ist, wie du angedeutet hast.«

Einen Moment wog Arne ab. Falsches oder übereiltes Handeln konnte ebenso gefährlich sein wie Zögern und langes Taktieren.

»Ich werde …«, begann er schließlich, überdachte seine Entscheidung aber sogleich. »Seine Stiefmutter hat heute Geburtstag …«

»Was?«, kam es aus dem Telefon.

»Es ist die falsche Adresse«, ermahnte er sich, denn schlagartig fiel ihm die Bedeutung der drei Ziffern 084 ein.

Er erinnerte sich an Zeisigs Worte bei ihrer ersten Begegnung in seiner Praxis. Der Arzt hatte Arne vorgeschlagen, ein T und ein R für den Nachnamen Stiller zu finden. Doch Arne brauchte einen ganz anderen Buchstaben. Die Zahlen 084 ergaben tatsächlich eine Abkürzung, aber die Null war kein O, wie es das Beghilos-Alphabet vorsieht, sondern stellte ein D dar. Demnach hieß es nicht HBO, sondern HBD.

Happy Birthday

»Was ist denn plötzlich los, Kollege Stiller?«, vernahm er die Stimme des Kollegen im Ohr. »Was sollen wir tun?«

»Wir sind am falschen Ort. Sie sollen reingehen!«

»Nicht auf dich warten?«

»Nein, jetzt sofort!«

Kapitel 77

Donnerstag, 20.55 Uhr

»Zugriff!«

Ein junger Kommissar vom Polizeirevier Dresden-Nord, der vor einem Jahr frisch von der Fachhochschule gekommen und nun Dienstgruppenführer war, vergewisserte sich noch einmal in sein Funkgerät. »Konnte Sie nicht aufnehmen. Wiederholen Sie!«

»Zugriff!«, schallte es erneut aus dem Führungs- und Lagezentrum. »Jede Sekunde zählt.«

Kraftlos ließ der Kommissar sein Funkgerät sinken. Bis eben hatte er gehofft, ein erfahrener Beamter vom K11 werde jeden Moment eintreffen und die Rolle des Polizeiführers am Ereignisort übernehmen, aber das Kommando eben sprach ihm weiterhin die Führungsrolle zu.

»Alles okay bei dir?«, fragte eine Kollegin, die zwar auf seine Anweisungen hören musste, aber schon deutlich länger im Streifendienst tätig war.

»Es geht schon«, sagte der Kommissar mit dem Mut der Verzweiflung.

Es war sein erster brenzliger Einsatz. In der Theorie hatte er ähnliche Gefährdungslagen schon durchgespielt und sogar zum

Wohlgefallen seines Dozenten ausgeführt. Aber das hier war eine echte Entführung. Er mochte gar nicht an die Konsequenzen denken, wenn etwas schieflief.

»Sollen wir uns zurückziehen?«, fragte die Kollegin.

»Ja …«, sagte er.

»Dann tun wir das.«

»Nein«, hielt er sie auf. »Ja bedeutet, es geht los. Wir stürmen das Haus.«

Sie sah ihn seltsam schief an. »Bist du wirklich in Ordnung?«

Das war er ganz bestimmt nicht, deshalb hielt er sich fortan im Hintergrund und gab aus seiner Deckung Kommandos, während er im Stillen die Kripo verfluchte.

Kaum eine Minute später huschte eine Handvoll Streifenbeamte mit gezogenen Pistolen und ballistischen Schutzwesten den Gehweg der Steglichstraße entlang, um ein altes Wohnhaus zu stürmen. Trotz Protestes einer besorgten Nachbarin, die in Windeseile zurück in ihre Wohnung gedrängt wurde, brach die Polizei im Erdgeschoss eine Tür auf. Über den Funk wurden Durchsagen geschmettert, die der Kommissar nur als dumpfe Laute mitbekam. Er würde später nicht mehr schildern können, wie der Einsatz detailliert abgelaufen war. Nicht einmal den Reporter der *Dresdner Morgenpost* bemerkte er, der heimlich ein Foto von ihm schoss, wie er sich den Kopf hielt und die Ellenbogen auf das Dach eines Streifenwagens stützte. Bis der erlösende Funkspruch aus dem Gerät drang.

»Keine Person festgestellt! Wiederhole: Keine Personen in der Wohnung!«

Sie hatten das richtige Haus, die richtige Wohnung. Aber es war noch nicht vorbei.

»Was ist denn das für eine Abartigkeit?«, fragte ein Uniformierter, als der Dienstgruppenführer schließlich an ihm vorbeitrat, um sich selbst ein Bild von den Räumen zu machen.

Genau wie der Kollege hatte der Kommissar nie zuvor ein Zimmer gesehen, dessen Wände über und über mit Zahlen vollgeschrieben waren.

»Der Rest ist nicht mehr unsere Angelegenheit«, sagte jemand, woraufhin der Kommissar wie automatisch nickte.

Sie hatten ein leeres Kinderbett gefunden mit zwei Vorhängeschlössern. Ein Kinderbett, dessen Matratze furchtbar nach Urin roch. Weitaus schlimmer war jedoch der Inhalt des Koffers unter dem Bett.

Puppenköpfe! Lauter Puppenköpfe aus sprödem, brüchigem Zelluloid. Den Anblick und den Geruch würde der Kommissar nie wieder vergessen. Später würde er oft an diesen Tag zurückdenken und Arne Stiller dafür verantwortlich machen, dass er den Job bei der Polizei schließlich gekündigt hatte.

Kapitel 78

Rückblick

Früher hatte er hier auf dem Weißen Hirsch gewohnt. Nicht wenige hätten alles dafür gegeben, um in dieser ruhigen und grünen Gegend zu leben. Für einen Siebzehnjährigen, der die Nähe zur Innenstadt gewohnt war und dort seine Schulfreunde hatte, war es jedoch keine Option, hier dauerhaft zu leben.

»Du hattest damals doch gar keine Freunde«, rief er sich selbst seine Schulzeit in Erinnerung. »Du warst der komische Typ der Klasse. Derjenige, mit dem irgendwas nicht stimmte, ohne dass man richtig erklären konnte, was das sein sollte.«

Er wusste nicht mehr, wann genau es angefangen hatte. Es hatte eine Zeit gegeben, da war er bei allen beliebt gewesen. Damals, als seine Welt noch in Ordnung gewesen war. Bevor Diana mit ihrer Mutter in das Haus seiner Eltern eingezogen war.

Jetzt stand er hinter dem Gebüsch und beobachtete das Mädchen, das Diana ähnelte. So wie sie hatte er einst auch im Garten seines Vaters gespielt. Bis man ihm die Freude genommen hatte. Die Freude und später den Anspruch auf den Familienbesitz.

Dabei hatte er es mit seiner Pflegefamilie noch gut getroffen. Frank und Christine Meyer waren anständige Leute gewesen. Obwohl sie ihn liebevoll aufgenommen hatten, war er bis zu seinem Auszug ihnen gegenüber undankbar gewesen. Mehrmals war die Polizei aufgetaucht, um ihn zu beruhigen. Dabei war er zu der Zeit eher ein stiller Mensch gewesen, einer, der in sich ruhte, in Wahrheit aber im eigenen Körper gefangen war. In seiner Hilflosigkeit hatte er Dinge kaputt gemacht und Tiere gequält. Zuerst Insekten, dann kleine Nager und am Ende eine Katze. Als er sie getötet hatte, hatte er sich vorgestellt, es sei Dianas Kleopatra gewesen. Die Katze, die seinen Hamster Wursti gefressen hatte. Als das Tier nicht mehr gezuckt hatte, war er zu einem stillgelegten Abflussrohr an einem Bach gelaufen und hatte den Kadaver dort entsorgt. Zum Glück hatten die Meyers nichts davon mitbekommen. Niemand aus der Nachbarschaft hatte etwas mitbekommen. Das war die Lektion, die er in seinem Leben gelernt hatte. Tiere und Kinder hatten kein Stimmrecht in der Welt.

Inzwischen war er siebenunddreißig. Niemand machte ihm mehr Vorschriften, jetzt konnte er bestimmen, was passierte. Aber das Mädchen, das vor ihm auf der Wiese spielte und sich eine dämliche Angelrute baute, um damit in dem winzigen Zierteich fischen zu gehen, dieses Mädchen konnte nicht entscheiden, was als Nächstes mit ihm passierte.

Nein, sie hieß natürlich nicht Diana, sondern Manuela. Aber in seiner Vorstellung sah er in ihr nur Diana, die gehässige Stiefschwester, die für sein Leid verantwortlich war. An Diana selbst konnte er sich nicht mehr rächen, sie hatte sich vor fünf Jahren quasi vor seinen Augen aufgehängt. Er hatte nur noch den Ring von ihrem toten Finger gezogen und eine Haarsträhne abgeschnitten. Den Ring deswegen, weil dieser rechtmäßig ihm gehörte, und die Strähne als Andenken. Wann immer er später an den Haaren riechen würde, symbolisierten sie ihm, wie viel Macht er als Erwachsener besaß.

Leider hielt die Euphorie über Dianas Tod nicht ewig an. Deshalb stand er heute auf dem Grundstück von Christian Huss.

»Dieser Dieb!«

Christian und seine Eltern waren auf der Beerdigung gewesen, hatten in ihre Taschentücher geschluchzt und so getan, als würden sie Anteil nehmen. Aber der Familie Huss war es egal gewesen, was aus dem Sohn des Verstorbenen werden würde. Sie hatte beizeiten gewusst, dass er in eine Pflegefamilie kommen würde. Dessen nicht genug, hatte Christian Huss nicht nur bei seinem Vater eifrig Klavierunterricht genommen, sondern sich auch noch an den nicht vollendeten Werken des Künstlers bedient. Sogar vor der unvollendeten »Engelsinfonie« hatte er nicht haltgemacht. Die Melodie, die seinem Vater so viel bedeutet hatte. Huss hatte die Noten geklaut und ihm, dem Sohn, damit auch noch das letzte bisschen Erbe genommen. Dafür würde er sich heute Christians Tochter holen.

»Manu, das Abendessen ist gleich fertig!«, schallte es vom Haus her.

»Ich komme gleich!«, erwiderte Manuela.

»Nur noch fünf Minuten.«

»Ist gut, Mami!«

Putzig, wie sie die Angel, die nur aus einem Stock und einem Bindfaden bestand, hin und her schwang. Als Köder hatte sie Gras angebunden.

»Was für ein einfältiges Kind«, flüsterte er in seinem Versteck und sah zu, wie Manuela nicht nur mit der Angel, sondern auch mit ihren langen schwarzen Haaren kämpfte.

Fünf Minuten waren eine sehr lange Zeit. Er hatte das Vorhaben exakt geplant. Nicht erst heute hatte er die Kleine beobachtet. Dank der unzähligen Büsche und Bäume konnte man sich unbemerkt anschleichen. Die Nachbarschaft hatte von dem Jungen erzählt, der inzwischen bei der Pflegefamilie Meyer lebte und der ständig fremde Gartenzäune überstieg und Obst klaute. Man erzählte sich auch, dass der Junge Kinder beobachtete und manche sogar ärgerte.

Das alles hatte er während seiner Planung herausgefunden. Er wusste, wie der Junge hieß. Er hieß Ulrich Tännert, aber alle nannten ihn nur Uli. Uli schlief jetzt wahrscheinlich in dem Zimmer, vielleicht sogar im selben Bett, in dem einst er gelegen hatte.

»Hach ja …«, seufzte er, als er an die Monate bei den Meyers zurückdachte – die Meyers, die drei Häuser weiter wohnten.

In dem Moment, als Manuela ihm den Rücken zukehrte, an den Teich trat und die Angel ins Wasser ließ, huschte er aus seinem Versteck. Mit schnellen Schritten war er bei ihr. Mit einer Hand hielt er ihr den Mund zu und mit der anderen drückte er ihren Kopf nach unten. Sie klammerte ihre Hand ins Gras. Um das Handgelenk war eine wunderschöne Kinderuhr gebunden.

Die Uhr nahm er danach als Trophäe mit.

Das berauschende Gefühl, eine Diana in einem Goldfischteich versenkt zu haben, würde vorbeigehen, das wusste er. Irgendwann würde er sich ein weiteres Kind holen. Ein dunkelhaariges Kind mit harten Bäckchen. Eines, das aussah wie seine Stiefschwester als Achtjährige. In dem Alter war sie nämlich in sein Leben getreten – zusammen mit ihrer Mutter.

Kapitel 79

Donnerstag, 21.00 Uhr

»Hallo, Mutter«, begrüßte er Katharina Sorokin, als sie ihm die Eingangstür weit öffnete. »Ich nehme an, ich darf dich Mutter nennen.«

»Wer ist dieses Kind?«, kam es hochnäsig von ihr, nachdem sie argwöhnisch die Katze in seinem Arm gemustert hatte.

Kein Wunder, dass sie das Mädchen erst nach dem Kätzchen richtig wahrnahm, die Alte wankte ja schon ein bisschen. Deshalb wunderte er sich nicht über diese bescheuerte Frage von ihr. Was er hier wolle, wäre die richtige erste Frage gewesen, nach so vielen Jahren, die er das Grundstück nicht mehr betreten hatte.

Ohne Perücke sah sie hässlich aus. Ihr Haar war dünn, man konnte stellenweise die Haut auf dem Kopf sehen. Und wie erwartet waren keine Gäste anwesend, denn Katharina hatte keine Freunde. Irgendwo im Haus spielte Musik. Das war die einzige Freude, die ihr noch geblieben war.

»Freust du dich nicht, deine Tochter zu sehen?«, fragte er. »Und Kleopatra? Schau nur, deine Lieblingskatze hat ein bisschen abgenommen.«

»Bist du noch bei Trost?«

Er drängte das Mädchen über die Türschwelle und setzte die Katze ab. »Erkennst du Diana nicht wieder? Ihr Kleid passt sogar noch!«

Während Katharina verwirrt den Kopf drehte, weil die Katze zwischen ihren Beinen hindurch ins Haus rannte, hielt er das Mädchen fest im Nacken, weshalb es vor Schmerzen und Angst jammerte.

»Das ist nicht mein Zuhause. Bitte lassen Sie mich gehen!«

Er ignorierte ihr Flehen und redete mit Katharina. »Kommen wir zu spät zu deiner Feier?«

»Verschwinde!«, fauchte sie ihn an.

Er lächelte bloß, strich mit der freien Hand über den Türrahmen. Es war noch dasselbe Holz wie damals, als seine Pflegeeltern ihn samt seinen Koffern exakt an dieser Stelle abgeholt hatten.

Er hatte es nicht eilig bei dem Besuch. Von der Straße aus konnte man den Eingang zum Haus nicht einsehen. Er hatte seinen Geländewagen direkt auf dem Grundstück geparkt. Das Jammern des Kindes würde keinen der Nachbarn interessieren. In dieser Gegend kümmerten sich die Leute nur um ihre eigenen Angelegenheiten. Damals, als jemand in die Villa eingebrochen war, hatte niemand etwas gehört oder gesehen. Später hatte Katharina in der Oper geklagt, welchen kostbaren Schmuck der Einbrecher mitgenommen hatte. Seitdem gab es im Haus eine Alarmanlage. Aber die war nutzlos, solange die Eigentümerin ihren Gästen freiwillig die Tür öffnete.

»Was soll das werden?«, fragte Katharina endlich. Sie hatte wirklich keine Ahnung. »Reicht es nicht, wenn ich deine blöde Visage ständig in der Oper sehen muss?«

»Oh, in der Oper versuche ich, dir aus dem Weg zu gehen, soweit es mir möglich ist. So hatten wir es schließlich vereinbart. Deinen siebzigsten Geburtstag kann ich aber unmöglich sausen lassen. Schließlich bin ich dein Stiefsohn.«

»Ich will zu meiner Mama«, heulte das Mädchen.

Erst jetzt schien Katharina zu begreifen, dass etwas mit dem Kind nicht stimmte. »Gehört die Kleine einer Bekannten von dir?«

»Im weitesten Sinne«, sagte er belustigt. Im Haus klingelte das Telefon jetzt schon zum zweiten Mal. »Hast du noch einen Schluck Cognac für mich oder ist die Flasche schon leer?«

»Du glaubst doch nicht, dass ich dich in mein Haus lasse?«

Er lächelte, dann stieß er das Kind gegen Katharina. Während sie rückwärts taumelte, warf er die Tür hinter sich zu, verriegelte das Schloss und zückte ein Messer.

»Was zum Teufel ist in dich gefahren?«, fragte Katharina. Als hätte das Mädchen eine ansteckende Krankheit, stieß sie die Kleine von sich. »Nimm sie mit und geh!«

Die Katze miaute unter der Treppe. Die Musik wurde vom einsetzenden Telefonklingeln übertönt.

»Kaum zu glauben, da will dir offenbar tatsächlich jemand gratulieren«, sagte er und hielt die Messerspitze nach vorn. »Vorher solltest du deinem Geschenk mehr Beachtung schenken. Ich habe mir solche Mühe gegeben, sogar eine Schleife habe ich in ihr schönes schwarzes Haar gebunden.«

»Du bist doch krank«, beschimpfte Katharina ihn. »Ich wusste es immer.«

»Du und deine Tochter, ihr habt mich krank gemacht.« Er schnippte mit den Fingern und zeigte auf Diana, die eigentlich Antonia hieß. »Steh auf und schieb dein Hemdchen hoch, damit sie die Zahlen sehen kann!«

»Nein, ich will ihr nicht meinen Bauch zeigen.«

»Zeig ihr deinen Bauch oder ich zerschneide dein Kleidchen.«

»Was machst du denn da?«, rief Katharina, deren verbliebene Sinne nur schwerlich gegen den Alkohol ankamen.

Weil das Kind nicht hörte, trat er schnell an es heran und zerschnitt den Stoff am Rücken.

»Hör auf!«, kreischte Katharina, während Antonia weinte.

Doch er riss das Kleid komplett vom Körper des Mädchens. »Siehst du die Zahlen, ja? Los, Diana, nenn deiner Mutter die Lösung! Sie hat dich immer für schlauer als mich gehalten, dabei waren deine Noten in Mathe durchschnittlich. Und jeder weiß, wie wichtig Mathematik ist.«

»Du bist ja völlig wahnsinnig«, sagte Katharina und hob dabei ihre vom Alkohol rot gefärbte Nase, wie sie es früher immer getan hatte. »Du glaubst doch nicht ernsthaft, dass mich dein Spielchen beeindruckt.«

»Was ich denke oder glaube, ist egal. Sie soll dir die Lösung des Rätsels nennen.«

»Was ist denn das für ein Schwachsinn mit den Zahlen?«

»Der gleiche Schwachsinn, der deine Tochter dazu gebracht hat, sich ein Seil zu knoten und einen Stuhl hinaufzusteigen.«

»Was sagst du da?«

Er lachte. »Ja, immer wenn deine Tochter mich gequält hat, habe ich mich in mein Zimmer geflüchtet und Taschenrechnerworte gelernt.«

»Taschenrechnerworte«, kam es abfällig von Katharina, die durch den Korridor wankte und sich am Treppengeländer festhielt. Das Treppengeländer, wo ihm einst die vollgefressene Katze entgegengetigert war. »Diana hat dir nie etwas getan.«

»Und ob!«, protestierte er und fuchtelte mit dem Messer. »Sie hat heimlich ihre Unterwäsche in meinem Zimmer versteckt, damit es so aussah, als würde ich abartige Dinge damit tun. Und sie hat den Leim in meinem Schulranzen ausgekippt, damit mein Vater dachte, ich hätte ihn nicht richtig zugeschraubt. Später hat sie hochpeinliche Fotos von mir unter meinen Klassenkameraden verteilt. Dafür habe ich sie in den Tod getrieben. Aber ich habe dir die junge Diana zurückgeholt.

Und sieh dir an, wie klug sie wirklich ist! Nicht einmal die Zahlen versteht sie. Die Zahlen bedeuten SIEBZIG! Dein heutiges Alter!« Er fuhr dem Kind über den Bauch und zeigte auf die untere Zahlenreihe, wo 084 stand. »Und das ist ein auf den Kopf gestelltes ›Happy Birthday‹. Ist das nicht rührend? Zugegeben, ich habe ein bisschen gemogelt, denn die Null steht eigentlich stets für ein O, aber ich habe ein D daraus gemacht. Taschenrechnerworte sind eben eine Kunst. Man kann sogar das Wort HEILIGE damit darstellen. Hast du bei der Oper gut aufgepasst? Dort wird es in Zahlen dargestellt. Heilige! Eine Heilige, das sollte Diana für dich sein, das wolltest auch *du* sein, auf der Bühne und abseits davon! Nicht wahr, Renata? Ich habe dir ein Denkmal damit gesetzt, indem ich das Bühnenbild mit den Zahlen ausgestattet habe. Meine Kollegen wissen bis heute nicht, was sie bedeuten. Sie bedeuten Heilige. Du bist in Wahrheit aber keine Heilige! Genau wie Renata bist du nur eine geistesgestörte Frau!« Er zeigte auf Antonia, die mit dem Gesicht auf dem Boden lag und ihre Augen mit dem zerschnittenen Kleidchen bedeckte, damit sie nicht sehen musste, was um sie herum passierte. Daher sah sie auch nicht den Strick, den er am Rücken aus seinem Hosenbund zog und mit dem er ihre Mutter erdrosselt hätte, wenn sich die blöde Kuh nicht gewehrt hätte. »Und *sie* ist auch keine Heilige, denn sonst könnte sogar eine Achtjährige dieses einfache Rätsel lösen. Und weil sie es nicht kann, werde ich sie vor deinen Augen töten. Zu schade, dass du nicht zugesehen hast, wie Diana an einem Strick von einem Deckenbalken gebaumelt ist. Nicht einmal zu ihrer Beerdigung bist du gegangen.«

»Wozu? Sie hat mich im Stich gelassen. Am Ende war sie genauso erbärmlich wie du«, sagte die Stiefmutter bloß. »Und jetzt schaff endlich das Kind aus meinem Haus.«

»Dein Haus? Es gehört mir! Ich bin der rechtmäßige Erbe.«

Katharina lachte bloß. »Ach, merkwürdig, im Testament hat dein Vater mich allein bedacht. Du warst schon immer lächerlich, genau wie dein Vater. Er hat nicht gemerkt, wie ich ihn um den Finger gewickelt habe.«

»Rede ja nicht schlecht über meinen Vater!« Er merkte, wie seine Hand am Messergriff feucht wurde.

»Warum?« Sie war tatsächlich trunken, nahm ihn nicht ernst. »Ihr beide habt nicht kapiert, was für ein Spiel ich mit euch getrieben habe. Du beschuldigst Diana? In Wahrheit bin ich für all dein Unglück verantwortlich.« Wieder lachte sie beschwipst. »Ja, ich war das mit Dianas Unterwäsche und den Fotos von dir. Und ich habe auch deinen stinkenden Hamster der Katze hingeworfen …«

Kapitel 80

Donnerstag, 21.05 Uhr

Aus einer Eingebung heraus hatte Arne die Fahrtrichtung geändert. Er fuhr nicht zum Weißen Hirsch, wo der Polizeieinsatz lief, sondern bog zum Waldpark Blasewitz ab. Der Stadtteil, der schon Friedrich Schiller beeindruckt hatte, weshalb er in seinem berühmten »Wallenstein« auch eine gewisse Gustel von Blasewitz verewigt hatte. Der Stadtteil war eben schon immer ein Künstlerviertel gewesen.

Um Künstler und ihre verdorbenen Marotten drehten sich derzeit Arnes Gedanken. Katharina Sorokin lebte dort allein in dem Haus ihres verstorbenen zweiten Ehemanns.

Unterwegs versuchte Arne mehrfach, die Opernsängerin über deren Festnetzanschluss zu erreichen. Bis auf das Rufzeichen tat sich nichts. Niemand hob ab. Das konnte gut oder schlecht sein, denn vielleicht war sie an ihrem runden Geburtstag außer Haus.

Doch Arnes Hoffnung zerplatzte, als er vor der Gründerzeitvilla aus dem Wagen sprang, die Kiesauffahrt hinaufeilte und den Geländewagen sah.

»Mist!« Sein nächster Anruf galt dem Führungs- und Lagezentrum, wo man ihn vom Einsatzverlauf auf dem Weißen

Hirsch unterrichtete. Inzwischen wunderte es ihn nicht mehr, dass sie weder Antonia noch ihren Entführer angetroffen hatten. Stattdessen gab er in knappen Sätzen an, dass die Operndiva Sorokin das Ziel des Täters war. Zeit für weitere Erklärungen blieb nicht. »Ich brauche hier dringend Verstärkung! Es besteht akute Lebensgefahr für das Kind.«

Nachdem er die Adresse durchgegeben und das Telefonat beendet hatte, eilte er mit gezogener Waffe und in geduckter Haltung am Eingang vorbei. Heimlich spähte er durch die Fenster im Erdgeschoss, konnte aber im Inneren nichts erkennen. Auf der Rückseite fand er ein angekipptes Fenster, aus dem Musik drang. Bei früheren Einsätzen hatte er manchmal spielend leicht die Verriegelung überlisten können, diesmal gab das Fenster jedoch nicht nach. Beherzt rammte er also seine Schulter gegen den gekippten Fensterflügel. Es polterte heftig, als sich die Scharniere und Beschläge verbogen, Schrauben sich lösten und der Widerstand brach. Vermutlich war der Mörder jetzt durch das Geräusch gewarnt, aber Arne musste handeln, wenn er das Leben des Kindes und der alten Frau retten wollte.

Ungelenk und fluchend kletterte er durch die Öffnung. Ihm fehlte jegliche sportliche Fitness. Zu allem Überfluss behinderte ihn sein Bauch. Auf dem Fensterbrett verlor er deshalb den Halt, kippte vornüber und schlug hart mit dem Kinn auf dem Boden auf. Für Sekunden kreiste alles um ihn. Sogar eine Schnittwunde hatte er sich bei dem Sturz zugezogen. Mit blutverschmierter Hand griff er seine Waffe erneut und wankte durch den Raum. Er befand sich im Wohnzimmer, wo die Musik spielte und auch das Festnetztelefon stand. Noch halb benommen vom Sturz, näherte er sich der Tür. Um ihn herum hingen aristokratische Gemälde. Sogar ein Porträt in barocker Tracht von Katharina Sorokin war darunter. Arne schüttelte den Kopf und lauschte am Türblatt danach, was sich draußen tat. Es gab einen heftigen Streit. Antonia weinte. Und Sorokin …

»Sie lacht«, flüsterte Arne erstaunt und sein Blick ging zu der offenen Cognacflasche und dem daneben stehenden leeren Glas. »Sie lacht ihn aus!«

Offenbar hatten die Personen vom dilettantischen Einbruch nichts mitbekommen. Anscheinend hatte Arne endlich einmal Glück. Wobei es sich noch herausstellen würde, ob es sich um einen Glücksfall handelte, nur einen Raum von einem Mehrfachmörder getrennt zu sein.

»Und ich habe auch deinen stinkenden Hamster der Katze hingeworfen«, hörte Arne Sorokin durch die geschlossene Tür sagen.

»Was hast du da eben gesagt?«, kam es vom Sohn des ehemaligen Hauseigentümers.

»Oh, du hast mich schon verstanden«, sagte Sorokin. »Leider hat Kleopatra nur mit Wursti gespielt, anstatt ihn zu verspeisen. Also habe ich ihn hinter der Grundstücksmauer wie Abfall entsorgt. Er hätte es ohnehin nicht überlebt, nachdem Kleopatra ihre Krallen in sein Fell gebohrt hatte.«

»Du elendiges Miststück!«

»Scheiße, ich muss der Verstärkung noch ein paar Minuten geben«, redete Arne mit sich selbst und fasste den Pistolengriff fester.

Plötzlich schrie Antonia so heftig, dass es Arne durch Mark und Bein ging. Während ihm vor Sorge um das Kind fast das Herz aus der Brust hüpfte, verlor der Mann draußen noch weitaus mehr die Fassung.

»Dann bringe ich jetzt Diana um«, sagte er. »Mal sehen, ob du dann immer noch so vorlaut bist, du Hexe.«

Diana, schoss es Arne durch den Kopf. Er hielt Antonia tatsächlich für Diana.

»Das da ist nicht Diana«, antwortete Sorokin hörbar hochnäsig. »Das ändert gar nichts an meiner Einstellung zu dir, Hans.«

Hans, sie nannte ihn Hans! Arne konnte nicht länger warten. Trotz seiner Aufregung betätigte er vorsichtig die Klinke, öffnete geräuschlos die Tür und spähte durch den Spalt.

Der Wahnsinnige hielt das Kind in seinem Griff. In einer Hand führte er ein Messer und mit der anderen …

»… zieht er zu«, flüsterte Arne, weil er es nicht genau erkennen konnte, aber so wie das Mädchen röchelte, hielt er eine Schlinge um ihren Hals gespannt. »Mist! Mist! Mist!«

»Hör auf damit!«, ermahnte Sorokin Hans Leo erneut. Jetzt klang sie zornig.

»Ich wusste, dass du das nicht mit ansehen kannst«, sagte Hans Leo. »Sie hat die Zahlen nicht lösen können, also gib zu, dass deine Tochter ein Schwachkopf ist, dann lasse ich sie gehen.«

»Was du mit dem Kind machst, ist mir egal, nur tu es nicht in meinem Haus.«

Meine Güte, dachte Arne. Die ganze Familie ist wahnsinnig!

»Aufhören!«, konnte er sich nicht mehr zurückhalten zu rufen und stürzte mit vorgehaltener Pistole in den Korridor. »Lassen Sie das Kind los!«

»Was machen Sie hier, Sie unausstehlicher Bulle?«, fragte Leo.

»Es heißt ›siebzig‹ und ›Happy Birthday‹. Ihre Zahlenspiele, ich habe sie alle gelöst. Wir können darüber reden, nur hören Sie auf, dem Kind wehzutun.«

Für einen Augenblick schien er wirklich beeindruckt, weil Arne die Botschaft auf dem Bauch des Kindes kannte.

»Nein, ich kann nicht«, sagte er schließlich. »Ich muss es tun.«

»Müssen Sie nicht. Sie wissen selbst, wie weh man Ihnen als Kind getan hat. Lassen Sie das Mädchen los, sie ist ein unschuldiges Kind.«

»Nein«, wiederholte Leo, wobei seine Stimme brach. »Unschuldig war ich, aber sie ist es nicht.«

»Du kapierst es einfach nicht«, mischte Sorokin sich ein.

»Halten Sie den Mund!«, fuhr Arne sie an, aber die Alte winkte nur ab und grinste ihn wie eine Alkoholikerin an. Unterdessen lief ihm Blut von der Hand, tropfte am kleinen Finger ab.

»Er ist ein Schlappschwanz«, sagte die Hauseigentümerin gleichgültig. »Schon immer gewesen …«

Innerhalb von Sekunden wirbelte Leo das Kind beiseite und stürzte mit dem Messer auf die Opernsängerin zu. Unter der Treppe huschte eine Katze hervor. Kurz irritiert von dem Tier, blieb Arne nichts anderes übrig, als blindlings zu schießen. Einmal, zweimal …

Wie schnell ein Mensch doch drei Meter überbrücken kann, rauschte es Arne durch den Kopf, während er wieder und wieder den Abzug krümmte.

… dreimal …

Die Klinge raste auf Sorokins Hals zu, durchtrennte die Haut. Blut spritzte.

… viermal.

Kapitel 81

Freitag, 9.35 Uhr

Die Nacht war eine der furchtbarsten in Arnes Leben gewesen. Sie rangierte irgendwo zwischen der Nacht, als Natalia ihm die Trennung mitgeteilt hatte, und der Nacht, als er als Siebzehnjähriger heimlich in den Garten seiner ersten richtigen Freundin eingestiegen war, um sich bei Vollmond mit ihr zu treffen. Sie hatte ihm allerdings verschwiegen, dass ihre Eltern einen frei laufenden Rottweiler besaßen.

»Danach war es aus zwischen uns«, plapperte er in die Dreierrunde hinein, obwohl Inge und Bernhard gar nichts gesagt hatten. »Also nicht das mit dem Hund, sondern das mit meiner Freundin. Das mit dem Hund natürlich auch. Er hatte mir meine beste Hose zerfetzt.«

Inge und Bernhard schauten ihn verwundert an, weil er aus heiterem Himmel von seiner Vergangenheit erzählte. Beschämt steckte er die Nase tief in seine Tasse, als er den Fauxpas bemerkte. Der Morgenkaffee machte die schlaflosen letzten Stunden auch nicht besser. Inge hatte ihn gekocht und beim Servieren der Tassen gemeint, sie habe sich extra Mühe gegeben, nachdem er sich bei Huss' Vernehmung über ihre Braukünste beschwert hatte. Arne wollte gar nicht wissen, wie ihr Kaffee schmeckte, wenn sie sich mal keine Mühe gab.

»Kommen wir zu den unangenehmen Dingen«, hob Bernhard die Stimme und griff nach einem der unzähligen Schreiben, die verstreut auf seinem Bürotisch lagen.

Arne fragte sich unterdessen, ob es bei dieser Geschichte überhaupt irgendetwas Positives zu berichten gab. Vielleicht die Sache mit Mandy Luppa, die endlich ihren abartigen Betreuer los war. Aber das war wohl überwiegend Inges Verdienst.

»Es geht um Katharina Sorokin«, redete Bernhard weiter. »Sie fordert Schadenersatz: für die Schnittverletzung an ihrem Hals …«

»Für das bisschen Blut!«, empörte Arne sich. »Andere hätten sich nicht so theatralisch ins Krankenhaus bringen lassen.«

Bernhard ließ sich nicht unterbrechen. »… und für das zerstörte Fenster im Wohnzimmer.«

»Oh, das tut mir mittlerweile wirklich leid … also, dass ich sie nicht habe verbluten lassen, meine ich.«

Bernhard legte das Blatt beiseite, als wäre es den Toner darauf nicht wert, und faltete die Hände über dem Tisch. »Wie dem auch sei, Sie hat es dank deines beherzten Eingreifens überlebt.«

»Schon besser.«

»Weitaus wichtiger ist jedoch, dass Antonia lebt«, brachte Inge sich ein, die ihre Tasse bereits ausgetrunken hatte. »Ihr Vater ist der Dresdner Polizei nach dem Verlust seiner Frau dankbar, dass wir wenigstens seine Tochter befreien konnten. Es geht dem Kind mittlerweile besser.«

»Das Innenministerium sieht das genauso«, bestätigte Bernhard und nahm einen Zeitungsartikel zur Hand. »Du willst es zwar nicht hören, Arne, aber Innenminister Karl von Seiffen hat dich sogar lobend in der Pressekonferenz erwähnt. Wortwörtlich steht hier:

Sachsens einziger und über die Landesgrenzen hinaus bekannter Kryptologe konnte den Beschuldigten durch das Entschlüsseln der Zahlenbotschaften überführen.«

»Der Lackaffe will doch nur sein schlechtes Gewissen beruhigen, wegen der Sache mit meiner Frau.«

»Ich dachte, es wäre deine Ex-Frau«, neckte Inge ihn, woraufhin Arne die Lippen aufeinanderpresste und am Verband an seiner rechten Hand zupfte. Die Schnittverletzung vom Fenstersturz juckte.

Zugegeben, das war ein kleiner Schmerz gegen das, was Antonia in Gefangenschaft erlebt hatte. Arne war noch in der Nacht in Hans Leos Wohnung gewesen, um sich das sonderbare Zimmer, von dem alle Polizisten sprachen, persönlich anzusehen. Hans Leo hatte die Zahlen teilweise mit seinen Fingernägeln in die Tapete gekratzt. Alle Zahlen ergaben Wörter. Arne hatte sie nicht gezählt und auch Leo hatte die genaue Anzahl über die Jahre vergessen.

»Er hat irgendwann herausgefunden, dass man seinen Nachnamen mit dem Taschenrechner darstellen kann«, sagte er. »0-3-7. Drei verdammte Buchstaben ergeben Leo. Das Beghilos-Alphabet habe ihm als Kind über die schwere Zeit hinweggeholfen, das hat er gestern bei seiner ersten Befragung im Krankenhaus ausgesagt, nachdem die Ärzte seine Schussverletzung operiert hatten.«

»Drei Schüsse in die Wand und einen in die Hüfte«, erinnerte Bernhard ihn an sein hundsmiserables Trefferbild. »Ich kann es kaum glauben! Zum Glück hat eine Patrone gesessen und den Wahnsinnigen gestoppt. Wer weiß, was sonst passiert wäre.«

Wahrscheinlich hätte er Sorokin die Kehle aufgeschlitzt, aber über diese furchtbare Frau wollte Arne nicht reden. »Wir haben uns zwei Stunden an Leos Krankenbett alles über Zahlen und deren Bedeutung angehört. Ich habe ihn dabei aufmerksam beobachtet. Inzwischen glaube ich, seinen Antrieb und sein Vorgehen zu verstehen. Er hat Diana Zeisig, Katharina Sorokins Tochter, nur mithilfe der Zahlen in den Tod getrieben.«

»Sie war vorher schon psychisch angeschlagen«, warf Inge ein.

»Ja, aber das muss man trotzdem erst einmal fertigbringen, anonyme Briefe zu schreiben, in denen keine Wörter stehen. Zumindest keine offensichtlichen. Diese sonderbare Form des Stalkings hat sie völlig um den Verstand gebracht und schlussendlich zu einer Verzweiflungstat getrieben. Es ist besonders schlimm, weil ihr Mann die Sache nicht ernst genommen hat. Und dann war Hans Leo in ihr Leben zurückgekehrt und hatte ihr eingeflüstert, wie beschissen ihrer beider Kindheit gelaufen ist. Wir werden nie erfahren, was das genau für Gespräche waren. Letztlich wollte Leo nur, dass Dianas Mutter sich schuldig fühlt, aber Katharina Sorokin ist eine unausstehlich harte Frau.« Er zeigte auf das Papier mit ihren Forderungen. »Es war ihr völlig egal, dass Diana sich stranguliert hat. Also wollte Leo es ihr mit den entführten Kindern heimzahlen. Er wollte sich Sorokins Anerkennung erpressen. Er hat alles für diesen einen Tag vorbereitet. Beinahe wäre das gestern Abend in einer Katastrophe geendet.«

»Du hast alles richtig gemacht«, bestätigte Bernhard. »Ich kann es immer noch nicht fassen, wie der Opernassistent alles so perfekt durchführen konnte.«

»Es war nicht perfekt – nicht nach seiner Auffassung. Und nach meiner auch nicht, denn sonst hätten wir ihn nie gekriegt. Wir wissen jetzt, dass er Annalena Winzer persönlich die VIP-Tickets für die Opernpremiere übergeben und sich mit ihr unterhalten hat. Sie hat ihm dabei von ihren Shoppingabsichten erzählt.«

»Aber wenn sich die beiden schon vorher kannten, warum hat Annalena Winzer ihn nicht erkannt, als er sie als Wachschutzmitarbeiter vor dem Geschäft angesprochen hat?«

»Vielleicht kam er ihr da nur bekannt vor.« Arne zuckte mit den Schultern, weil er zum jetzigen Zeitpunkt nur Vermutungen anstellen konnte. »Ich war in den letzten Tagen ziemlich oft in der Oper. Es ist erstaunlich, wie Kostüme und Schminke Menschen verändern können. Die Maskerade für seine Taten, die Uniform und der Talar, stammte aus dem Fundus der Oper. Und inzwischen gibt es auch eine Erklärung, wie Hans Leo in das Regenüberlaufbauwerk gelangen konnte. Er hatte einen Schlüssel. Vor ein paar Monaten gab es dort eine Havarie, deshalb wurde ein Schlüssel bei der Opernleitung hinterlegt. Bis heute wurde er jedoch nicht zurückgegeben. Wie gesagt, die Planung war ausgezeichnet, aber gegen den Zufall ist selbst der abgebrühteste Killer machtlos. Es war ein tragisches Glück, dass Liliana sich selbst befreien konnte. Entkommen ist sie, wie wir wissen, leider nicht. Deshalb kann ich mich über das Lob von Vorgesetzten und der Presse nicht wirklich freuen.«

Nach diesen Worten musste Arne tief Luft holen, denn so hatte er sich seine Wiedereingliederung in den Dienstalltag nicht vorgestellt. Glück im Unglück, er war wieder jemand in den Reihen der Polizei. Die Zeitungen, die auf Bernhards Schreibtisch lagen, bewerteten seine Arbeit positiv. Man staunte über die Sache mit den Taschenrechnerworten.

»Und jetzt«, hob sein Chef an, »willst du dir Urlaub nehmen?«

»Das hättest du wohl gern«, protestierte Arne.

»Ich fände es auch ungerecht, wenn er mich mit den ganzen Ermittlungen allein lassen würde«, hakte Inge ein. »Will noch jemand Kaffee?«

»Gern«, sagte Bernhard und reichte ihr seine leere Tasse.

»Weißt du, was Armakuni über Kaffee sagt?«, fragte Arne, als Inge seine halb volle Tasse argwöhnisch beäugte.

»Bisher dachte ich immer, dass die in Japan nur grünen Tee kennen.«

»Armakuni war schon immer seiner Zeit voraus, deshalb weiß er ja so viele schlaue Sachen. Jedenfalls sagt er: ›Ein Kaffee muss so rein sein wie die Lotosblüte am Morgen‹.«

Bernhard und Inge sahen sich wieder an, als hätte er irgendwelchen Blödsinn von sich gegeben. Aber kurz darauf konnten sie endlich alle drei ein bisschen lachen.

Nachwort und Danksagung

Liebe Leserin, lieber Leser,

herzlichen Dank, dass Sie sich die Zeit für mein Buch genommen haben! Falls das Ihr erster Kontakt mit mir als Autor ist, hoffe ich, dass mein Thriller Sie überzeugen konnte und Sie sofort Lust auf einen weiteren Kriminalfall aus meiner Feder verspüren. Andernfalls sagen Sie einmal laut »Mist!« oder entspannen Sie mit der JALTA SINN.

Da ich leidenschaftlich gern die Semperoper besuche und das Dresdner Elbpanorama samt den historischen Sehenswürdigkeiten liebe, war es von mir ein lang gehegter Wunsch, einen Krimi zu schreiben, der in dieser Stadt spielt. Es hat ein paar Jahre gedauert, bis ich die passende Geschichte gefunden hatte.

Ich möchte an dieser Stelle betonen, dass es innerhalb des Personals der Semperoper garantiert nicht annähernd so intrigant zugeht, wie ich es für die vorliegende Handlung benötigte. Andernfalls hätte das Opernhaus keinen so guten Ruf. Sollten Sie irgendwann nach Dresden reisen, besorgen Sie sich unbedingt Karten für eine der Aufführungen. Ich selbst bin immer wieder vom Ambiente und den Darbietungen begeistert.

Stammleser werden unweigerlich den Vergleich zu meinen anderen Reihen ziehen. Mir als Autor ist es jedoch wichtig, dass die neue Serie mit der tragenden Figur Arne Stiller ihren eigenen Charakter entfaltet. Selbstverständlich soll der gewohnte »Haller-Stil« erkennbar bleiben. Ich hoffe, es ist mir gelungen.

Arne Stiller wird bald in einem neuen Mordfall ermitteln. Falls Sie ihn dabei unterstützen werden, kann ich Ihnen jetzt schon versprechen, dass es ähnlich dramatisch zugehen wird wie in »Der Kryptologe«.

Analog zu meinen bisherigen Thrillern tauchen auch in der vorliegenden Geschichte neben fiktiven Örtlichkeiten reale Gebäude und Sehenswürdigkeiten von Dresden auf, allen voran die berühmte Semperoper. So gibt es auch das erwähnte Regenüberlaufbecken nahe der Oper, wo tatsächlich Führungen angeboten werden. Machen Sie mich jedoch nicht verantwortlich, wenn Sie an den falschen Führer geraten und später tot im Abwasserkanal gefunden werden.

Auch diesmal geht mein Dank an all die Menschen, die an diesem Buch mitgearbeitet haben: Alexandra Scherer, Jennifer Bruno, Kerstin Gilbert, Jens Leichsner, meine Arbeitskollegen (die mir ungewollt stets die besten Ideen liefern), Lektorin und Korrektor sowie an das gesamte Team von Amazon Publishing.

Schreiben Sie mir gern per E-Mail (autor@eliashaller.com), falls Sie Lob, Kritik oder einfach einen Gruß für mich haben. Auf meiner Internetseite www.eliashaller.com können Sie sich für meinen Newsletter anmelden, um bei neuen Büchern informiert zu werden. Alternativ können Sie mir auch auf Facebook www.facebook.com/HallerKrimis oder auf Instagram www.instagram.com/eliashaller.autor folgen.

Elias Haller, Januar 2021